Lucie Tissier
HIVER 2017

LA MÉMOIRE DES EMBRUNS

Née à Melbourne, Karen Viggers est vétérinaire, spécialiste de la faune sauvage. Elle exerce dans divers milieux naturels, y compris l'Antarctique. Elle vit aujourd'hui à Canberra, où elle partage son temps entre son cabinet et l'écriture.

KAREN VIGGERS

La Mémoire des embruns

TRADUIT DE L'ANGLAIS (AUSTRALIE) PAR ISABELLE CHAPMAN

LES ESCALES

Titre original :

THE LIGHTKEEPER'S WIFE

À ma grand-mère
Rhoda Emmy Vera Viggers
1912-2009

Pour sa compassion et l'exemple
qu'elle a été pour moi

« My life was wide and wild,
and who can know my heart ?
There in that golden jungle
I walk alone.[1] »

Judith WRIGHT
« The Sisters », A Human Pattern: Selected Poems

---

1. « Ma vie fut vaste et sauvage, et qui saurait sonder mon cœur ? Là dans cette jungle dorée je marche seule. » *(Toutes les notes sont de la traductrice.)*

Prologue

Elle se trouvait à la cuisine quand cela se produisit : un coup sec et sonore frappé à la porte d'entrée. Le son rebondit dans le couloir, sur le plancher et le porte-chapeaux, ricocha entre les portes coulissantes et la surprit en train d'essuyer la table en rêvassant – elle s'imaginait marchant sur une plage sauvage de l'île Bruny.

Elle réintégra d'un seul coup un corps plus vieux de cinquante années. Sa main, en dérapant, envoya une giclée de miettes au sol. Qui pouvait bien lui rendre visite à l'improviste ?

Elle reprit sa canne. Derrière le verre dépoli de la porte d'entrée se découpait une silhouette – sans doute quelqu'un démarchant pour des bonnes œuvres... Elle ouvrit les verrous.

Un vieux monsieur cravaté de travers, le dos voûté sous son costume bleu marine. Ce visage buriné... L'espace d'un instant, elle se dit qu'elle l'avait déjà rencontré, mais où ? Au club de bowling ? À la paroisse de Jan ? Au magasin caritatif ? Les vieillards se ressemblaient tous, seul l'inventaire de leurs maux les distinguait les uns des autres.

— Que puis-je pour vous ? dit-elle.

En guise de réponse, il pencha la tête de côté et se passa les doigts dans les cheveux. Au bord du malaise, elle s'agrippa au montant de la porte. Son cœur s'était mis à battre douloureusement.

Que faisait-il là ? Il savait qu'il n'était pas le bienvenu. Pourtant, il était devant elle, la fixant de ses yeux d'un bleu délavé dont le regard n'avait rien perdu de son intensité. En voulant reculer, elle fit un faux pas et lâcha sa canne.

— Mary, articula-t-il d'une voix grave et éraillée par le grand âge.

Il tendit une main qu'elle n'eut pas le réflexe de repousser. Pensait-il vraiment pouvoir l'aider ? Il croyait à l'union de l'aveugle et du paralytique. Si seulement elle avait pu le faire disparaître par la seule magie d'un regard ! Soudain, son pouls s'affola, déclenchant une crise comme elle n'en avait jamais eu. « Évitez tout choc émotionnel », lui avait conseillé le médecin... La mort était censée être la dernière surprise.

Posant sur son épaule une main autoritaire, il la conduisit à l'intérieur. Elle n'eut même pas la force de protester. Sa proximité la remplissait d'effroi. Et cette odeur de renfermé, cette odeur de vieux, de vêtements d'une propreté douteuse, de mauvaise haleine. Autrefois il ne sentait pas ainsi, autrefois il sentait bon la noix de muscade et le clou de girofle.

D'un signe de tête, elle lui indiqua le chemin de la cuisine. Il tira une chaise et l'aida à s'asseoir. Puis il s'installa en face d'elle et la dévisagea en silence.

Elle ne l'aurait pas reconnu si elle l'avait croisé dans la rue. Mais aussi, qui se retournerait sur elle en se disant « Tiens, voilà Mary Mason » ? Elle n'avait jamais été ce qu'on appelle jolie ; elle n'était pas élancée et n'avait pas un teint de porcelaine. Du charme et de la vitalité, en revanche, elle en débordait. Une belle plante, disaient-ils. Elle arrivait à soulever des bottes de foin au bout d'une fourche et à traire les vaches, ce dont les autres filles étaient bien incapables. Et surtout, jusqu'au bout des ongles, elle se sentait vivante. La belle énergie de sa jeunesse, comme elle lui manquait ! Mary s'affaissa. Cet homme en face d'elle, lui, l'avait connue à cette époque.

Il continuait à la regarder comme s'il cherchait à lire dans ses pensées. Il pouvait toujours essayer. Il n'avait plus la clé de son esprit. Ah, combien elle maudissait sa faiblesse passée qui l'avait menée à ce moment. Elle qui s'était félicitée de sa force.

— Qu'est-ce que tu veux ? dit-elle en desserrant à peine les lèvres.

Les yeux vides d'expression, il passa de nouveau ses doigts dans sa maigre chevelure grise – un geste qui la ramenait au temps de leur première rencontre. Il déboutonna son veston et en sortit une enveloppe blanche qu'il posa sur la table. S'efforçant d'ignorer la sensation sourde et douloureuse de pression dans sa cage thoracique, Mary souffla :

— Qu'est-ce que c'est ?

L'angoisse gagnait le bout de ses doigts. Elle avait des fourmillements dans la poitrine.

Ils fixaient tous les deux l'enveloppe encore partiellement recouverte par la main parcheminée du visiteur.

— Tu sais ce que c'est, Mary, murmura-t-il en se penchant sans la lâcher des yeux. Elle est pour lui.

Elle s'agrippa au bord de la table et fit mine de se lever.

— Ne compte pas sur moi. Il vaut mieux qu'il ne sache pas.

Le vieil homme émit un rire caverneux.

— Je te laisse le choix du moment, Mary. Mais tu ne peux pas m'éliminer. J'existe. J'aurais pu rendre les choses beaucoup plus difficiles.

Il se leva et poussa sa chaise. La lettre resta sur la table.

— Je vais la jeter, déclara-t-elle. Je la brûlerai.

Un mince sourire plissa les lèvres du vieillard et il répliqua :

— Mais tu ne le feras pas, Mary. Tout est allé comme tu voulais pendant trop longtemps. Maintenant, c'est à mon tour. J'en ai besoin.

Avant de sortir en boitillant, il se retourna à moitié. Malgré la peur qui l'étreignait, elle était émue : ce regard contenait tout ce qui n'avait pas été fait, tout ce qui n'avait pas été dit.

Ainsi soit-il. Le calice était bu jusqu'à la lie. Fin de l'histoire.

— Au revoir, Mary.

Ses pas inégaux s'éloignèrent dans le couloir.

— Ne m'oblige pas à faire ça ! cria-t-elle.

La porte d'entrée se ferma avec un bruit sourd : il était parti.

PREMIÈRE PARTIE

Les origines

1

Pendant trois jours, la lettre resta sur la table, intouchée. Chaque fois que Mary passait devant, son cœur s'affolait comme un oiseau pris au piège. Elle finit par éviter carrément la cuisine et se mit à manger dans le séjour, une assiette en équilibre précaire sur les genoux. Quand elle buvait son thé, c'était à toute vitesse devant l'évier. Dès que le téléphone sonnait, elle transportait l'appareil dans le couloir avant de répondre. C'était peut-être ridicule, mais la seule vue de l'écriture sur l'enveloppe la déstabilisait. Dieu sait pourquoi, elle ne parvenait pas à se résoudre à la jeter à la poubelle ou à la brûler dans la cheminée.

Cet état de panique aggravé affectait son sommeil. Elle ne dormait plus que par saccades. Et si l'auteur de la lettre revenait ? Il fallait qu'elle se décide. Mais que faire ? Cette lettre où fusionnaient passé et avenir était comparable à un lourd fardeau. Son humeur devint chagrine, elle était irritable. Elle qui aurait dû se laisser vivre tranquillement, à présent que Jack n'était plus là et que sa propre santé déclinait, était sommée d'agir. À cause d'un bout de papier, elle devait reprendre les choses en main.

Au soir du troisième jour, une idée germa dans la ronde de ses pensées. Le lendemain matin, elle entra dans le bureau et fouilla dans un tas de papiers accumulés sur la table à la recherche d'une brochure que quelqu'un lui avait donnée plusieurs mois auparavant. Elle l'avait gardée, sait-on jamais. La lettre avait joué le rôle de catalyseur. On lui forçait la main. Mais, avant d'arrêter sa décision, elle devait interroger le passé.

La brochure était cachée sous une vieille facture d'électricité. Elle fit le numéro qui y figurait, puis, sur le comptoir de la cuisine, elle ouvrit l'annuaire et passa un deuxième appel. Après quoi, elle sortit une valise, y déposa une pile de sous-vêtements, des cols roulés, des pull-overs, des pantalons en laine, un manteau, une écharpe bien chaude et un chapeau.

Une fois sa valise bouclée, elle retourna à la cuisine dans l'intention de ramasser la lettre sur la table. En constatant que sa main restait comme en suspens au-dessus de l'enveloppe, Mary ne put s'empêcher de sourire : une lettre, ça n'explose pas ! Pourtant, elle pourrait. À cause de ce misérable bout de papier, le peu de vie qui lui restait risquait d'éclater en mille morceaux. Elle s'en saisit, caressa du pouce la surface douce et lisse et la glissa dans une poche latérale de sa valise. Dans la bibliothèque, elle prit un album de photos qu'elle plaça sur l'amoncellement de vêtements. Voilà, elle était prête à partir.

La chambre était calme, des ombres noires s'étiraient en travers du lit et se lovaient dans les recoins. Cela faisait vingt-cinq ans qu'elle habitait cette maison ancienne de Hobart. Elle y avait partagé la retraite et le déclin de son mari – quelle cruelle épreuve que de regarder un être cher mourir à petit feu.

Vingt-cinq ans : une tranche importante de leur vie commune. Ils étaient devenus vieux et les grands-parents d'un petit-enfant. Pourtant, elle ne s'était jamais sentie vraiment chez elle à Hobart. Son pays à elle, c'était l'île Bruny. Le miroitement de la lumière sur les eaux agitées. La rumeur sourde du vent. Le phare. La vaste étendue de Cloudy Bay... Il était temps de retourner là-bas, sur les lieux où elle avait rencontré Jack pour la première fois, et où pour la première fois elle avait eu l'impression de renaître. Un endroit où il s'était passé tant de choses, et elle devait tout cela à Jack. À Bruny, ses souvenirs de lui se préciseraient. Tous les deux seraient dans un sens de nouveau réunis, elle revivrait les bons moments – ces jours de bonheur qui avaient été le ciment de leur amour et de leur union.

Et puis, elle se devait bien ça. Le compte à rebours avait commencé et elle avait besoin de panser de vieilles blessures négligées – la faute à la routine qui engourdit. Elle souhaitait d'abord trouver la paix et le calme intérieur, se réconcilier avec elle-même, s'accorder le droit de se délier du remords. Pour toutes ces raisons, il fallait qu'elle aille sur l'île Bruny.

Ensuite seulement elle déciderait du sort de la lettre.

Le dimanche matin, Mary s'assit sur le canapé du séjour. Une demi-heure plus tôt, elle avait bu son thé, lavé et séché la tasse qu'elle avait rangée à sa place dans le placard. Elle s'ankylosait à force de rester immobile à écouter la pendule tictaquer dans le vide. D'habitude, elle écoutait les infos sur Radio ABC. Mais, ce matin, elle aspirait au silence. Tant de choses l'attendaient. Tant de choses à analyser. L'air pur de Bruny lançait son appel. L'odeur des arbres mouillés. Le souffle salé du vent. Elle avait hâte de partir d'ici.

Une voiture approcha. Une portière claqua. Jacinta. Enfin !

Sa petite-fille entra avec l'insouciance ailée de la jeunesse, yeux bruns, tout sourire, démarche souple. À vingt-cinq ans, elle était le portrait craché de sa mère, même si elle n'aurait pas aimé se l'entendre dire. Elle se pencha pour l'embrasser. Mary s'accrocha à elle, avide d'étreindre cette minceur musclée, de contempler ce teint de pêche. Combien elle avait regretté la perte de sa propre jeunesse, le délabrement physique, les rides, la peau flasque, la taille qui s'épaissit. Sa belle chevelure ondulée réduite à ces cheveux de vieille. Avec le temps, elle avait appris à accepter et à compenser par des plaisirs simples, le chant des oiseaux, un bon rôti, une compagnie agréable, un roman préféré, le réconfort de paroles non dites et pourtant tacitement comprises.

— Tu es sûre que ça va aller, Nana ?

Jacinta l'ausculta du regard. Elle était dotée de l'étrange faculté d'évaluer son état de santé physique et mental. C'est ce qui rendait si spéciale la relation qu'elles avaient toutes les deux, différente (Dieu merci) de la bagarre continuelle avec Jan, la mère de Jacinta. Entre Jan et elle existait cette tension qui empoisonne souvent les rapports mère-fille.

Au cours de ses dernières visites bimensuelles, Jan avait monté d'un cran son plaidoyer en faveur de la maison de retraite médicalisée ; elle était allée jusqu'à lui proposer d'organiser une tournée de visites dans les établissements susceptibles d'intéresser Mary. Sauf que Mary ne voulait pas en entendre parler. Elle n'avait aucune envie de mourir dans un lit d'hôpital, envahie de tuyaux. En plus, ces maisons-là coûtaient très cher et elle ne voulait pas être une charge pour ses enfants. Elle savait ce que cela impliquait de s'occuper d'une personne mourante ; elle l'avait fait pour Jack. Les siens ne seraient peut-être pas contents lorsqu'ils découvriraient ce qu'elle avait choisi de faire, mais c'était la meilleure solution. La sienne. Sa décision. Si elle agissait ainsi, c'était pour elle-même.

— Bien sûr que ça ira, s'empressa-t-elle de répondre. C'est ma dernière chance.

Elle tendit la main vers sa canne en ajoutant :

— On y va, alors ?

Elle désigna d'un geste vague sa valise à côté de la porte. Ce n'était pas facile de feindre la nonchalance alors qu'elle savait que la lettre était là, glissée à l'intérieur.

— J'emporte ça et un panier à pique-nique avec notre déjeuner.

— Une valise ! s'esclaffa Jacinta. Mais on part seulement pour la journée.

Elles sortirent de Hobart par la route du sud dans la lumière ouatée du matin. Le mont Wellington dressait son ombre violette au sommet frangé de chenilles de brume. Avec les nuages bas qui collaient au paysage, la journée semblait déjà bien entamée. Sur les bas-côtés de la chaussée mouillée, des corbeaux de Tasmanie se régalaient de charognes d'opossums écrasés.

Au rond-point de Kingston, Jacinta jeta un coup d'œil à sa montre et demanda :

— Tu as vérifié l'heure du ferry ?

— Il y en a un à 9 h 30. Cela nous laisse le temps de prendre un thé.

— Et le petit déjeuner ? Tu as mangé ?

— Oui, bien sûr. Je suis debout depuis 5 heures du matin.

Elle avait passé un temps fou sous la douche et ne s'était pas pressée pour s'habiller.

Jacinta poussa un grognement.

— Si seulement j'étais capable de sauter de mon lit à l'aube comme toi.

Mary se rappela le bruit strident du réveil et son essoufflement.

— Je peux te garantir que je n'ai pas sauté !

Jacinta sourit.

— Je n'ai pas pris de douche. J'espère que je ne sens pas trop mauvais.

— Tu sens le toast à la vegemite[1].

— Mais la vegemite, ça pue !

— Je connais des choses qui puent plus que ça.

Elles rirent.

Quand Jacinta était petite, Mary la gardait pendant que Jan donnait ses cours. Elles s'étaient bien amusées toutes les deux, et elle avait tiré beaucoup de satisfaction de ces moments privilégiés avec sa petite-fille : après son existence au phare, cela lui avait donné une raison de vivre sans laquelle elle se serait étiolée. Mary savait que Jacinta l'aimait, tandis que Jan avait toujours manifesté de la désapprobation à son égard. Mary n'avait pas été la mère que Jan souhaitait – quoique aucune personne au monde n'aurait sans doute pu combler ses espérances. Jan lui en voulait des années passées au phare. Elle prétendait que son enfance avait été gâchée et qu'elle avait raté toutes sortes d'opportunités – on se demandait bien lesquelles. Mary ne voyait pas ce que la banlieue de Hobart aurait pu offrir de plus à Jan.

Certes, la vie au phare n'avait pas été facile. L'isolement était en soi une épreuve. Sur le cap, il n'y avait pas d'autres enfants. L'éclairage à la cuisine était

---

1. Pâte à tartiner à base de levure de bière salée et noire, de consommation courante.

à peine suffisant pour faire ses devoirs. Les produits frais étaient rares. Pas de visiteurs en hiver. Un climat sujet aux tempêtes. Toutefois, s'ils étaient perdants sur le plan de l'agrément, ils étaient formidablement gagnants sur celui de la simplicité et de la proximité avec la nature. Le ciel et la mer à l'infini. La pêche. Les randonnées. Les pique-niques sur la plage. Un espace immense rien que pour eux. À ce souvenir, le cœur de Mary fondait. Jan s'obstinait à penser qu'elle avait été privée des choses importantes, d'une vie sociale, d'amitiés, de culture. Depuis, elle s'échinait à s'inventer la vie dont elle estimait avoir été lésée. La poursuite de cette chimère avait – Mary en était convaincue – déjà éloigné d'elle son mari.

Mary se rappelait pourtant combien Jan, petite fille, avait aimé se promener à poney sur la plage du phare. Gary et elle jouant aux fantômes et dévalant la colline en courant avec des draps sur la tête. Les feux de joie et les magnifiques fêtes de Noël, les décorations, les cadeaux. À l'époque, ils étaient seulement tous les quatre – Mary, Jack et les deux enfants – déambulant par des nuits sans lune, le faisceau de la lampe de poche fendant les ténèbres. C'étaient là les joyaux de son enfance, même si Jan préférait les oublier.

Elle se souvenait moins de Gary, son deuxième enfant. Il était souvent occupé à aider son père au hangar, ou bien à taper dans un ballon dans les champs, à courir après les poules, à gambader sur la plage. Peu de temps avant la naissance de Tom, leur benjamin, Jan et Gary avaient été envoyés en pension à Hobart. Tom avait grandi tout seul sur le cap, libre d'errer à sa guise. Il était le seul à évoquer le phare avec affection. Gary et Jan n'avaient au contraire eu qu'une seule hâte : s'échapper.

Les parents ne devraient pas avoir de préféré parmi leurs enfants, pourtant Mary avait toujours protégé Tom plus que les autres. Il était plus sensible, plus passionné, plus aisément blessé. Elle les aimait tous, bien sûr. Mais Tom était spécial. Il avait davantage besoin d'elle. Ou était-ce elle qui avait davantage besoin de lui ?

Songeant soudain à la lettre, elle tressaillit. Cette lettre avait le pouvoir de tout détruire. Leur vie de famille. La confiance de ses enfants. Elle devait faire en sorte qu'elle ne soit pas découverte. Pourquoi ne l'avait-elle pas brûlée ? Quels scrupules la retenaient ?

Elle soupira, les larmes aux yeux. Bientôt elle serait à Bruny. Avec Jack. Les choses seraient plus claires.

À Kettering, elles attendirent dans la file derrière des voitures et une bétaillère vide. Jacinta s'engouffra dans le terminal du ferry et Mary, assise dans l'habitacle du 4 × 4, regardait les vagues se rider sous les rafales de vent. Le ciel s'était un peu éclairci mais reflétait toujours le gris plombé de la mer. De l'autre côté du canal d'Entrecasteaux, se profilaient les douces collines de North Bruny. Le ferry venait de déboucher du cap et s'approchait lentement.

Un grand nombre d'années la séparait du jour où elle avait pour la première fois franchi ce bras de mer pour fouler la terre de Bruny. Elle avait pris le ferry plus au sud, à Middleton, et accosté dans la partie méridionale de l'île. Une traversée qu'elle avait faite la mort dans l'âme, seule, laissant ses parents à Hobart pour aller vivre dans la ferme de son oncle. Elle repartait de zéro – sans avoir été consultée – à l'âge avancé de seize ans. Une fois de plus, Mary se demanda quel tour aurait pris son existence si elle n'avait pas été expédiée à Bruny.

Jacinta reparut avec des boissons chaudes. Mary accepta la tasse de thé avec reconnaissance. Les réminiscences lui donnaient froid. Mais vers quoi pouvait voguer son esprit ? Si elle entreprenait ce voyage, c'était pour retrouver ses souvenirs, un exercice qui, hélas, ne vous dispensait jamais du chagrin. En buvant son thé trop vite, elle se brûla la langue.

— Comment va Alex ? demanda-t-elle.

Alex était le petit ami de Jacinta. Le fils d'un avocat. Un garçon silencieux, positif et affable. Mary l'appréciait.

— Ça va...

Après une pause, Jacinta rectifia :

— En ce moment il est sous pression. Sa famille. Surtout sa mère.

— N'est-ce pas toujours le cas ?

Jacinta pinça les lèvres.

— Ils veulent qu'il devienne associé au cabinet. Mais c'est trop tôt. Ça fait seulement deux ans qu'il a terminé la fac.

— Et qu'est-ce qu'il veut, lui ?

— Bonne question. Ce serait bien si sa mère la lui posait. Mais il faut toujours que tout aille comme elle veut.

— Alex travaillera pour le cabinet familial et tu seras mise sur la touche.

— Tu as deviné ? s'exclama Jacinta en lui lançant un coup d'œil.

— Mon petit doigt me l'a dit. Ton influence commence à se faire un peu trop sentir. Tu éloignes son fils d'elle.

— Toutes les mères sont comme ça ?

Mary rit de bon cœur.

— Pas moi. J'étais ravie quand Judy a mis le grappin sur Gary. Je craignais qu'il reste célibataire.

— Et Tom ?

Mary hésita. Oui. Tom. Neuf années s'étaient écoulées depuis qu'il était revenu d'Antarctique, et il n'avait toujours pas l'air de s'en remettre.

— Il finira bien par s'en sortir. Mais parle-moi plutôt de toi et d'Alex.

— Je pense qu'il a besoin de voir le monde avant d'être happé par celui du travail.

Mary eut un petit sourire narquois.

— C'est bien les avocats, ça ! Toujours à battre le fer pendant qu'il est chaud.

— Je ne veux pas être sacrifiée sur l'autel de sa carrière. Il faut nous laisser un peu de temps avant qu'il se plonge dans le travail.

— Et Alex est d'accord avec toi ?

— Je crois.

29

— Alors c'est un projet fiable.

Rien ne valait un projet fiable. Cela voulait dire que la moitié du chemin avait été franchie pour résoudre la difficulté. Alex avait intérêt à être partant. Jacinta n'était pas une fille banale. S'ils s'installaient tous les deux ensemble, ils seraient plus vite prêts à assumer des responsabilités d'adulte.

Pendant qu'elles bavardaient, le ferry était entré au port. Dans une longue et bruyante trémulation, il s'immobilisa le long de l'embarcadère. Des matelots se dépêchèrent de l'amarrer. Ils enroulèrent d'épais filins autour des bollards. La passerelle s'abaissa et les passagers en provenance de Bruny descendirent en file indienne avant de se disperser sur le quai. Peu de véhicules embarquaient, on les rangeait tous sur le pont du bas. Une fois qu'ils furent garés, les passerelles remontèrent et les vibrations des moteurs se transformèrent en secousses. Le ferry repartait.

Ils doublèrent le cap sur une mer hachée et virèrent vers le sud-est. Mary sortit de la voiture, mit son manteau et son chapeau, puis se dirigea vers son endroit préféré à l'avant du bateau, au-dessus de la proue qui fendait l'écume de la mer et sous le ballet aérien des mouettes dans les courants d'air glacés. Elle avait traversé ce chenal de nombreuses fois, parfois avec les enfants qu'il fallait empêcher de grimper pour avoir une meilleure vue. D'autres fois, elle avait fait ce trajet seule, libre de se livrer à un examen de conscience.

En apparence, le bonheur ne leur avait rien coûté. En réalité, ils avaient eu beaucoup de chance, Jack et elle. Ils avaient réussi à reconstruire leur couple. Elle aurait dû être fière.

Avec un frisson, elle se tourna vers North Bruny, l'île du Nord. L'eau tel du cristal liquide. Un froid mordant. Un jour de fin d'automne comme un autre. L'un de ceux qui font le charme du paysage de l'île du Sud, South Bruny. La lumière oblique, vaporeuse, grise. Une douce nostalgie s'empara d'elle.

Jacinta surgit à son côté. Elles se prirent par le bras. Se liguer contre le froid. Opposer la force à la lassitude. Finalement, Jacinta la raccompagna à la voiture. Elles laissèrent tourner le moteur, le chauffage en marche, et regardèrent se rapprocher les basses collines boisées de North Bruny. Peu à peu, le paysage vallonné s'ouvrit sur des pâturages, des arbres, des clôtures grillagées.

Mary fut étonnée de sentir les larmes lui monter aux yeux.

En traversant l'île d'ouest en est, Mary regarda défiler les prés enclos en essayant d'en graver chaque détail dans sa mémoire. Ce voyage était différent de tous les autres, car c'était le dernier. Le paysage autrefois luxuriant avait l'air pelé. Elle se rappelait une époque où l'abondance des pluies enrobait l'île de verdure. Depuis quelque temps, les tempêtes qui éclataient au sud de l'île s'essoufflaient avant d'atteindre le Nord. La terre était aussi craquelée et sèche que la peau de ses mains.

Elle scruta le paysage à la recherche des signes du vieux Bruny que Jack et elle avaient tant aimé. La route qui serpentait dans les collines. Les cygnes noirs posés sur le lac d'irrigation. Deux oies blanches dans une basse-cour. Elle fut surprise de voir des stères de bois de chauffage. La forêt ayant presque disparu, quelle surface les gens déboisaient-ils encore ?

Elles prirent la route principale de Bruny vers le sud et longèrent des grands bancs de vase qu'arpentaient des huîtriers occupés à picorer des crabes. Les broussailles résonnaient des chants des méliphages à gorge jaune. Après une courte section goudronnée en bordure de Great Bay, la route gravillonnée traversait les prés-salés où des moutons sales faisaient concurrence aux fougères arborescentes.

Ils abordèrent le Neck, le pont naturel entre les deux îles ; quelques voitures étaient arrêtées sur la plate-forme d'observation. À partir de là, une passerelle traversait les dunes et gravissait la colline. Mary connaissait bien cette promenade. Sous les planches nichaient les puffins fuligineux et les petits pingouins. Si on savait où regarder, on distinguait parmi les hautes herbes un lacis d'empreintes de pattes palmées miniatures.

La route de l'isthme était vieille de quelques années seulement lorsqu'elle était venue pour la première fois avec Jack – avant la route, les gens ne pouvaient le franchir qu'à marée basse. Jack et elle étaient assis main dans la main sur la vaste plage sauvage et assistaient au retour des pingouins. Le clair de lune déposait son blanc scintillement sur les ventres dodus des oiseaux qui émergeaient de l'océan. Aujourd'hui, la colonie était sûrement désertée, les derniers jeunes puffins étant partis fin avril pour leur éprouvant voyage migratoire jusqu'en Sibérie.

Alors que la voiture filait sur l'étroite route du Neck, Mary se renfonça dans son siège et ferma les yeux afin de mieux laisser remonter les souvenirs. Autrefois, il n'y avait qu'un sentier inégal le long de la crête. Arrivée essoufflée tout en haut, elle contemplait avec Jack et les enfants l'immensité du ciel et le croissant de terre entre Adventure Bay et Fluted Cape. La masse vallonnée de South Bruny, les vagues en blancs cordons accrochant la plage de leurs griffes mousseuses. Côté ouest, des cygnes noirs dérivaient sur le chenal. Elle se rappelait la chaleur pendant l'ascension. La délicieuse morsure du vent. Le rideau de pluie cinglant l'île du Sud.

Aujourd'hui, la passerelle livrait la crête aux touristes. L'île était devenue une *destination* et le mot isolement ne s'appliquait plus au lieu. Bruny était un endroit que Mary aimait toujours, mais il n'était plus le même. Elle devait l'accepter. Changement rimait avec avenir. Elle sourit. On parlait de *progrès*. Mais elle n'était pas dupe. L'île était son passé. Sa vie avec Jack. Toute son existence.

2

Lorsque la voiture parvint au sommet de la côte en surplomb des dunes et que les eaux argentées de Cloudy Bay s'étendirent devant elle, Mary sentit un soupir d'aise naître au fond d'elle-même. La vaste étendue de sable jaune inchangée. Silencieuse. Mélancolique. L'image de la solitude. Le lieu de tous les commencements avec Jack. Ils étaient jeunes alors, pas encore blessés par la vie. Débordant d'énergie dans l'air sauvage. Jack demeurait vivant dans ces embruns ; elle sentait sa présence. Il l'attendait.

Laissant derrière elles le lagon, elles amorcèrent la descente vers le sable. Une aigrette à face blanche décolla du rivage, soulevant ses pattes grêles en rythme. Des goélands géants s'envolèrent en gloussant. Une fois au bord de la plage, Jacinta arrêta le 4 × 4. Mary s'imprégna de l'atmosphère.

Elle ouvrit sa portière et Jacinta l'aida à descendre de voiture. Après lui avoir tapoté gentiment le bras, Jacinta s'écarta et la laissa traîner les pieds jusqu'à la plage. Devant la laisse de mer, elle se pencha tant bien que mal pour ramasser une poignée de sable. Une matière fine et grise, un peu vaseuse. Tout en malaxant une boule granuleuse, elle porta son regard au loin vers l'est, là où la plage formait un coude terminé par deux promontoires : Cloudy Corner et East Cloudy Head.

Au bord de l'eau, des petits groupes de goélands géants étaient tournés face à la mer. Mary savait que, si elle avait été capable de courir vers eux, ils se seraient envolés à l'unisson avant de se poser de nouveau un peu plus loin. Dans cette lumière froide et solitaire, se tenir compagnie leur était nécessaire pour contempler le large. Depuis cette plage, si vous partiez plein sud, il n'y avait rien que les flots jusqu'au plateau antarctique.

— Nana, sortons de ce vent. Je ne voudrais pas que tu prennes froid.

Jacinta s'avança derrière elle et la prit par la main.

— Ça va aller, dit Mary en retirant doucement sa main. J'aimerais marcher encore un peu.

Elle s'en alla lentement en direction du profil sombre des falaises d'East Cloudy Head arc-boutées contre l'azur. Avec Jack, elle grimpait là-haut et se frayait un chemin dans la lande en s'égratignant les jambes aux buissons. Puis ils se hissaient par la face méridionale jusqu'au sommet de manière à se sentir plus près du ciel. Ils restaient debout l'un à côté de l'autre, proches et le cœur battant. À leurs pieds, le ressac fouettait les rochers et, tout autour, l'océan Austral s'étirait loin vers l'est, vers le sud, vers l'ouest.

Elle marqua un temps d'arrêt afin de reprendre son souffle et de s'ouvrir à ce qui l'entourait. Le vent glacial. La légère odeur d'algues. Le sel imprégnant l'air. Elle se ressourçait. Ce lieu, c'était la vie même. Elle sourit et ferma les yeux contre la brise. Elle avait eu raison de venir.

— Nana, s'il te plaît ! Monte ! Il fait froid.

La voiture s'arrêta à côté d'elle. Mary se rendit compte qu'elle avait totalement oublié sa petite-fille. Tant de sensations la ramenaient sur les rives du passé. Les joues rouges, les traits du visage rajeunis par son voyage dans le temps, elle se pencha pour jeter un coup d'œil à l'intérieur de l'habitacle.

— S'il te plaît, Nana ! Le vent est glacial.

Jacinta l'aida à s'installer à l'intérieur du véhicule. Elles roulèrent au pas sur la plage, les vitres baissées pour permettre à Mary de humer l'air. Sous les roues du 4 × 4, le sable était moelleux.

— Tu peux m'emmener jusqu'au bout ? demanda Mary. Je voudrais te montrer Cloudy Corner. Il y a un terrain de camping pas loin du cap. Tu pourrais y venir un jour avec Alex.

Quand elle avait découvert cette partie de l'île – en campant avec la famille de Jack –, il n'y avait personne dans ce coin sauvage. Ils avaient dormi à la belle étoile. La nuit, assis sur la plage dans le noir, ils écoutaient les vagues et se laissaient bercer par leur rythme. Et cette vue vers le Grand Sud ; la courbe de la baie, les falaises gravées à l'eau-forte.

— Alex aime camper ? s'enquit-elle auprès de Jacinta en s'amarrant non sans peine au présent.

Jacinta soupira.

— Oui. Hélas, on n'arrive pas à s'échapper assez souvent. On est trop occupés.

— Tu devrais lui faire visiter cet endroit. Ça vous aiderait peut-être à lever un peu le pied et vous donnerait le temps de bien réfléchir avant de prendre des décisions importantes.

— On aurait en effet besoin de quitter Hobart plus souvent. On est vite prisonniers de nos habitudes citadines. Même dans une petite ville. Nous n'avons pas bougé depuis des mois.

Mary se retint de lui dire qu'il était important de ne pas oublier de vivre. Jeune, on pense que l'existence n'a pas de fin. Et, quand la vie vous rattrape au tournant, on regrette de ne pas avoir mieux utilisé son temps. Pourtant, à ne jamais perdre la perception du temps qui passe – en quête d'intensité existentielle –, on risque de passer à côté du sens de la vie. Peut-être n'était-il pas plus mal d'avoir vécu comme Mary l'avait fait, au jour le jour. Elle avait tiré le maximum de ce que le sort avait jeté sur son chemin.

— Merci de m'avoir accompagnée, dit Mary.

Jacinta lui sourit.

— Je n'aurais pas voulu louper ça.

Tout au bout de la plage, Jacinta arrêta le véhicule face à la mer et elles s'abîmèrent dans la contemplation ;

la course des vagues, le vent cognant contre les vitres et froissant les broussailles derrière elles.

— J'avais cinq ans la première fois que tu m'as amenée ici, dit Jacinta, les yeux fixés sur les rochers de Cloudy Reef où des cormorans séchaient leurs ailes par petits groupes. J'avais l'impression de me trouver au bord de la Terre. Tu m'as dit que si je prenais un bateau et que je naviguais droit devant moi pendant sept jours, j'accosterais la banquise. La terre des manchots. Cette idée m'a émerveillée.

— Comme Tom.

Ce pouvoir de fascination qu'exerçait l'Antarctique, Mary ne le connaissait que trop bien. Cet étrange magnétisme avait failli mettre en danger la vie de son plus jeune fils.

— Tu crois qu'il y retournera ? demanda Jacinta.

Mary fit non de la tête.

— Je pense qu'il en rêve. Mais ça lui a coûté trop cher. Il n'est pas près de recommencer.

— Ce serait peut-être différent maintenant.

— Peut-être... Peut-être pas.

— Pauvre Tom.

Oui, pauvre Tom. Il avait été éprouvé, ses blessures n'avaient pas encore cicatrisé.

— Maman ne vient plus sur l'île, n'est-ce pas ? Je n'ai jamais compris pourquoi, continua Jacinta, le regard suivant le déferlement des vagues.

— Il arrive qu'on demeure trop longtemps dans un endroit tel que celui-ci.

— Mais toi, ça ne t'est pas arrivé ?

— Non. L'île me manque chaque jour. Mais je ne suis pas ta mère. Tout le monde ne supporte pas le vent.

— Mais toi et grand-papa, vous l'aimiez, dit Jacinta.

En pouffant de rire, elle ajouta :

— Quand maman parle de vous, elle dit toujours : les deux font la paire.

— Ton grand-père et moi... on était complémentaires.

Elle se rappela les silences de Jack, sa propre résilience. Personne d'autre n'aurait pu survivre à toutes ces années avec lui au phare.

— Je n'ai pas beaucoup connu grand-papa.

— Il n'était pas facile à connaître.

— Pourquoi ?

— Sans doute est-il né ainsi. Il n'a pas eu une enfance facile. Tout jeune déjà, il a dû travailler à la ferme. Et je suppose que la vie au phare n'a rien arrangé.

— Je croyais qu'il l'adorait, le phare.

— Oui, mais quand on a trop d'espace et trop de temps, le danger est de se perdre soi-même.

Mary se demandait souvent ce qui se serait passé si elle en avait pris conscience plus tôt. Cela lui aurait peut-être permis de l'aider davantage. De le ramener vers la réalité. De mettre un terme à sa dérive et d'adoucir ses états d'âme. Seulement, il aurait fallu qu'elle soit une autre ; une femme sans corvées ménagères, sans enfants et leurs leçons. Elle avait fait tout ce qu'elle pouvait : elle lui avait préparé sa nourriture préférée, avait veillé à ce qu'il ait chaud et à ce que les enfants ne soient pas dans ses pattes, massé ses pauvres doigts arthritiques aussi noueux que des bouts de bois. Mais le vent était insidieux. Il l'avait érodé comme il érodait le roc et transformait les montagnes en sable, les promontoires en plages.

Jacinta tenait son regard sur l'endroit où le vent soulevait les crêtes des vagues et projetait dans les airs de blancs panaches d'écume.

— C'est magnifique ici, dit-elle, mais il fait froid. Il vaut mieux remonter les vitres et le chauffage.

— Quoi ? Et chasser l'odeur de la mer ?

Jacinta se pencha de côté pour serrer la main de Mary dans la sienne.

— Tu es glacée, Nana. N'oublie pas que tu es sous ma responsabilité aujourd'hui. Il y a une Thermos dans le panier à pique-nique ?

— Je l'ai oubliée, répondit Mary, le visage grave soudain, songeant que le moment des aveux était venu. Tout à l'heure, on est passées devant un chalet au bord de la plage... (Pourvu que ma voix ne chevrote pas, se disait-elle.) Tu l'as remarqué ? Juste au-dessus des dunes. Allons voir s'il y a de quoi se préparer un peu de thé.

Jacinta ne semblait pas enthousiaste.

— Tu crois qu'on peut faire ça ?

— Je connais les propriétaires. Ils s'en fichent. La porte n'est même pas verrouillée.

Mary frémit et retint son souffle en attendant la réaction de Jacinta.

— Ça ne coûte rien d'aller jeter un œil...

Jacinta fit demi-tour et la voiture longea la plage pendant que Mary s'efforçait de contenir son excitation. D'un geste désinvolte, elle indiqua la direction. En montant dans les dunes, elle eut la sensation d'être soulevée par les soubresauts de son cœur autant que par les cahots et les virages de la piste.

— Heureusement qu'il y a quatre roues motrices, dit Jacinta avec un grand sourire en faisant de son mieux pour empêcher la voiture de déraper sur le sable.

Elle se gara sur l'herbe à côté de la petite maison.

C'était une cabane en rondins peinte en marron et pourvue de trois grandes fenêtres avec vue sur la mer, la végétation rase des dunes et la bande sablonneuse de la plage. La marée était montante. Un éperon rocheux s'avançait dans la baie côté sud. Sous la véranda de devant, une table en bois et un vieux barbecue rouillé.

Jacinta coupa le moteur.

— Tu es sûre qu'on peut vraiment ? dit-elle. Il y a peut-être quelqu'un.

Mary avait déjà ouvert la portière de son côté.

— J'ai téléphoné pour vérifier. Ils attendent notre visite.

Elle descendit de voiture avec une hâte peu coutumière : elle devait se dépêcher de faire entrer sa petite-fille avant que celle-ci ne pose trop de questions. Jacinta n'allait pas tarder à comprendre que sa grand-mère lui avait joué un tour. Mary traîna des pieds jusqu'à la cabane, les oreilles bourdonnant

du bruit de la mer ricochant sur les dunes et du pépie-
ment des mérions superbes entre deux sifflements de
déferlantes.

— Tu peux prendre ma valise, s'il te plaît ? lança-
t-elle à Jacinta par-dessus son épaule.

Jacinta se figea devant la voiture, les sourcils
froncés.

— Ta valise ? Pour quoi faire ?

— Apporte-la, je vais te montrer.

Mary ouvrit la porte de la maison en grand. Elle
ramassa une boîte d'allumettes et un mot écrit à
la main sur le comptoir de la cuisine.

— Qu'est-ce que c'est ? s'enquit Jacinta depuis
le seuil.

— Un mot des propriétaires.

— Ah, parfait, dit Jacinta, manifestement soulagée.
Ils nous attendaient vraiment.

Elle posa la valise.

— Tu ne me croyais pas ?

— Je commençais à avoir des doutes.

— Alors tu peux cesser de douter. Mettons le
chauffage en route. Il fait un froid de loup là-dedans.

Jacinta lui prit les allumettes des mains.

— Le gaz est allumé ? Ou faut-il que je sorte vérifier
la bouteille ?

— Il devrait l'être.

Jacinta ouvrit les rideaux avant de s'accroupir pour
allumer le calorifère.

— Assieds-toi donc sur le canapé, dit-elle. Regarde,
il y a un plaid, prends-le.

Pendant que Mary s'enveloppait les jambes dans la couverture, Jacinta remplit la bouilloire et la mit à chauffer sur un brûleur de la gazinière avant de secouer l'allumette.

— Alors, c'est pour ça que tu n'as pas apporté de Thermos.

— J'ai oublié.

— Mais tu savais qu'on pourrait se faire du thé ici.

— Oui.

Jacinta la fixa un long moment d'un air de plus en plus soupçonneux.

— Qu'est-ce qui se passe, Nana ?

Ignorant la question, Mary regardait par la fenêtre en réfléchissant à la meilleure manière de dire la vérité à sa petite-fille sans provoquer sa colère. Entre elles, les conflits étaient rares. Ne sachant comment s'y prendre, pour faire diversion, elle se concentra sur la météo. Un grain arrivait de la mer, reconnaissable aux rideaux gris qui couraient sur l'eau et convergeaient dans leur direction.

— L'eau ne bout pas encore ? demanda-t-elle.

— Ça prend des plombes. L'eau est glacée. Et tes médicaments ? C'est pas l'heure ?

— Tout est dans ma valise...

De conserve, elles se tournèrent vers la valise debout près de la porte.

— Cela te dérangerait de l'apporter dans la chambre ? demanda Mary en tremblant. Celle qui est tout au bout. Avec les deux petits lits. Pas le dortoir.

Jacinta, soucieuse, alla inspecter la chambre sans la valise. Puis elle revint, s'assit dans un vieux fauteuil devant la fenêtre et regarda Mary fixement.

— Il y a un lit fait.

— Ah, vraiment? dit Mary d'un ton faussement étonné.

— Qu'est-ce qui se passe?

Derrière Jacinta, la marée continuait de monter. Un goéland planait sur ses grandes ailes au ras de la plage. La minute fatidique avait sonné.

— Je me suis organisée pour rester ici, dit-elle. Tout est arrangé. J'ai loué le chalet pour un mois. Un garde forestier du parc naturel va passer me voir chaque jour afin de s'assurer que tout va bien. J'ai payé à l'avance.

Jacinta la fixait sans un mot.

— Il n'y a rien à craindre, poursuivit Mary en récitant les phrases répétées des dizaines de fois au cours des derniers jours. Le garde forestier m'apportera tout ce dont j'ai besoin. Si j'ai un problème, il sera là pour m'aider... si jamais je manque de lait ou je ne sais quoi. Je les ai informés de mon état de santé. J'ai tout ce qu'il me faut dans cette valise.

— Et ton traitement? Et si tu tombes malade? Il n'y a ni électricité ni téléphone. Si tu n'as plus de gaz, tu vas mourir de froid.

— Il y a une bouteille d'appoint dehors.

— Et la nourriture? Tu ne vas pas manger convenablement.

— J'ai commandé des provisions. Et je sais faire la cuisine, tu sais.

— Mais tu ne la feras pas. Tu ouvriras des boîtes de haricots ou des trucs comme ça. Tu ne mangeras pas de vraie nourriture.

— Je sais m'occuper de moi-même.

— Pas si tu es malade. Il n'y a même pas d'hôpital sur l'île.

Un silence hostile s'abattit sur la cabane. En fait, la santé déclinante de Mary était une des raisons qui l'avaient poussée à s'échapper et à venir se réfugier ici, hors d'atteinte de Jan.

Les yeux de Jacinta se remplirent de larmes.

— Tu pourrais mourir ici, Nana.

— C'est ici que je veux être.

Des larmes roulèrent sur les joues de Jacinta, ébranlant la résolution de Mary. Mais elle tint bon. Elle avait prévu qu'il y aurait de la résistance.

— Maman va être furieuse, dit Jacinta.

— C'est ma décision.

— Mais elle affecte d'autres personnes.

— Comme qui ? Ta mère ?

Mary sortit de ses gonds. Si Jan avait eu gain de cause, elle serait déjà dans une maison de retraite depuis des mois.

— Tu sais bien qu'elle veut ce qu'il y a de mieux pour toi.

— Ah, vraiment ? Je suis sûrement meilleur juge en la matière, non ?

Jacinta essuya ses larmes sur sa manche.

— Maman dira que tu n'as pas toute ta tête.

— Évidemment.

— Elle persuadera Gary. Et elle mettra aussi Tom de son côté.

Mary hocha la tête. Elle pouvait compter sur la loyauté de Tom. Tous deux s'entendaient sans avoir besoin de se parler.

— Ta mère peut à la rigueur influencer Gary, mais pas Tom, il ne l'écoutera pas.

De nouveau le silence. Le bruit de la pluie tambourinant sur le toit. Dehors, une brume légère s'était levée. La mer d'un gris métallique s'était couverte de moutons. Mary se sentit soudain plus forte. Elle n'allait pas flancher. Aucun argument ne réussirait à la ramener à Hobart. Si elle était ici, elle avait une bonne raison : Jack. Elle ne permettrait pas à Jan de la cloîtrer dans une maison de vieux. C'était là la pomme de discorde : elle devait prendre les devants avant que Jan ait le temps de la retenir captive.

— Je ne peux pas te laisser faire ça, Nana. C'est trop risqué.

— Vivre, c'est prendre des risques.

— Et si je te ramenais ici pour d'autres escapades ? supplia Jacinta. Je peux prendre plus souvent un jour de congé rien que pour me promener avec toi, comme ça tu ne seras pas seule.

— Ce n'est pas pareil. J'ai besoin de passer du temps seule, justement.

Jacinta regarda par la fenêtre.

— Maman va être vraiment en colère.

Avec un soupir, elle se leva pour aller voir où en était la bouilloire.

Mary regretta d'avoir traîné Jacinta dans cette aventure. Sa petite-fille avait raison. Jan allait être hors d'elle. Sur l'île, elle échappait à son emprise. Dernièrement, alors que Mary s'affaiblissait, Jan semblait ravie de prendre les choses en main. Elle n'arrêtait pas de l'interroger sur sa santé et avait du mal à cacher sa joie chaque fois que sa mère avait une crise d'angine de poitrine. Ce qui laissait Mary songeuse : comment se faisait-il qu'il y ait tant d'animosité entre elle et sa fille ? Elle avait toujours essayé de rassurer Jan : elle l'invitait à déjeuner, buvait un café avec elle après ses cours, lui préparait des rôtis. Quand le mari de Jan était parti, Mary l'avait soutenue alors qu'elle pleurait de chagrin et de rage. Elle était même allée plusieurs fois au cinéma avec elle, en dépit de son arthrite qui la mettait à la torture dans les sièges étriqués des salles obscures. Pourtant, le fossé n'avait cessé de s'élargir. Mary avait finalement accepté une trêve fragile.

— Pourquoi ici ? s'écria Jacinta. Pourquoi pas au phare ? Au moins il y aurait eu quelqu'un. Et un téléphone.

— Non, je n'aurais pas aimé séjourner dans mon ancienne maison. Ce ne serait pas pareil. Et les cottages des gardiens sont glacials.

Une bien piètre excuse. En réalité, trop d'événements s'étaient produits au phare. En s'y installant, il aurait fallu y faire face. Ce qu'elle voulait, c'était se retrouver dans ce coin de l'île, afin de se rappeler Jack aux beaux jours, avant que l'éloignement et la solitude du cap n'aient infiltré son âme.

— Je suis sûre que les cottages sont mieux chauffés aujourd'hui, argua Jacinta.

— C'est plus paisible ici. Et puis, je vois la mer.

Les cottages du cap n'avaient pas été bâtis pour la vue ; les fenêtres de la cuisine donnaient sur le phare au sommet de la côte. Les autorités tenaient à ce que les gardiens du phare ne soient pas distraits de leurs obligations.

L'eau bouillait enfin. Jacinta prépara du thé. En ouvrant le frigo qui marchait au gaz, Jacinta émit un grognement : il était plein. Une preuve supplémentaire de la duplicité de sa grand-mère. Elle disposa des biscuits et une tasse de thé sur la table basse et se rassit.

— Ça ne me plaît pas du tout, Nana, dit-elle en prenant la main ridée de Mary dans la sienne. Mais je suppose que ce n'est pas facile non plus pour toi. Et ce n'est pas moi qui vais te dicter ta conduite.

À présent, c'était au tour de Mary de chasser les larmes de ses yeux.

— Pourquoi m'avoir choisie, moi, pour te conduire jusqu'ici ? soupira Jacinta.

— Parce que je savais que tu comprendrais.

— Et pas Tom ?

— Tu sais mieux tenir tête à Jan que lui.

— Tu as pensé à tout.

— J'ai fait de mon mieux. Je ne veux être un poids pour personne.

— Pourtant, c'est ce que tu es en train de faire.

Jacinta se leva, les mains sur les hanches.

— Tu t'es servie de moi, ajouta-t-elle avec un petit rire amer qui fit chavirer le cœur de Mary.

— Sans le vouloir, je t'assure.

Jacinta se tourna vers la fenêtre. Mary sentit qu'il s'établissait entre elles une distance qui n'avait jamais été là auparavant.

— Pardonne-moi, Jacinta.

Sa petite-fille abaissa vers elle un sourire troublé.

— Ça ira. Je vais m'y habituer. Si ça ne t'embête pas, je vais sortir marcher un peu. Il ne pleut plus et j'ai besoin de prendre l'air. Mon manteau est dans la voiture.

Après avoir embrassé Mary, elle sortit dans le vent. Mary entendit claquer la portière de la voiture et la vit s'éloigner dans les dunes en direction de la plage. C'était bon pour elle d'affronter les éléments. Apaisant pour son mental. Le vent lui remettrait les idées en place. Elle reviendrait calmée. C'était toujours ainsi. Dans cette immensité, votre cœur devenait plus grand. Ce secret, Mary l'avait chéri toute sa vie.

Car la vie exige que l'on ait un grand cœur.

3

Il y a de l'orage dans l'air. Je ne suis pourtant pas du style intuitif, mais je sens une tension, une prémonition ; dans le vent, dans le couvercle humide et froid des nuages qui pèse sur la forêt. Je suis suspendu dans une inquiétante incertitude.

Depuis la véranda de ma maison de Coningham, à une trentaine de minutes de Hobart, j'aperçois à travers les arbres le canal d'Entrecasteaux baigné de la lumière gris perle de cette fin d'après-midi. Sur les flots calmes du côté de l'île Bruny, les pique-niques à bord des petits bateaux de la flotte de plaisance dominicale se terminent avant le retour au port. Installé sur un transat, j'observe les perruches à ventre jaune perchées au bord de la mangeoire. Dans le frou-frou de leurs ailes, gazouillant et mangeant, elles ignorent ce que je ressens. Elles se déplacent au bord du bac sur leurs pattes ridiculement courtes et se penchent en avant pour ramasser une graine dans leur bec crochu. Puis, en la faisant tourner et en la coinçant avec leur épaisse langue grise, elles la décortiquent. Une routine immuable. Aujourd'hui, je la trouve rassurante.

Les oiseaux ne se rendent compte de rien, mais pas la chienne couchée à mes pieds ; elle, elle sait qu'il se passe quelque chose. Jess est une australian kelpie à la robe chocolat et aux petites oreilles droites et pointues. Elle a la queue touffue à son extrémité et les yeux jaune vif. Mes humeurs n'ont pas de secret pour elle. Je trouve agréable qu'elle puisse savoir des choses sans me les demander. Qu'elle ne soit pas douée de parole me convient tout à fait. Les gens ont trop de mots. Ils s'entourent de murs, de toits, de divertissements. Trop de confinement, pas assez de ciel.

Chez moi, je suis proche de la nature, des nuages, des oiseaux. J'ai choisi cette banlieue de Hobart parce qu'elle est paisible. Dans ma rue, il n'y a que quelques maisons éparses, en majorité des résidences secondaires. Il m'arrive de saluer de la main le couple âgé qui vit à côté et ils me rendent mon salut, mais cela ne va pas plus loin. Je n'ai jamais été très sociable. Sans doute à cause de mon enfance. J'ai grandi au milieu de la lande sauvage de l'île Bruny. Mais, ces dernières années, mon cas s'est aggravé. Je vis reclus. Rien ne me contente davantage que d'être seul avec Jess, tranquille, hors de vue du monde.

La forêt qui dégringole la pente s'appuie contre la palissade à l'arrière de la maison. L'ombre nous gagne de bonne heure l'après-midi. Du séjour, la vue de la silhouette trapue de North Bruny me rappelle d'où je viens. Elle me transporte au phare. Si je ferme les yeux, je peux presque sentir le vent fouetter la terre du cap. Je pourrais me tenir au sommet des falaises résistant à la morsure glacée de l'air. Sans broncher, j'attends l'albatros qui planera au ras des vagues loin en contrebas ou un aigle pêcheur propulsé à la façon d'un projectile d'un bout à l'autre du cap, les ailes repliées dans la bourrasque.

Alors que la soirée s'avance au fil de l'eau, Jess et moi regardons de la véranda les derniers bateaux rentrer au port. La lumière s'estompe, les oiseaux disparaissent. J'entends un opossum descendre le tronc d'un arbre près de la maison. Il saute sur le toit qu'il traverse au galop aussi bruyamment qu'un éléphant botté. Queue en panache et museau rose renifleur, il descend vers la balustrade. Jess retient son souffle. Assise sur son arrière-train, elle lève une patte avant et la colle à son oreille, à la façon d'un écouteur. Elle meurt d'envie de le prendre en chasse et de croquer sa queue velue. Mais son devoir d'obéissance prend le dessus. Elle reste au pied.

Le téléphone sonne, Jess bondit et fonce. Au bruit de ses pattes griffues dérapant sur le plancher de la véranda, l'opossum sursaute, lui qui est en train d'avancer un museau gourmand vers les quartiers de pomme que j'ai posés sur la balustrade. Comme la sonnerie se prolonge, Jess se précipite vers la porte d'entrée et se met à aboyer. Elle continue d'aboyer alors que je suis rentré pour répondre. J'ai beau lui hurler de se taire, elle me suit dans le séjour en aboyant après la nuit, après l'opossum, après moi à cause de la nervosité que je me trimballe depuis le saut du lit.

Je crie à la personne au bout du fil :

— Ne quittez pas !

Je fous la chienne dehors. Elle dévale les marches et se met à courir autour de la maison. Je reprends l'écouteur.

— Désolé. Qui est à l'appareil ?

— Jacinta.

À l'anxiété dans sa voix, je devine que son appel a un rapport avec le pressentiment qui m'a tenaillé toute la journée.

— Tom, dit-elle. J'ai emmené Nana à Bruny. Aujourd'hui. Elle m'a obligée à la laisser là-bas. Dans un chalet de Cloudy Bay.

Je connais cette cabane en rondins au bout de la plage, nichée au creux des dunes, à l'abri du vent du large. Jess et moi avons souvent parcouru ce grand espace désert et j'ai déjà jeté un coup d'œil par la fenêtre. Il a l'air douillet. Je pense à maman assise sur le canapé, laissant remonter en elle les souvenirs.

— Est-ce que j'ai bien fait ? m'interroge Jacinta. Je suis inquiète pour sa santé.

À cet instant, un canot à moteur vrombit sur les eaux du détroit. Jacinta enchaîne :

— Elle m'a juré que c'était ce qu'elle voulait. Rester là-bas toute seule.

Enfin, je retrouve ma voix.

— Jan et Gary ne vont pas être d'accord.

— Que faire alors ?

— Je ne sais pas.

— Alex dit qu'on devrait organiser une réunion de famille...

La peur m'étreint tandis qu'elle continue :

— Et si je demandais à tout le monde de venir chez Nana ce soir ? Toi... Tu peux ?

— Tu es à Battery Point ?

— Oui, je suis venue directement ici. Tom, elle a tout laissé parfaitement en ordre. Je ne crois pas qu'elle ait l'intention de revenir.

Ainsi maman compte mourir sur l'île. Qu'elle refuse de s'éteindre dans une maison de retraite, je le sais, tout comme je sais que son état de santé se détériore de plus en plus. Mais de là à partir pour Bruny... En plus sans me consulter, c'est étonnant. Moi, je ne suis pas Jan et Gary, je n'affirme pas mes opinions de façon tranchée, je ne crie pas. Je l'aurais écoutée, moi. Maintenant, je ne sais plus quoi dire. La mort de maman n'est pas une chose à laquelle je me suis préparé. Je ne peux pas m'imaginer le monde sans elle.

— Je vais donner rendez-vous à tout le monde à 19 h 30.

Elle marque une pause. Je regarde dans le vide. Dans le silence.

— Ça va, Tom ?

— Je crois.

— Fais gaffe au volant, hein ? Et sois à l'heure. Que je ne me fasse pas du mauvais sang parce que tu es en retard.

— Je n'ai pas envie de t'inquiéter.

Quand, après avoir éteint toutes les lumières, je sors de la maison, Jess appuie sa truffe humide dans le creux de ma main. Sentant son souffle contre ma paume, je caresse le velours de ses oreilles et le dôme de son crâne. Elle est pour moi un point d'ancrage vivant et chaud dans cette nuit qui s'est dissoute en molécules d'air. Je l'entends qui halète à mon côté tandis que nous descendons les marches de la véranda puis le sentier cimenté jusqu'à la voiture. Sur notre passage, l'opossum grimpe en vitesse sur un arbre.

J'ouvre la portière de la Subaru. Jess saute à l'intérieur et se couche sur le plancher côté passager. Elle connaît sa place, c'est une chienne très bien dressée. Ce soir, elle est aussi tendue que je le suis. Elle halète tellement fort qu'on l'entend presque plus que le moteur de ma vieille caisse.

— Dis donc, toi, on va à une petite fête, lui dis-je en faisant glisser ma main du levier de vitesse vers sa tête que j'ébouriffe.

Dans le faible éclairage de la rue, je vois ses yeux jaunes fixés sur moi.

Après être sorti rapidement de l'allée, je freine et débraye avant d'arriver au bas de la côte. Je tourne à gauche en direction de l'autoroute en passant devant des maisons ténébreuses tapies dans le bush. La route descend tout au bord de l'eau et épouse les courbes du rivage. Alors que je prends trop vite un tournant serré, Jess s'assied sur son arrière-train, geint et pose son menton sur le siège. Puis elle effectue un tour sur elle-même et se recouche en boule.

Qu'a dit Jacinta sur la prudence au volant ?

Mais je suis incapable de me concentrer. Si maman meurt, je ne sais pas ce que je vais faire.

Comme d'habitude, la rue de maman à Battery Point est bourrée de voitures. À l'époque où ils ont construit ces maisons, ils ne prévoyaient pas l'augmentation des prix de l'immobilier dans ce quartier. Je mets un temps fou à trouver où me garer. Avec Jess, je remonte la côte en évitant les voitures à moitié garées sur le trottoir. La chienne se soulage sur un carré d'herbe. Elle s'accroupit, l'air coupable. Je patiente. Elle fait semblant de ne pas remarquer que je ramasse ses besoins dans un sac plastique. Je fourre le sac dans la poubelle de maman avant d'entrer dans la maison.

Je suis en retard. Ils m'attendent dans la cuisine. Dès que j'ai poussé la porte d'entrée, j'entends le bourdonnement de leurs voix. Les griffes de Jess cliquettent sur les lattes en bois. En franchissant les portes coulissantes, je me rends compte que je n'ai pas repris mon souffle.

— Le voilà, dit Jacinta en se levant pour me prendre par le bras et me conduire à une chaise.

Jan et Gary sont déjà attablés, les yeux baissés sur leurs tasses de thé, le front plissé. La femme de Gary, Judy, est restée chez eux, peut-être vaut-il mieux ce soir. Devant l'évier, Alex est en train de sortir des tasses supplémentaires. S'il est ici, c'est pour soutenir Jacinta. Et ce ne sera pas du luxe à en juger par le regard dont Jan me gratifie alors que je tire ma chaise de sous la table. Elle jette à Jess un coup d'œil dégoûté.

— Tu ne pourrais pas laisser ce cabot chez toi ?

Jan ne comprend pas les chiens. Elle ne comprend pas les gens non plus d'ailleurs, alors qu'elle se prend pour une experte en la matière. Je m'assieds. Jess se roule en boule à mes pieds.

— Le cabot ne nous gêne pas, grogne Gary.

Il trône sur sa chaise comme un bouddha. Au cours des dernières années, il a gonflé – à force de rester assis devant des écrans à appuyer sur les touches de son clavier ou de la télécommande au lieu de sortir faire de l'exercice. Il me salue d'un geste du menton.

— Ça va ? me demande-t-il.

— Ça pourrait aller mieux, dis-je avec un haussement d'épaules.

— Tu ne t'y attendais pas, hein ? ajoute-t-il en émettant un petit rire nerveux. Un sale coup qu'elle nous joue là, la vieille.

— Elle ne voulait faire de la peine à personne, énonça calmement Jacinta.

Les regards autour de la table deviennent fuyants. On est tous gênés. Jan a les épaules crispées : elle est sur le point d'exploser. Les autres, moi compris, oppressés par le silence, se préparent à la suite. Aucun d'entre nous ne semble savoir quoi dire. Gary est le premier à retrouver sa langue.

— Pauvre Jacinta, la journée a été dure, hein ?

Sacré Gary, qui essaye toujours de tout arranger.

— Elle n'a pas été facile, acquiesce Jacinta.

— Jacinta ne pouvait pas deviner..., s'empresse d'intervenir Jan avant de se tourner vers sa fille. Cela dit, je m'étonne que tu ne l'aies pas interrogée à propos de la valise avant de quitter Hobart.

Je suis sûr que Jan accable Jacinta de reproches depuis qu'elle a appris la nouvelle. Elle est en train de refaire son numéro pour mon bénéfice.

Gary pose sa tasse et se renverse sur sa chaise, les mains croisées sur sa nuque épaisse.

— Comment a-t-elle réussi à te persuader de la conduire au chalet ?

— Elle avait froid et elle m'a assuré qu'elle s'était entendue avec les propriétaires pour y boire du thé. Comme c'était à l'abri du vent...

— Je suppose que tu as porté sa valise ? coupe Jan en lui faisant les gros yeux.

— Elle ne pouvait pas la porter toute seule, expliqua Jacinta, patiemment. Elle était trop lourde.

— Tu devais déjà soupçonner quelque chose à ce stade. Tu aurais dû la laisser dans la voiture.

Jacinta n'essaye pas de se défendre. Elle fixe sa mère et attend.

— Tu as vraiment essayé de la dissuader ? insista Jan.

— Oui, bien sûr. Je n'y suis pas allée par quatre chemins.

— Tu lui as dit d'arrêter cette comédie et de remonter dans la voiture ? Je parie que tu ne l'as pas formulé de cette façon.

— Pas exactement. Mais je me suis montrée ferme.

Jan serre les poings sur la table en articulant :

— Dommage que maman ne m'ait pas demandé à moi de l'y conduire.

À cet instant, la bouilloire se met à siffler. Alex bondit sur ses pieds pour éteindre le feu et agite une tasse dans ma direction.

— Tu prends quoi, Tom ?

— Du thé. Sans rien, merci.

Un ange passe pendant qu'Alex me sert et me tend la tasse. Jan se tient assise très droite, dressée de toute sa hauteur. Une rivière en crue sur le point de déborder. Rien ne pourra plus arrêter la montée des eaux.

— Tu es prêt maintenant, Tom ? s'informe-t-elle.

J'acquiesce sans lever les yeux de ma tasse.

— Très bien, alors. Qu'est-ce qu'on fait ?

Elle nous défie tour à tour du regard, à croire que chacun de nous est coupable. Comme personne ne réagit, elle nous houspille :

— Allons ! Il doit bien y avoir une solution. Je refuse de laisser maman mourir seule là-bas.

— On pourrait tous aller la voir à tour de rôle, suggère Jacinta. Ça lui plairait. Alex et moi pouvons y aller le week-end.

Jan secoua vigoureusement la tête.

— Il n'est pas question qu'elle reste sur l'île. Il faut la ramener ici et trouver un arrangement.

— Quel genre d'arrangement ? demande Gary.

— Une chambre dans une maison médicalisée. Cette fugue, c'est le genre de chose qui devra être évité à l'avenir.

— Elle ne veut pas aller dans une de ces maisons, protesta Jacinta.

— Elle a soixante-dix-sept ans, Jacinta, et manifestement elle n'a plus toute sa tête, déclare Jan en balayant l'argument de sa fille d'une pichenette : quelques miettes sur le sol. Dans une maison médicalisée, elle sera en sécurité, au moins.

— Elle n'a peut-être pas envie d'être en sécurité.

Ma voix résonne dans la pièce tandis que tous les yeux se braquent sur moi. Ils sont choqués que je prenne la parole. Aucun d'eux ne s'attend à ce que j'aie une opinion et, si j'en ai une, que je la formule.

Jan retrousse les lèvres en un sourire railleur.

— Ça ne te dérange pas de savoir que notre mère va mourir seule là-bas, si je comprends bien, Tom ?

— Ce n'est pas ce qu'il a dit, intervient Gary, volant à mon secours.

— Ah bon ? Qu'est-ce qu'il a dit, on peut savoir ?

— Que maman a le droit de choisir de ne pas aller en maison de retraite.

Jacinta pose gentiment la main sur le bras de sa mère.

— Nana a été très claire sur ce qu'elle voulait.

— Mais c'est inacceptable, dit Jan. Si elle meurt, cela prendra des jours avant qu'on la trouve.

— Le garde forestier passera lui rendre visite tous les jours.

Jan refuse d'être apaisée.

— C'est insuffisant. Elle va avoir besoin d'une prise en charge médicale à temps complet.

— Elle vit bien toute seule ici, fait observer Gary. Pourquoi faudrait-il tout à coup qu'elle ait besoin d'une prise en charge médicale à temps complet ?

— Là-bas, c'est pas pareil, riposta Jan. Tu le sais très bien, Gary. Le froid, le vent. Ça va la ronger. Tu as vu papa mourir. Mourir d'une crise cardiaque, c'est horrible.

Nous restons un moment accablés. À part Alex, les autres ont tous assisté aux premières loges à la lente agonie de papa. Mais, à l'heure où ils se tenaient autour de son lit de mort ici à Hobart, pour un dernier adieu, j'étais coincé à bord d'un brise-glace sur le chemin du retour de l'Antarctique. Je suis arrivé trois jours plus tard. Trois jours horribles. J'avais adressé mes adieux au ciel gris et aux vents glacés, penché par-dessus la rambarde de la plate-forme hélicoptère, l'océan s'étirant tout autour de moi. On ressent une telle solitude lorsqu'on perd un parent alors qu'on est loin.

Jan surveille attentivement l'effet de ses paroles. Nous sommes suspendus à ses lèvres.

— Mais, enfin ! Il faut que quelqu'un aille la chercher et la ramène !

Gary est sur le point d'exploser.

— Tu n'as qu'à le faire toi-même. Trouve le temps et vas-y !

— C'est mieux que ce soit quelqu'un d'autre, insiste Jan. Comme ça, elle ne pourra rien me reprocher.

— Tu voudrais que l'un de nous la dépose dans la maison de vieux de ton choix ?

— Je peux vous garantir que ce sera un endroit convenable. Pas trop loin d'ici pour que nous puissions lui rendre visite facilement.

— Dommage que tu ne lui aies pas rendu plus souvent visite quand elle habitait sous ce toit, ironise méchamment Gary, de plus en plus irrité par le ton vertueux de Jan.

— Nous sommes tous très occupés, repartit Jan. Combien de fois es-tu passé pour bavarder un moment avec elle ?

Gary plonge le nez dans sa tasse de thé. Le silence s'installe de nouveau à la cuisine. Je finis par le rompre en disant :

— Je ne pense pas que nous devrions faire quoi que ce soit.

Jan me fixe d'un air sévère.

— Ce n'est pas une solution, rétorque-t-elle sèchement. Il lui faut des soins médicalisés. Au pire, on devra l'hospitaliser.

Je puise ma force au fond de mes entrailles.

— C'est la volonté de maman. Elle ne veut pas revenir.

— Elle est vieille et démente, rétorque Jan, hors d'elle. C'est à nous de décider à sa place.

Pendant quelques secondes insupportables, personne ne prononce un mot. Puis Jacinta intervient.

— Nana a toute sa tête. Elle sait ce qu'elle veut.

Jan la fusille du regard.

— Désolé, Jacinta, si tu t'y étais prise comme il faut au départ, on n'en serait pas là. Elle t'a choisie, toi, pour la conduire parce qu'elle se doutait que tu lui obéirais docilement.

— C'est sûr que maman ne te choisirait pas, *toi* ! s'exclame Gary en croisant les bras sur sa bedaine. Cela fait des années que tu es à peine polie avec elle.

— Quoi ? C'est pas vrai !

— On ne peut pas dire que vous êtes proches, toutes les deux.

Jan se raidit.

— Je trouve que ce n'est déjà pas si mal, compte tenu d'où l'on vient. Et toi, qu'est-ce que tu as fait pour elle au cours de ces six derniers mois ?

La discussion s'engage sur un territoire où nul ne s'est encore aventuré.

— Au moins, moi, je ne lui fais pas des reproches et ne lui cause pas de chagrin.

Jan et Gary se font face tels deux chiens au poil hérissé. Ça ne va pas du tout. Quelqu'un doit arrêter ça.

Je propose :

— Et si j'allais lui rendre visite cette semaine ? Je peux prendre un jour de congé, le mercredi peut-être, et m'assurer qu'elle est bien installée.

— Qu'est-ce que tu comptes faire ? rétorque Jan. Construire un hôpital à Lunawanna ?

Je hausse les épaules, fuyant la confrontation.

— Je verrai si elle a tout ce qu'il lui faut.

— Comme un respirateur ? Des bouteilles d'oxygène ?

— Tu n'as qu'à y aller, si tu préfères, Jan, intervient Gary.

— Non, je n'irai pas. Si maman choisit de s'isoler et que vous la soutenez tous, je refuse d'aller la voir.

— Mais elle ne reviendra peut-être jamais, émit Jacinta d'une petite voix.

— Eh bien, c'est son choix, déclare Jan en se levant. Je suis trop énervée pour aller la voir. Et, de toute façon, qu'est-ce que je lui dirais ? Ça va, maman ? N'importe quoi ! Puisque vous avez tous apparemment pris votre décision, je rentre chez moi.

Jess se lève et commence à tourner nerveusement dans la pièce.

— Tu ne peux pas faire tenir cette chienne tranquille ? s'écrie Jan.

La seconde d'après, elle fait une grimace et des larmes jaillissent de ses yeux tandis qu'elle sanglote :

— Oh, mon Dieu, c'est affreux.

Elle a réussi son coup : la réunion tourne soudain autour d'elle et de son désespoir. Jacinta la prend dans ses bras et lui tapote affectueusement l'épaule. Alex pose sur moi un regard lourd de reproches tout en versant à Jan une deuxième tasse de thé. Le fait que je ne me lève pas et que je reste à table passe pour un acquiescement. Gary marmonne quelque chose dans sa barbe et s'esquive sous prétexte d'aller aux toilettes. Au retour de Gary, Jan se rassied et prend sa tasse en coupe entre ses paumes.

— Je pense toujours qu'il faudrait la ramener ici, dit-elle.

— Elle va être très contente là-bas, affirme Gary.

— Tu sais bien que c'est faux, Gary. Elle n'est pas capable de se débrouiller toute seule. Nous savons tous qu'elle oublie de prendre ses médicaments. La plupart du temps, elle ne sait même pas quel jour on est.

— Elle a le droit de décider, dis-je.

Comme après chacune de mes interventions, le même silence. Alors que je marque une pause, Jess s'appuie contre mes jambes. Je conclus :

— Elle a le droit de décider de quelle manière elle veut mourir.

Jan est scandalisée. De frustration, elle tape du poing sur la table.

— C'est ridicule. Vous essayez tous de la pousser dans la tombe. Suis-je la seule à tenir à elle ?

Je ne sais pas d'où vient alors mon aplomb, mais je lui rétorque :

— Il ne s'agit pas de toi, Jan. On parle de maman, là...

Voilà, c'est dit. Jan s'empourpre. J'ajoute, flageolant :

— On la laisse là où elle veut être. Tu n'as qu'à aller la voir si tu veux. Mais personne ne la ramène ici. C'est elle qui a décidé, un point, c'est tout...

Je me lève. Jess m'imite et je décrète :

— Cette réunion est terminée.

Aussi incroyable que cela puisse paraître, elle l'est. En pleurnichant, Jan boit son thé à petites gorgées. Gary se met à parler de son boulot et envisage une date pour rendre visite à maman dans le courant de la semaine prochaine. Alex débarrasse les tasses vides et envoie un jet de liquide vaisselle dans l'évier.

Par-dessus les têtes baissées, Jacinta m'adresse un sourire las. Mais son signe de tête est affirmatif. On a gagné la première bataille. Pour maman.

4

Après le départ de Jacinta cet après-midi-là, le chalet se remplit d'une douce quiétude. L'âme de Mary
fredonnait. Tout doucement, elle se laissa submerger
par des vaguelettes d'un bonheur enfoui qui remontait à la surface. Elle avait plusieurs choses à faire,
certes – des endroits où elle devait se rendre, des plans
à mettre au point –, mais pour le moment, ancrée dans
les eaux profondes de la mémoire, elle permettait aux
flots du temps de la bercer, sans destination aucune.

Les yeux tournés vers les vitres ruisselantes, elle
écouta le murmure de la mer. Ce fond sonore incessant, tissé dans la matière elle-même, imprimé du
rythme de la vie. Elle se rappelait combien Jack et
elle avaient été heureux en revenant sur l'île après
la morosité grisâtre de Hobart. Ces premières nuits,
couchés côte à côte dans le cottage du gardien de
phare, ils s'accommodaient à leur nouvelle vie, et ce
murmure se glissait jusque dans leurs rêves. Au réveil,
ils se rappelaient qu'ils avaient de la chance de pouvoir repartir de zéro.

Jan et Gary étaient encore petits. Mary et Jack prenaient plaisir à les voir s'épanouir dans la liberté de l'île. La sinistre pauvreté où ils avaient été confinés à Hobart avait cédé la place à ce paysage de bout du monde balayé par les vents : Mary avait la profonde conviction qu'ils avaient fait le bon choix. Les brumes de la mélancolie s'étaient levées. Durant les quelques heures que Jack ne devait pas au phare, la famille se promenait autour du cap en multipliant les découvertes. Mary et Jack apprenaient aussi à s'aimer de nouveau, déterrant ces précieux petits joyaux qui les avaient attirés l'un vers l'autre. Quels bons moments ils avaient passés au cours de ces premiers mois. Jack était ravi de retrouver un travail physique. Les enfants étaient tout bronzés, musclés, sauvages. Mary avait chanté dans le vent, le cœur en fête.

À partir d'aujourd'hui, dans ce chalet de Cloudy Bay, elle allait renouer les fils de cette paix ancienne qui avait jadis tissé autour d'elle son doux cocon.

Dans la chambre, elle vida sa valise et disposa en piles ses vêtements sur le lit jumeau du sien. Elle posa l'album de photos sur la table basse du séjour. Ici, elle aurait tout le temps de musarder dans le passé, d'arpenter les cimes et les vallées de sa vie avec Jack. Un terrain sans surprise dont elle avait mesuré chaque aspérité. En revanche, chaque fois qu'elle pensait à la lettre, glissée dans la poche latérale de sa valise, un coup était porté à sa poitrine. Les sourcils froncés, elle la délogea de sa cachette et la posa sur le canapé. Elle ne devait pas en avoir peur. Elle avait les choses en main.

En remettant de l'eau à bouillir, elle réfléchit aux conséquences de la lettre. Le stratagème était intelligent, admit-elle, reconnaissant à regret l'ingénuité du messager. Elle avait été naïve de le croire enterré sous les cendres de l'histoire. Il venait d'en ressurgir, triomphant.

Son premier réflexe avait été de détruire la lettre. Cela aurait été la solution la plus simple et la plus raisonnable. Il n'y avait pas grand-chose à gagner à bouleverser les gens. D'un autre côté, le messager pouvait se représenter. Il pouvait se matérialiser de nouveau pour apporter une seconde lettre. Et alors ? Elle ne comprenait pas selon quelle logique il procédait. Pourquoi lui avoir donné la lettre à elle ? Pourquoi ne pas l'avoir apportée à la personne à laquelle elle était adressée ? Parce qu'il voulait faire souffrir Mary ? Afin de la mettre au courant de ses intentions ? Ou bien souhaitait-il faire peser sur elle la responsabilité de la décision ? Pourtant, lors de cette terrible visite dont elle préférait ne pas évoquer le souvenir, il avait exprimé le souhait qu'elle la transmette à son destinataire. C'était cruel de sa part de l'obliger à prendre part à son propre malheur. Intolérable, même. Elle ne céderait pas.

Pensait-il vraiment qu'elle avait une conscience ? Ou qu'il avait encore une emprise sur elle ? C'était si ridicule et arrogant de sa part ! Il y avait longtemps qu'elle ne tenait plus compte de lui. Elle l'avait rayé de sa vie. Et il n'était pas question de fléchir. Elle devait brûler la lettre, et qu'on n'en parle plus.

Rassurée par cette décision, elle se versa du thé et sortit des tomates en boîte qu'elle mangerait avec des toasts pour son dîner. Un repas peu diététique, mais elle n'avait pas faim, et au moins elle se nourrissait. Demain, elle prévoirait quelque chose de plus substantiel. Demain, elle serait mieux installée. Et si elle avait assez d'énergie pour sortir faire une courte promenade, elle finirait peut-être même par avoir de l'appétit.

Sa première nuit à Cloudy Bay fut exécrable. Son nouveau lit lui parut inconfortable et elle passa son temps à se tourner et à se retourner, redécouvrant du même coup les articulations de ses hanches et de ses genoux. Elle qui ne savait plus à quoi ressemblait une bonne nuit de sommeil trouva que c'était encore pire qu'à l'accoutumée. D'autant qu'à un moment donné elle s'était mise à tousser et avait été obligée de s'asseoir. Une toux cardiaque – elle connaissait les symptômes.

La lettre qui hantait ses pensées la privait du luxe d'un repos bien mérité. Exaspérée, elle sortit du lit et traîna des pieds jusqu'à la cuisine, l'enveloppe à la main. En la tenant au-dessus de l'évier, elle gratta une allumette. Une fois que ce bout de papier ne serait plus qu'un tas de cendres, elle serait tranquille.

Mais, curieusement, elle ne parvint pas à approcher la flamme du coin de l'enveloppe. Était-ce judicieux ? Que se passerait-il si la lettre parvenait à son destinataire après sa mort ? Est-ce que cela aurait une importance ? D'un autre côté, pourrait-elle mourir paisiblement en sachant qu'elle était toujours là ?

Trop fatiguée pour chercher des réponses à ses propres questions et trop indécise pour agir sans avoir mûrement réfléchi, elle souffla l'allumette et rapporta la lettre dans son lit. C'était encore trop tôt. Elle avait encore plusieurs jours devant elle. À bout de forces, elle s'assit contre ses oreillers afin de soulager sa respiration. Chez elle, tout était aménagé selon ses spécifications. Ici, il lui faudrait improviser.

Alors qu'elle était dans un état intermédiaire entre la veille et le sommeil, le vent hurlait autour de la maison et ébranlait les fenêtres. Elle ne s'était pas attendue à autant de bruit. Elle avait oublié la façon dont il gémissait sous l'avancée du toit. Il soufflait sans fin, impitoyable. De quoi semer le doute dans l'esprit le plus déterminé.

Par des nuits telles que celle-ci sur le cap, elle se serrait contre Jack. Son corps robuste la réchauffait. Désormais, elle était seule. Cela faisait neuf ans que Jack s'en était allé. Sa présence rassurante, leur acceptation réciproque, le fait qu'ils n'attendaient rien de plus, tout cela lui manquait. Pour en arriver là, à cette sérénité, il avait fallu une vie entière – un rude voyage sur une route peu carrossable. Mais c'était cela l'amour, sûrement, pas une brève flamme qui ne vous éclaire qu'un instant.

Étendue dans le noir, elle essayait de retrouver son équilibre. Elle pensait à Jack. Elle pensait au vent qui se ruait vers le cap en provenance du Sud-Ouest.

Bientôt, elle serait de nouveau habituée. Le vent redeviendrait une partie d'elle-même. Plutôt que de tenter de l'esquiver, il fallait l'étreindre. Cet endroit n'était pas pour les petites natures et les êtres influençables.

Au matin, après avoir consommé sans se presser une bouillie préparée avec du lait à moitié surgelé, elle régla le thermostat du frigo à gaz puis, installée sur le canapé avec le plaid sur les jambes, elle regarda la baie par la fenêtre. Un autre monde commençait dehors. Le vent fouettait les crêtes des vagues qui écumaient de rage. La végétation bruissait et soupirait, minces branchages s'agitant dans la tempête. Nuages et ressac se lançaient à l'assaut des lointaines falaises. La lumière était grise. De temps à autre, une giclée de pluie martelait les carreaux.

Un filet d'air glacé se faufilait sous la porte d'entrée et s'enroulait autour de ses jambes, en dépit du plaid dans lequel elle s'était emmitouflée. Elle se leva et alluma le calorifère. Au phare, elle n'était jamais assise assez longtemps pour souffrir du froid. Il y avait toujours quelque chose à faire. Mais, ici, la matinée lui semblait longue. Elle attendait l'arrivée du garde forestier. Il ne devait en principe pas tarder.

Elle avait hâte de rencontrer cet homme. Il était un élément important de son plan. Il fallait qu'elle gagne le plus vite possible son amitié. Séparée des siens, elle avait besoin d'un chauffeur pour la conduire un peu partout autour de l'île, dans des lieux qui avaient compté pour Jack et elle. Ce garde forestier allait devoir faire l'affaire, qu'il le veuille ou non. Elle n'aimait pas se servir des autres à ses propres fins, mais à ce stade, elle n'avait pas le choix. Et peut-être était-ce moins grave de manipuler un inconnu que l'un des siens. Que devait-elle faire d'autre ?

Elle laissa sa tête aller en arrière et ferma les yeux, l'oreille tendue vers le claquement sourd des vagues déferlant sur la plage. Parfois, elle l'entendait avec netteté, un bruit clair et puissant. D'autres fois, il s'estompait tandis que son esprit s'échappait vers autre chose – le souvenir d'un chant d'oiseau dans les broussailles. C'était Tom qui lui avait appris à observer les oiseaux. Même enfant, il voulait tout savoir sur la nature : le nom des oiseaux, ce qu'ils mangeaient, où ils nichaient, à quoi ressemblaient leurs œufs. Petit garçon, il courait après les rouges-gorges qui sautillaient et voltigeaient autour des cottages, aussi communs dans ce pays que des moineaux. Il imitait leurs cris – même le chant mélodieux au phrasé complexe du méliphage à calotte fauve qui enchantait le cap l'automne venu. Plus grand, il lisait assis sur le versant de la colline au milieu des compagnies de cailles tasmanes qui se sauvaient en se faufilant entre les herbes. Chaque jour, après les leçons, il montait jusqu'au phare pour descendre le sentier de l'autre côté où il affectionnait une cavité dans la falaise. De là, il observait les vols circulaires des aigles pêcheurs au-dessus de l'île Courts, ou les aigles de Tasmanie – les uraètes – couvant sur les branches basses de la lande. Lorsque les puffins fuligineux nichaient, il disparaissait des heures durant et revenait avec des histoires d'aigles cueillant des jeunes bien gras dans les nids et les déchiquetant à coups de bec.

Mary s'était vite rendu compte qu'un enfant grandissant au milieu des aigles ne serait jamais comme les autres. À l'âge de dix ans, il avait affirmé une théorie sur la vie. Mary était dans la cuisine, en train de pétrir de la pâte, quand il était entré et s'était laissé tomber sur une chaise. Il avait un visage radieux. Ses cheveux étaient ébouriffés. Ses joues rougies par le froid. Un homme pouvait être un albatros ou un aigle, avait-il dit alors qu'elle reprenait son pétrissage. Si on était un albatros, on planait en frôlant les vagues là où le vent était le moins fort, mais tout de même assez puissant pour vous porter. On évitait de se poser trop souvent de crainte de ne pouvoir redécoller et, de toute façon, il fallait redoubler d'énergie après une halte. Si on était un aigle pêcheur, cependant, on voltigeait en altitude d'où on voyait tout en contrebas et d'où on pouvait plonger sur tout ce qui attirait notre convoitise. On se perchait sur les rochers ou les branches parce qu'on était fort et que l'on pouvait se propulser facilement dans les airs. Sauf qu'un aigle pêcheur était voyant et arrogant et que les autres oiseaux ne l'aimaient pas – ils fondaient sur lui des quatre coins du ciel pour le chasser de leur territoire. C'était, avait-il ajouté, le prix à payer pour sa magnificence.

Il avait levé les yeux et elle avait suspendu son geste, les mains dans la farine.

— Je suis un albatros, maman. Je plane dans le vent mais je ne suis pas en danger.

Elle l'avait embrassé, elle l'avait serré contre son cœur débordant d'amour, lui offrant le refuge de ses bras. Bien sûr, elle savait que personne ne pouvait jamais être à l'abri. À la rigueur, elle pouvait le protéger pendant qu'il était encore dans l'enfance. Mais elle ne pouvait pas le couper du monde. Au lieu de le priver de ses illusions, elle avait déposé un baiser sur le haut de sa tête, enfouissant son visage dans son abondante chevelure. Comment dire à un garçon de dix ans que la vie et ses dangers finiraient bien par le dénicher ? Vous aviez beau tracer des plans pour l'avenir, l'inattendu surgissait toujours pour changer le cours des choses. Personne n'y pouvait rien.

Comme elle, quand elle était jeune, avant de rencontrer Jack et de devenir mère. Passionnée. Impulsive. Soupe au lait. Aurait-elle écouté une mise en garde ? Sans doute pas. Elle qui vivait d'espoir et de rêves, indifférente à la sagesse de ses parents, venue avec l'âge. Lorsqu'ils l'avaient envoyée sur l'île Bruny pour la sauver d'elle-même, les avait-elle pris au sérieux ? Bien sûr que non. Pourtant, avec le recul, cela paraissait en effet raisonnable.

Pauvres oncle Max et tante Faye. Ils coulaient des jours tranquilles à cultiver leurs champs à South Bruny, non loin de Lunawanna, quand elle avait débarqué chez eux, révoltée et survoltée. En dépit de sa mauvaise humeur, ils s'étaient montrés gentils et accueillants.

Au début, l'île lui avait paru sinistre, avec ses cabanons et son côté désertique. Arrachée à une vie citadine à Hobart pour être parachutée dans ces landes étranges et silencieuses, elle était décidée à ne pas s'y plaire. Rien n'aurait su la persuader d'y trouver sa place. Son cœur était ailleurs. Cet exil avait pour objectif de la mettre hors de danger, mais elle s'accrochait au mât de son rêve. Elle ne lâcherait pas. Ses parents ne réussiraient pas à briser sa volonté.

Sauf qu'oncle Max l'avait peu à peu amadouée, passant outre son air maussade d'adolescente boudeuse pour l'amener à accomplir des tâches simples, déplacer des bottes de foin à la fourche, traire les vaches, ratisser la paille, ramasser les pommes. Il veillait à ce qu'elle soit toujours occupée, à piocher et à arracher les mauvaises herbes du potager, à tailler les fruitiers. Elle aidait aussi sa tante dans une multitude de tâches domestiques : la lessive, les confitures, le raccommodage. Peu à peu, le travail l'avait apaisée. Elle tirait des satisfactions de ces tâches pénibles qui versaient un baume sur son âme meurtrie et déboulonnaient son indignation.

Avec le recul, elle avait compris combien ce moment avait été important. Ce qui avait au départ été une punition s'était finalement révélé une bénédiction. Grâce à ce bannissement, elle avait échappé à la sinistre Hobart, à une carrière de dactylo et aux règles rigides du foyer paternel. À la ferme, elle vivait dehors, au grand air. Et puis les jours s'écoulaient suivant un rythme saisonnier. Elle avait appris à aimer l'odeur capiteuse de l'herbe, les amers effluves du fumier, le parfum de légère moisissure du fenil. Elle aimait mener les vaches à la ferme pour la traite. Derrière la maison, les hautes silhouettes des eucalyptus au bord de la rivière. Quand le vent soufflait, elle aimait se tenir sous ces arbres monumentaux qui portaient aussi le nom de gommiers blancs et regarder les longues bandes d'écorce rugueuse claquer contre les troncs tandis que leurs feuillages se balançaient tout là-haut contre le ciel.

À cette époque, la ferme était constamment battue par les grains des mers du Sud. Des nuages noirs déversaient des trombes d'eau sur les prés, transformant les chemins boueux des vaches en véritables torrents. Lorsque les cieux s'ouvraient au-dessus d'elle, elle se réfugiait souvent dans la vieille grange, dans le fracas de la pluie tambourinant sur la toiture, la joue contre le flanc tiède d'une vache, un pis dans chaque main dont elle extrayait par pressions de longs jets de lait qui giclaient dans le seau. C'était là, sous cet abri, qu'elle avait rencontré Jack pour la première fois.

Le ciel était couvert ce jour-là. Elle était occupée à couper les touffes de laine emmêlée d'un vieux mouton quand il avait fait noir tout à coup. Un nouveau grain ? Quand elle leva les yeux, un jeune homme se tenait dans l'encadrement de la porte et l'observait. Elle se dit qu'il devait être un des trois frères Mason dont Faye lui avait parlé. Ils habitaient dans une ferme pas loin de chez eux. Sa tante était triste pour eux parce qu'ils n'avaient pas assez de terres pour que chacun des fils puisse en vivre. L'aîné hériterait de tout. Les autres seraient sans doute obligés de quitter l'île pour trouver du travail.

Elle se remit à couper la laine de son mouton, s'attendant à ce que le garçon reparte en quête d'oncle Max. Mais il ne bougea pas. Elle se sentit rougir. Pour qui se prenait-il ? À l'examiner ainsi comme si elle était une bête curieuse ?

— Vous cherchez mon oncle ? demanda-t-elle en lui lançant un coup d'œil mécontent. Il fait marcher la pompe au bord de la rivière. Vous ne pouvez pas le manquer.

Au tour du jeune homme de devenir écarlate. Il grommela un merci.

— Je m'appelle Mary, dit-elle finalement en se levant. Et vous ?

Elle lui tendit la main, mais il se détournait déjà pour sortir.

— Jack, lui jeta-t-il sans se retourner. Jack Mason. Je ne voulais pas vous déranger.

Au début, elle ne lui avait rien trouvé de spécial. Elle était encore rongée par la colère et fixée sur d'autres rêves. Mais la présence d'une jeune fille en fleur à proximité de trois garçons... Il était inévitable qu'il se passe quelque chose.

Les deux fermes étant proches, ils échangeaient des outils et des services. Ils fêtaient aussi ensemble Noël, Pâques, et puis il y avait le ramassage des fruits et les pique-niques. Enfant unique d'une famille protestante stricte, Mary commençait à prendre conscience de sa féminité et à s'intéresser aux garçons, dont elle ignorait tout. Et la voilà soudain lâchée au milieu des regards approbateurs d'un entourage masculin dans le monde très physique de la ferme. Des constitutions robustes. Des tâches qui exigeaient de la vigueur. Elle s'épanouissait sous leurs œillades et leurs compliments. Quelques plaisanteries fusaient par-ci par-là. Les frères de Jack étaient des rebelles qui avaient surtout envie de s'amuser. Jack n'était pas comme eux. Il était silencieux, solide et fort. Réservé. Il y avait quelque chose de séduisant dans son mutisme. Quelque chose de rassurant. Et dans ses yeux, elle discernait une lueur d'intérêt pour sa personne. Malgré elle, elle se sentait attirée par lui. Elle était curieuse d'en savoir plus à son sujet.

Pendant les foins, les familles s'entraidaient. Les uns et les autres chargeaient l'arrière du vieux camion des Mason des ballots qu'il fallait vite rentrer avant la prochaine pluie. Un rude travail. Elle revoyait Jack, ses biceps se nouant au-dessus de ses manches de chemise roulées tandis qu'il balançait les ballots en même temps que ses frères. Elle l'épiait discrètement, glissant son regard sous sa chemise quand il se penchait pour enfoncer ses doigts dans le fourrage, les muscles tressaillant sous les poils de son torse au moment où sa main se refermait sur la corde. Elle s'imagina alors caressant sa poitrine, la douceur de son duvet, l'étreinte ferme de ses bras. Plus tard, alors qu'elle était elle-même fourbue, elle leur apportait de

79

l'eau et des gâteaux. En buvant au goulot, Jack avait surpris son regard sur lui. Les yeux pétillants, il lui avait souri. Horriblement gênée, elle était demeurée impassible alors que son sourire à lui s'élargissait.

— Bons gâteaux, approuva-t-il en piochant dans la boîte en fer-blanc qu'elle tenait à la main tout en essuyant les gouttes d'eau qui perlaient à ses lèvres.

Ils se voyaient ainsi souvent. De brefs échanges au milieu d'une journée de travail. Au hasard des rencontres quand ils vaquaient à leurs occupations. En cueillant des pommes en automne, ils avaient grimpé au même arbre, les bras tendus, penchés pour gauler les fruits et les faire tomber dans les seaux. Ils n'avaient pas échangé trois mots, mais tous leurs sens étaient en éveil. Coups d'œil furtifs à travers le feuillage. Éclair brun d'un bras se portant vers la même pomme que le sien. Ensemble ils ramassaient celles éparpillées au sol. Ils se regardaient mordre dans la chair croquante des fruits mûrs.

Il passait souvent à la grange à l'heure de la traite. Il la suppliait de lui donner un pichet de crème pour sa mère, plongeait une tasse dans son seau et buvait le lait chaud ou se contentait de rester planté sur le seuil, comme il l'avait fait lors de leur première rencontre. Elle était nerveuse quand il l'observait ainsi, la vache le percevait et son lait refusait de couler. « Va-t'en ! lui disait-elle. Tu déranges ma vache. » Et il riait, les yeux brillants, avant d'emprunter un outil à oncle Max.

Lorsqu'elle comprit le pouvoir qu'il avait sur elle, elle éprouva le besoin de l'éviter. Si jamais Max et

Faye s'apercevaient de cette attirance, ils la renverraient chez ses parents. À ce stade, elle n'avait plus envie de rentrer. Elle était tombée amoureuse de la ferme et de l'île : les arbres, l'immensité, la pureté de l'air. Quand ils se rendaient en voiture à Lunawanna pour se ravitailler, elle voyait au loin les rivages brumeux bleu-violet de la Tasmanie. Devant le magasin, elle s'asseyait avec oncle Max devant une assiette de fish and chips, le regard tourné vers l'endroit d'où elle venait. L'île dont la beauté solitaire était rehaussée par la proximité du continent distillait une magie indéfinissable. À Bruny, ils étaient heureux et libres. Les autres, là-bas à Hobart, étaient prisonniers de la complexité de la vie citadine, captifs de la ville.

Les deux familles mettaient à profit leur parcimonieux temps libre pour pique-niquer sur les plages de Cloudy Bay, pêcher et jouer dans les vagues. Il arrivait que les parents restent à la maison. Il n'y avait alors que Mary et les garçons. Ils roulaient jusqu'au bout de la plage avec le camion, faisaient un feu de camp dans le sable, escaladaient la falaise d'East Cloudy Head par un vent glacial.

C'est ainsi qu'un beau jour elle se retrouva seule là-haut avec Jack. Les autres, ayant oublié de s'équiper de vêtements chauds, avaient rebroussé chemin. Protégée du froid par son col roulé en laine, Mary s'assit, les jambes repliées, silencieuse, prise de vertige dans cet air froid, devant l'océan à perte de vue sous son voile de brume. Jack se tenait debout auprès d'elle. Lorsqu'elle leva brièvement les yeux, elle vit dans les siens qu'il partageait son ravissement.

Les rayons bleus de ses yeux baissés sur elle. Elle se sentit fondre. Il s'assit à côté d'elle, le corps de Jack s'offrant tel un bouclier contre le vent. Elle huma l'odeur mâle de sa sueur mêlée d'un parfum de foin coupé. Galvanisée, elle avait l'impression de communiquer avec lui sans paroles, à fleur de peau. Son souffle était semblable à un papillon prisonnier dans sa gorge serrée par une folle attente.

Elle avait peur de lever de nouveau les yeux, peur de ce contact. C'est alors que sa main s'était posée sur la sienne, doucement, précautionneusement. Les doigts froids de Mary avaient soudain été enveloppés de l'étreinte chaude et rugueuse de sa paume calleuse. Le regard dans les lointains océaniques, il tenait sa main comme s'il s'était agi d'un fragile coquillage ou d'un œuf. Ils respiraient de conserve, une respiration rauque. De son autre main, il caressa ses cheveux, glissant de boucle en boucle.

Elle attendait, les lèvres déjà brûlantes. Il se rapprocha d'elle et déposa un baiser sur son front. Un garçon hésitant, maître de lui. Mais elle, elle voulait cueillir sa passion, une passion libérée, fervente, forte. Lui restait prudent, indécis. Il la désirait, c'était certain, mais sa pudeur le rendait timide. Dans un sens, c'était beau, cette ardeur dans la retenue. Son magnétisme était puissant. Quelque chose dans cette réserve électrisait son désir. Elle avait envie de se blottir contre son torse aux muscles d'acier – son corps tout entier se penchait vers lui. Et puis, enfin, il la prit dans ses bras.

Ils descendirent de la falaise du cap, aussi légers que des goélands du Pacifique survolant un banc de sable. Il ne s'était presque rien passé en réalité : une étreinte, quelques baisers. Mais la glace était rompue ; devant eux se déroulait un long chemin pavé d'intentions cachées, une graine avait germé, une promesse pointait à l'horizon. La ferme était devenue un terrain où tout pouvait arriver : des rencontres, des baisers volés dans la grange, des mains qui s'étreignaient, des regards qui se croisent au-dessus des tables et des outils ou profitant des dos tournés.

Le frère cadet de Jack, Frank, trouva un travail à Clennett's Mill sur la montagne derrière la ferme. Parfois, elle accompagnait Jack là-haut quand il effectuait des livraisons de gâteaux, de biscuits, de pain frais et de fruits fraîchement cueillis. À cheval, ils montaient à travers les fûts immenses de la forêt humide jusqu'au campement où des volutes de fumée s'élevaient entre les troncs, où les bûcherons vociféraient, où les cliquetis métalliques et les cris des scies contre le bois faisaient vibrer l'air. Ils laissaient leurs montures devant les cabanes et elle suivait le dos droit de Jack, par-dessus des arbres abattus et des monticules d'écorces. Si Frank ne se trouvait pas à l'intérieur de la scierie retentissant du tapage de la machine à vapeur, occupé à débiter des rondins dont il jetait les chutes dans la chaudière, il fallait le chercher quelque part sur la pente où ils avaient une chance de le trouver à un bout d'une scie à bras. Dans les coins tranquilles de la forêt, Jack et elle s'attardaient pour s'embrasser à en perdre haleine et apprendre à se connaître.

L'île fit bientôt partie d'eux-mêmes. Le charme verdoyant de la campagne ; la grandeur des hautes futaies ; le déferlement rythmé des vagues sur la plage de Cloudy Bay. À l'image d'une liane, leur amour s'enroulait autour du lieu. Avec le recul, elle ne savait plus très bien si c'était de Jack qu'elle était tombée amoureuse ou de l'île Bruny et du vaste espace de liberté qu'elle offrait. À moins que, comme beaucoup de jeunes filles, elle n'ait été amoureuse de l'amour. Grisée par un rêve.

En vérité, elle ne s'était pas attendue à rencontrer son futur mari à Bruny. Pas plus que cela ne faisait partie des plans de ses parents. Ce fut toutefois l'issue de cet exil qu'ils lui avaient imposé. L'île l'avait jetée dans les bras de Jack ; leur liaison était l'issue inévitable d'un isolement à l'heure où sa sexualité s'éveillait.

Pendant un an, ils avaient gardé leur amour secret, nourri d'étreintes clandestines. Puis ils avaient acquis plus d'audace. Mary était depuis quatre ans sur l'île. À vingt ans, elle estimait qu'elle avait l'âge de prendre sa vie en main. Elle avait grandi dans le respect des convenances, et Jack, lui aussi, souhaitait faire les choses bien. Un garçon à la conscience probe qui ne se défilerait pas devant ses responsabilités. Ils avaient discuté de la marche à suivre et, un soir après le repas, Jack lui avait rapporté sa conversation avec ses parents.

— J'aime beaucoup Mary. Elle m'aime en retour et je veux l'épouser.

Son père l'avait regardé bouche bée, mais une fois remis de sa surprise, il avait approuvé vigoureusement de la tête. Le visage de sa mère s'était aussitôt éclairé d'un sourire affectueux.

— Quel choix merveilleux tu fais là, Jack, avait-elle déclaré. Une fille délicieuse et sérieuse avec ça. Elle fera une bonne épouse.

Une bonne épouse, s'était répété Mary en son for intérieur. Quel défi !

Encouragé par le soutien de ses parents, Jack s'était rendu chez Max et Faye afin d'avoir leur opinion. Ils s'étaient montrés à la fois contents et inquiets ; Mary leur avait été confiée et cette nouvelle n'allait peut-être pas être bien accueillie à Hobart. En effet, ses parents n'avaient pas été ravis d'apprendre que leur fille projetait d'épouser un fermier. Ils caressaient pour elle de plus hautes ambitions. Mary, toutefois, était déterminée à avoir Jack. Ses géniteurs étaient déjà intervenus une fois dans sa vie et ils savaient qu'ils avaient moins de pouvoir à distance. Après plusieurs discussions, ils avaient donné à regret leur autorisation. Désormais, elle était maîtresse de sa propre vie.

Une fois ces étapes franchies, Jack et Mary s'étaient sentis libérés. La discrétion était toujours de mise, mais ils n'avaient plus besoin de se cacher. Ils pouvaient se prendre par la main en public et échanger tous les regards qu'ils voulaient. Ils avaient en revanche été obligés d'accepter d'être chaperonnés, ce qui ne les avait pas empêchés de s'échapper pour s'embrasser, se caresser, poursuivre la découverte l'un de l'autre. Car s'ouvrait devant eux un vaste territoire inexploré. Ils avaient expérimenté des nouveautés : le baiser avec la langue, les caresses sous les vêtements. Mary serait allée plus loin, mais Jack les retenait tous les deux. Le reste devait attendre, disait-il, qu'elle ait la bague au doigt.

Ils avaient été mariés dans l'église de Hobart, mais s'en étaient retournés immédiatement à Bruny, appelés par les travaux de la ferme. Son père étant de plus en plus perclus d'arthrite et Frank toujours à la scierie, Jack devait aider Sam, son frère aîné. Il y avait du monde à la maison, mais tout se passait bien. Ce fut une période de bonheur.

Chaque fois qu'ils le pouvaient, Jack et Mary s'échappaient pour explorer Cloudy Bay et s'aimer en toute liberté. C'était là qu'ils avaient fait l'amour pour la première fois, dans leur havre de paix – le sel, la mer, leurs corps. Ils couraient nus sur le sable en lançant vers les goélands leurs rires et leurs cris. Ils pêchaient et cuisaient le produit de leur pêche sur les flammes des petits feux de camp que Jack savait si bien allumer.

À la ferme, leur intimité s'approfondissait moins que Mary ne l'avait escompté. Dans le lit étroit de Jack, ils dormaient l'un contre l'autre, ou plutôt l'un d'eux venait se blottir contre le dos de l'autre. Mais, comme la maison était petite et qu'ils craignaient d'être entendus, ils mettaient un frein à leur passion. Ils se découvraient de manière précautionneuse, discrète. Étant donné la force de son désir, on aurait pu craindre que Mary se sentît frustrée, mais au contraire, il la tenaillait si bien que le plaisir l'inondait tout naturellement. Une fois qu'elle eut appris à guider Jack, elle s'y prit avec une tendresse si subtile qu'il ne se rendit même pas compte qu'il se soumettait à sa volonté. Et Cloudy Bay était un terrain de jeux idéal : ils pouvaient y crier leur jouissance sans retenue.

Avec le recul, cette époque lui paraissait la plus belle de leur histoire. Portés par la routine tranquille de la ferme et une vie sans souci particulier, ils s'aimaient et se comprenaient de mieux en mieux. Le mariage leur avait ouvert la porte de la cage. Ils partaient seuls pique-niquer. Ils faisaient l'amour dans la forêt, à Cloudy Corner et même sur la falaise d'East Cloudy Head par les calmes journées d'été. Ils étaient occupés, proches, leur existence était dure mais riche de vraies valeurs.

Puis des changements étaient survenus. Le mildiou avait ravagé les arbres fruitiers, entraînant des restrictions budgétaires. Jack, se disant qu'ils étaient des bouches de trop à nourrir, avait envisagé de déménager à Hobart afin d'y trouver du travail. Ensuite, ce fut l'arrivée de Rose, la jeune épouse de Frank. Ce dernier, le boute-en-train de la famille, ne demandait qu'à sortir pour s'amuser. En goguette un jour de congé à la scierie, il avait rencontré Rose au bal annuel d'Alonnah. Elle habitait une ferme entre Alonnah et Lunawanna et s'occupait de sa mère grabataire, une situation qu'elle avait manifestement hâte de laisser derrière elle. Les choses étaient allées vite avec Frank, et elle n'avait pas tardé à s'installer chez les Mason.

Au début, une autre présence féminine dans une maisonnée d'hommes avait été la bienvenue. Mais peu à peu, Mary avait pris Rose en grippe. Il y avait en elle quelque chose de malhonnête, elle était paresseuse et manipulatrice, se défilant des corvées si bien que Mary en faisait plus qu'elle n'aurait dû. Les hommes, même Jack, étaient envoûtés. Elle avait des ongles longs et polis. Elle mettait du rouge à lèvres. Mary la tolérait tout juste et avait du mal à rester courtoise. Mais Rose n'avait cure des usages d'autrui. Lors de ses « mauvais jours », la ferme Mason n'était pas assez grande pour elle. Mary détestait l'égoïsme de Rose, la façon dont elle tirait toujours la couverture à elle. Elle était un serpent, Mary aurait voulu ne rien avoir à faire avec elle.

Finalement, Mary avait persuadé Jack de déménager dans la ferme de son oncle et sa chambre de jeune fille. Mais ils étaient un poids et leur séjour avait été de courte durée. C'était un crève-cœur, mais la migration à Hobart paraissait inévitable. Comme ils n'avaient pas les moyens de louer quoi que ce soit, ils s'étaient installés chez les parents de Mary. Son père avait, grâce à son métier de comptable, réussi à conserver ses biens en dépit de la crise économique mondiale. La vieille maison de North Hobart était assez vaste pour tous les loger agréablement. C'était une bâtisse ravissante, aux fenêtres encadrées de carreaux de verre coloré, à la véranda cernée de dentelle en fer forgé. Hélas, la vie n'y était pas amusante, c'est le moins qu'on puisse dire. Une clarté avare effleurait les murs froids des grandes pièces hautes de plafond. La maison était sombre et lugubre. Mary trouvait étouffantes les règles et les exigences de ses parents. Quand elle était tombée enceinte et avait commencé à souffrir de nausées, sa mère avait manifesté une satisfaction malsaine. Enfin, Mary devenait la fille docile et malléable dont elle avait rêvé.

Sous l'effet de la ville, Jack avait changé. Il était devenu plus taciturne, plus introverti, passant ses journées à travailler à la chaîne à la conserverie. Il détestait ces heures interminables loin de la lumière du jour. Le soir, il se tenait au coin du feu en compagnie du père de Mary. Il lisait le journal, fumait la pipe – une habitude prise au contact de la vie citadine. Il fallait avouer que l'atmosphère était peu propice à la conversation, et Mary avait tellement mal au cœur, était tellement épuisée, qu'elle n'avait pas grand-chose à dire. La mélancolie s'immisçait dans son cœur. Elle aurait voulu se sentir heureuse pour le bébé, les femmes enceintes étaient censées être radieuses. Mais Hobart lui pesait et Jack se montrait distant et renfermé, recru de fatigue. À l'heure prescrite, ils se retiraient dans leur chambre et se déshabillaient gauchement à la lueur sifflante de la lampe à gaz. Après quoi, ils se glissaient entre les draps.

Leur intimité n'était pas favorisée par ses nausées de début de grossesse, et Jack était épuisé. Pendant qu'il dormait, elle observait les ombres sur le plafond et se demandait où avait bien pu passer la passion qu'elle avait eue pour lui sur l'île Bruny. Dans sa solitude, elle rêvait de Cloudy Bay, de la ferme, de la douce odeur des eucalyptus par un matin de pluie. Il ne lui avait pas traversé l'esprit que Jack pouvait lui aussi être nostalgique de leur ancienne existence.

Cinq ans plus tard, lorsque s'était présenté le poste au phare, ils avaient tous les deux sauté sur l'occasion. À cette époque ils avaient deux enfants et louaient une maison à Battery Point. Leurs relations étaient tendues et froides, et ils étaient déprimés par leur pauvreté et les contraintes de l'environnement suburbain. Rien ne leur avait été plus facile que d'abandonner Hobart. Le phare représentait leur billet de retour à l'île Bruny. Il leur offrait aussi une chance de redécouvrir le bonheur.

5

Travailler sur un moteur a quelque chose de rassurant. Peut-être à cause de sa composition ou du fait
que l'on peut prévoir de quelle manière ses consti-
tuants vont s'imbriquer. Ou bien encore à cause
de l'ingéniosité de son mécanisme et de la beauté de
l'agencement qui permet à une machine de produire
assez d'énergie pour mettre en rotation un arbre de
transmission et en mouvement un véhicule.

Ce n'est pas seulement le concept qui me séduit,
mais aussi le poids des éléments dans mes mains.
L'odeur familière du cambouis. J'aime devoir trouver des solutions à des problèmes pas à pas. J'aime la
géométrie des machines. Elles possèdent leur propre
logique. Et puis j'apprécie la solitude que vous offre
la position allongée sous un camion.

Bill est mon patron au garage de Sandy Bay. Il me
confie les tâches difficiles parce qu'il sait que je saurai
m'en tirer. Il s'arrange en outre pour que je dispose
de deux jours entiers pour en venir à bout. Et, quand
il n'y a rien que la routine, il fait en sorte que je n'aie

pas le temps de lever le nez. Il sait que rien ne me résiste. Une fois que j'ai commencé, je suis aussi efficace qu'une machine.

Jess est le genre de chien qu'il est possible d'emmener au travail. Heureusement, car elle déteste rester seule à la maison. Elle se roule en boule sur un vieux sac de jute dans un coin au fond du garage et ne se lève que pour aller boire. Mes collègues mécanos lui jettent des biscuits et la croûte de leurs sandwichs. Je leur ai interdit de lui donner du chocolat. Elle ne sait pas ce qu'elle manque à cause de moi.

Chaque fois que j'ai un problème sérieux ou que j'ai besoin d'un outil ou d'une machine, je fais un saut à Kingston, à l'Australian Antarctic Division – « l'antdiv », par contraction – afin de discuter avec Bazza, le vieux mécanicien diéséliste. Bill n'émet aucune objection à ces absences, sachant que je serai bientôt de retour avec une solution.

Aujourd'hui, j'ai pour mission de reconstruire le moteur d'un vieux camion. Son propriétaire est un ami de Bill, donc le travail sera fait à un tarif défiant toute concurrence. Ceci dit, cela aurait été moins cher d'installer carrément un nouveau moteur, mais les affaires tournent au ralenti en cette saison, et Bill voit d'un bon œil que je m'occupe en rendant service à son pote. L'antdiv est mieux équipée que le garage et j'ai quelques pièces à usiner. C'est pourquoi j'ai décidé de faire appel à Bazza.

Il a suffi que j'accroche au mur ma clé anglaise et que je m'essuie les mains sur un chiffon pour que

Jess comprenne que nous changeons de crémerie. Elle se lève pour venir cueillir une petite caresse et, dès que j'ouvre la portière de la voiture, elle saute à l'intérieur et se couche sur le plancher. La queue battant la mesure, elle lève vers moi une gueule souriante : elle tient à ce que je sache combien elle est contente de cette escapade. C'est difficile pour un chien de passer sa journée roulé en boule sur un morceau de jute.

Dans certains cercles, l'antdiv est surnommée la « Division des mariages brisés et des vies foutues ». La première fois que je l'ai entendue appelée ainsi, cela m'a agacé. À l'époque, je me disais que ces gens étaient aigris de ne pas avoir eu le privilège d'aller en Antarctique. Par la suite, je me suis aperçu que c'était vrai. Là-bas, il y a des consignes pour tout, sauf pour vous indiquer comment reprendre le fil de votre vie une fois rapatrié.

L'antdiv est abritée par un complexe de bâtiments carrés gris reliés par des galeries couvertes semblables aux tunnels qui, jadis, mettaient en communication les baraques des stations antarctiques, avant la construction des nouvelles « unités modulaires » infiniment plus confortables. Devant l'entrée, sur un socle en béton, une sculpture en bronze représente un phoque de l'espèce léopard de mer allongé à côté d'un groupe de manchots Adélie, crête érigée sur la tête. Je me plais à penser qu'ils rappellent à tous ceux qui franchissent ce seuil pourquoi nous faisons des recherches en Antarctique, mais en fait je crois que les employés ne les remarquent même pas. Moi le premier, puisque la plupart du temps j'entre par l'arrière du bâtiment où se trouve l'atelier.

Bazza est aux prises avec un nouveau Hägglunds – un véhicule tout-terrain à chenilles composé de deux unités articulées qui est destiné à partir pour le Grand Sud avec le ravitaillement afin de remplacer celui qu'un scientifique a laissé tomber dans un trou d'eau. Lorsqu'ils récupéreront le Hägglunds endommagé, l'équipe de Bazza le soumettra à un contrôle technique et déterminera si cela vaut le coup de le réparer pour une autre campagne. De toute façon, ils sont changés tous les trois ans, mais si l'énorme engin est en bon état de marche, ils le renverront peut-être par le prochain bateau. Ces véhicules coûtent une véritable fortune mais ils sont imbattables sur la banquise.

Bazza n'est pas seul, trois autres mécanos l'assistent à l'atelier. On pourrait croire qu'ils sont largement dans les délais. Pourtant, je sais d'expérience que le temps qui leur est imparti est ridiculement court. L'antdiv leur impose un programme chargé, s'attendant à ce que tout soit prêt à retourner au pôle Sud pour le ravitaillement d'octobre ou celui de décembre. Un optimisme mal placé. Pourtant, depuis le temps, on pourrait penser qu'il n'y a plus rien à leur apprendre à propos de la logistique antarctique.

Après avoir usiné mes pièces pour le camion, je propose à Bazza de boire une tasse de café. Il consulte sa montre – 15 heures – et déclare qu'il préfère une bière, mais je lui réplique que je dois retourner au garage. Il hausse ses sourcils broussailleux et me pose la question habituelle : Quand est-ce que tu retournes au froid ? Chaque fois que je viens le voir, c'est toujours la même chanson. Sur les bases, ils ont besoin de diésélistes comme moi, me dit-il. J'esquive à chaque fois en inventant une excuse pathétique, par exemple je prétends ne plus supporter le froid. Nous savons l'un et l'autre que c'est du pipeau. Depuis que j'ai séjourné là-bas, je meurs d'envie de retrouver cet espace, cette lumière, ces horizons bas et le vide glacial de l'air, du blanc à l'infini, avec le plateau tel un long nuage gris.

Bazza me surprend en train de regarder au loin.

— Vas-y, me dit-il. Vas-y. Cette fois, ça se passera bien.

Tout le monde est au courant. Tous ceux de l'Antarctique Division savent ce qui vous arrive quand vous êtes là-bas. Ils savent qui est infidèle et quel mariage bat de l'aile. Mais motus. C'est une sorte de code. Personne ne dit rien au conjoint qui est resté au pays et soupçonne sa moitié d'avoir une aventure au pôle. L'infidélité peut se produire aussi à l'autre bout car telle est la tyrannie de l'éloignement.

— Allez, dit Bazza. Tu n'as que l'embarras du choix. Il y a des postes de diésélistes dans toutes les stations. Rien ne te retient.

Il a tort. Toutes sortes de choses me retiennent. Le doute. La peur. L'inertie. Maman.

— Qu'est-ce que je ferais de Jess ? dis-je, me cherchant des excuses.

— Tu trouveras bien quelqu'un pour s'occuper de ton chien, réplique Bazza avec un hochement de tête. Je sais pas, moi. Ta nièce ?

Il a raison ; Jacinta s'occuperait de Jess si je le lui demandais. Mais je ne peux pas partir. Des chaussures de plomb me clouent à Hobart. Si je m'en allais, il se produirait un malheur et je ne serais pas là... J'ai appris ma leçon après la dernière fois. Aller au pôle Sud, c'est s'exposer à perdre ce que l'on aime. Hélas, c'est un risque dont on ne prend la mesure qu'une fois parti.

— Pas cette fois-ci, Bazza. Je ne peux pas. J'ai pris trop d'engagements.

— On en a tous, mon vieux. J'ai signé pour l'année prochaine. Bobonne a donné son accord. La paye est meilleure qu'avant, en plus.

Bazza a ses raisons : une campagne en Antarctique lui permet de ne plus avoir sa femme sur le dos, de glander, de gagner pas mal, et puis le week-end, c'est la fête, on boit de la bière entre mecs, on regarde des films porno pour combattre d'autres effets nocifs de l'isolement. Bazza et son épouse ont passé un accord : quand il est absent, elle voit son amant. Ça n'a pas l'air de le gêner. Et elle se fiche de ce qui peut bien se passer entre lui et n'importe quelle gonzesse pendant l'hiver – quoiqu'il commence à avoir un peu trop de bouteille pour rester dans la course. Les nanas qui vont là-bas sont en général très jeunes et elles tombent plus vite dans les bras de garçons enthousiastes bourrés de testostérone que de vieux taureaux comme Bazza ; à peine le brise-glace est-il sorti du port d'Hobart que cela commence. Si la bière n'était pas gratuite, dit Bazza, il trouverait ce spectacle écœurant. Non, ajoute-t-il, personne n'a envie de laisser sa femme ou sa petite amie partir seule pour l'Antarctique. Ils les veulent toutes, pareils à une bande d'animaux.

C'est ce que nous sommes, lui dis-je. Des animaux. Même si nous nous donnons beaucoup de mal pour le cacher. Il s'agit d'un fait biologique ; une force supérieure à la volonté individuelle. À quoi faut-il s'attendre quand on rassemble une poignée d'hommes et de femmes à bord d'un navire pendant près de cinq semaines ? C'est le temps que l'on met pour atteindre la base Davis à partir de Hobart : sept jours jusqu'à la banquise suivis de deux ou trois semaines à se frayer un chemin à travers le pack, ces morceaux de banquise fragmentée dérivant au gré des vents et des courants. Le navire est chargé jusqu'à la gueule de ravitaillement pour la base vers laquelle vous vous dirigez. L'équipage n'a qu'une idée en tête : laisser derrière lui les flots mouvementés de la haute mer. Les glaces absorbent les creux de la houle. Lors d'une traversée, ils avaient essuyé du mauvais temps trois jours avant le départ. Un hélicoptère s'était détaché sous le hangar. Leurs deux hélicos ayant été gravement endommagés, ils avaient dû faire demi-tour et trouver d'autres appareils. L'antdiv avait le bras long. Qui était assez riche pour réunir deux hélicos en quelques jours ? Ils ne pouvaient pas s'en passer pour le ravitaillement ni pour déposer le personnel – surtout lors des voyages en début de saison, quand la couche de glace est encore épaisse et que le brise-glace peut être piégé par la banquise.

Les choses commencent à changer. Ils ont construit des pistes d'atterrissage à la base Casey, de sorte que l'on puisse utiliser l'avion pour débarquer le personnel. Le brise-glace a beau être toujours indispensable pour acheminer le ravitaillement et le matériel, il est indéniable que l'éloignement devient moins radical. En tout cas, c'est ce qu'ils disent. Mais tout est relatif, car le transport aérien n'est possible que lorsque la météo est parfaite. Et combien de belles journées y a-t-il en Antarctique ? Surtout au printemps, à la saison où tout le monde s'y précipite.

Bazza jette un coup d'œil à sa montre.

— Allons à la cafétéria, j'ai envie de chips et d'une quiche, ou autre chose.

Je lui emboîte le pas. Pendant que nous nous dirigeons vers le bâtiment principal, il me demande :

— Où est Jess ?

— Dans la voiture.

— Avec les vitres baissées ?

— Bien sûr, toujours.

— J'aime pas voir souffrir un clébard. On se demande à quoi tu penses quelquefois.

— Je fais toujours très attention à mon chien.

— OK, mais tu sais comme tu peux être dans la lune.

— C'est ta faute, mon vieux. Tu m'as remis le pôle dans la tête.

— Ouais, c'est vrai, ce satané Grand Sud.

L'Antarctique ne se laisse pas oublier facilement.

Nous longeons un couloir gris jusqu'à la cafétéria. C'est l'heure du break de l'après-midi. Il y a pas mal de monde attablé devant une tasse de thé ou un snack. Autrefois, je les connaissais presque tous. Certains vieux de la vieille font, comme on dit, partie des meubles. Mais les jeunes sont souvent des hivernants. Ils font quelques campagnes en Antarctique puis s'en vont. Ceux qui ne s'échappent pas n'en réchappent pas ! Ils sont piégés. La banquise se coule jusque dans leurs veines.

Bazza achète deux quiches et nous nous asseyons. Un journal est ouvert en désordre sur la table à côté d'un prospectus annonçant une conférence pour le mercredi suivant : « L'écologie du manchot Adélie » par Emma Sutton.

Mon ami me voit regarder le prospectus.

— Tu devrais y aller. Toi aussi, tu aimes ces bêtes.

Je suis émerveillé par les manchots, surtout les Adélie. Leur corps râblé noir et blanc est une vraie boule de muscles. Il vaut mieux ne pas trop les approcher, à moins de savoir ce qu'on fait. Avec leur bec ou le tranchant de leurs ailerons, ils sont capables de vous faire très mal. Mais je n'en finis pas de m'étonner de voir qu'ils sont capables de nager des confins de l'océan Austral jusqu'au bord de la banquise puis de parcourir à pied des kilomètres afin de retourner à la colonie – sur l'île même où ils se sont reproduits l'année précédente. Je me demande toujours comment ils retrouvent chaque fois leur chemin.

Bazza m'observe sans rien dire.

— Je peux pas. Trop de boulot.

— Tu devrais. Ce sera pas long, une heure et quelques. Et il faut rameuter du monde pour soutenir ces projets. Ils font venir des biologistes pour donner des conférences, et ensuite personne n'y va.

— Et toi ? T'y vas ?

Bazza me fait un clin d'œil.

— Le mercredi, je finis tôt. C'est ma soirée de poker. Ah, mais si ç'avait été un jeudi...

— T'es gonflé, Bazza.

— Peut-être, mais je te jure, cette Emma, c'est une fille super. Sa conférence sera du tonnerre.

Je pose le prospectus et ramasse ma quiche.

— Je verrai où j'en suis au garage. Au fait, à propos de ce camion...

Bazza hoche la tête.

À la voiture, Jess m'accueille par une explosion de joie. Bazza m'a fourré dans la main un prospectus. Je le jette sur le tableau de bord et frictionne Jess derrière les oreilles.

— Ça va, ma fille ?

Elle en profite pour grimper sur mes genoux. Je la câline un peu avant de lui faire réintégrer sa place, couchée sur le plancher. Elle se trémousse et retrousse ses babines pour me faire son sourire canin.

Si seulement les hommes pouvaient manifester leur plaisir avec autant de franchise. Nous sommes tous tellement coincés. Je lui rappelle :

— On a du boulot. On ira se promener après le dîner.

Se promener et dîner : deux mots qu'elle comprend. Elle halète joyeusement.

Sur la route, le prospectus glisse du tableau de bord sur la tête de Jess, puis au sol. Je me penche pour le ramasser et le poser sur le siège passager. À quoi peut bien ressembler cette Emma Sutton ? Les jeunes femmes scientifiques restent encore moins longtemps que les autres. Il ne faut pas beaucoup d'hivernages pour leur gâcher la vie, après qu'une série de relations amoureuses nées sur la glace se sont désagrégées une fois de retour à terre, dans le « vrai monde ». Elles finissent toutes par s'en aller panser leurs plaies ailleurs.

Sauf que ce n'est pas toujours aussi simple. Moi, par exemple, je n'ai hiverné qu'une fois, et mes plaies sont toujours à vif. Bazza pense que je devrais être remis. Je ne le suis pas. Jamais je n'oublierai.

6

L'Antarctique possède un charme auquel on succombe pour la vie. Peut-être est-ce l'effet du paysage ; sa sauvagerie, son désert, sa nudité. Ou peut-être est-ce à force de voir tout ce blanc. Ou l'intensité des relations qu'on y noue. Quoi qu'il en soit, ce vaste espace et cette clarté resplendissante opèrent sur vous une transformation. Vous vous découvrez autre, nouveau. Vous voilà capable de vous fondre dans les lointains. Et cette sensation de liberté vous donne des ailes. En même temps, le germe d'une nostalgie éternelle a été planté en vous. Vous ne penserez plus qu'à y retourner. À vous glisser dans cette nouvelle peau qui est la vôtre sur la banquise, ce « moi » qui ne connaît plus les bornes conventionnelles. De retour dans votre ancien monde, parmi les blessures que vous a infligées le pôle Sud, le regret lancinant vous ronge. Votre âme est enchaînée. Vous ne guérirez pas avant des années.

Ma femme disait que l'Antarctique n'est pas quelque chose que l'on peut partager avec une personne qui n'y est pas allée. Impossible de décrire la lumière moirant la glace et giclant sur une arête d'iceberg. À votre retour, quand vous parlez de votre séjour là-bas, les gens vous regardent comme si vous étiez cinglé. C'est comparable au deuil ; ceux qui ne sont pas touchés par le chagrin sont incapables de comprendre. Votre sentiment d'isolement se renforce. Comment se fait-il, vous demandez-vous, que je me sente plus seul dans une ville de soixante mille habitants que dans un refuge sur un site d'étude éloigné d'une vingtaine de kilomètres de la base ?

Pendant un peu plus d'un an, l'Antarctique a été ma seule réalité. J'y suis allé et je suis revenu. Mon ancienne vie a tenté de reprendre ses droits, mais quelques pièces du puzzle manquaient à l'appel Elles s'étaient perdues dans la lumière et l'espace. Elles avaient été capturées par le vent. Piégées par le blizzard. C'était le coût à payer.

L'Antarctique garde pour toujours une part de vous-même. Vous n'en revenez jamais entier.

Ma femme Debbie avait repéré une annonce sur le site web de l'Antarctic Division qui cherchait un mécanicien diéséliste pour hiverner à la base Davis ; ce qui signifiait passer deux étés et un hiver sans rentrer auprès d'elle. Nous étions mariés depuis un an, nous avions acheté une maison. Rien de luxueux, et les mensualités du crédit n'étaient pas énormes, mais comme nous n'avions ni l'un ni l'autre de hauts revenus, nos fins de mois étaient difficiles. Personnellement, je n'ai jamais eu besoin de grand-chose, mais Debbie aimait les vêtements, les chaussures, les manucures.

Le salaire proposé s'élevait à trois fois ma paye. Debbie avait décidé que ce boulot était notre planche de salut. Il nous permettrait de rembourser une partie de notre emprunt immobilier, ce qui nous soulagerait. Rien n'était plus simple. J'irais au pôle Sud où je partagerais mon temps entre les moteurs et l'observation des oiseaux – mes deux grandes passions, me fit-elle remarquer – pendant qu'elle resterait sur place à s'occuper des rénovations dont avait besoin la maison. Je serais parti quinze mois. Bien sûr, c'était long et je lui manquerais, mais elle était sûre que ce sacrifice en valait la peine.

Il y a dix ans, au mois d'octobre, je suis parti pour l'Antarctique à bord d'un gigantesque brise-glace orange, l'*Aurora Australis*. J'entends encore le bruit de la sirène alors que le navire s'éloignait du quai. Sur la plate-forme hélicoptère, je tenais le bout d'une amarre dont Debbie retenait l'autre en contrebas. L'étrave fendait doucement les eaux d'encre noire, moteurs ronronnant. À un moment donné, le câble tendu à se briser me sauta des mains. Le navire mit cap vers le sud, et je ne voyais plus le quai. On avait à peine parcouru cent mètres que déjà les effets de l'éloignement se faisaient sentir.

Alors que le port devenait tout petit, les autres membres de l'expédition s'engouffrèrent à l'intérieur. Je suis resté seul à regarder la nuit tomber. Longtemps après qu'Hobart eut disparu, je me suis laissé bercer par le ronron de l'*Aurora* sur les flots calmes de l'estuaire de la Derwent puis le long de la côte orientale de l'île Bruny. La tristesse du départ était compensée par la perspective de vivre de nouvelles expériences. Je me sentais d'autant plus coupable que j'étais, au fond, fou d'excitation.

Une fois dépassé le cap Bruny, avait commencé à se former la houle de l'océan Austral, avec ses crêtes et ses creux. Le roulis me plaquait sur ma couchette. De temps à autre, je bravais les éléments et montais sur le pont pour scruter la route du Pôle démontée et surprendre parfois le vol d'un albatros planant sans peine dans les courants ascendants autour du navire. Les ornithologues de l'équipe me montraient des listes d'oiseaux de mer : damier du Cap, prion de la Désolation, albatros royal, albatros à sourcils noirs, pédionome errant, albatros fuligineux. Mais j'avais trop mal au cœur pour émerger longtemps de ma prostration. Je prenais une bouffée d'air glacé puis dégringolais dans ma cabine pour me jeter sur ma couchette.

Par les jours de mauvais temps, la mer brassait l'eau autour de mon hublot comme une machine à laver. À en croire mon compagnon de cabine, les tasses roulaient des tables, les vagues immergeaient le pont arrière, quelqu'un avait vomi du haut de la passerelle. On leur servait à dîner des bols de pâtes dans des sauces crémeuses, du homard thermidor, des lasagnes, du steak. Moi, j'étais aux biscuits secs que je mâchonnais précautionneusement sur ma couchette. Je ne me sentais à peu près bien qu'à l'horizontale. Je luttais contre le mal de mer, attendant en vain le moment où je me serais acclimaté pour me lever le temps d'écrire à Debbie.

Le pied marin ne me vint qu'au bout de quatre jours. J'étais semblable à un ours sortant d'hibernation – lent d'abord, puis revenant à la vie avec de plus en plus d'énergie. Je passais le plus clair de mon temps sur la passerelle où je participais au comptage des oiseaux et observais le vol plané des pétrels et des albatros qui suivaient le brise-glace en exploitant les courants aériens glaciaux. Quand je n'étais pas sur la passerelle, je me plantais sur le pont arrière avec les albatros qui faisaient du rase-mottes sur l'eau sans toucher la surface des vagues. Les remous du sillage faisaient remonter des bancs de krills. Des oiseaux de mer plongeaient pour s'en repaître.

Pendant que d'autres soulevaient des haltères dans les entrailles du brise-glace ou se défoulaient sur un punching-ball, je sautais à la corde sur le pont arrière et cherchais à calquer mon rythme sur celui du roulis en soufflant des nuages de vapeur. Certains passagers se bornaient à manger, dormir et regarder des vidéos dans la pénombre de la salle commune.

Le samedi soir, je bravais la cohue du bar et découvrais une autre facette de la vie à bord. Après le mess, le bar était l'endroit où faire des rencontres. Aujourd'hui, la sobriété est de rigueur à bord de l'*Aurora*, mais à l'époque, on vivait pour sa ration de bière. Pour beaucoup, ce voyage était une nouvelle aventure, mais il y avait parmi nous bon nombre d'anciens qui se montraient intarissables sur des gens que je ne connaissais pas et sur les précédentes campagnes. S'intégrer n'était pas une mince affaire. Pendant que tout ce joli monde bavardait en buvant trop de bière, j'observais leur comportement. De tous les côtés, des idylles s'apprêtaient à éclore. À les voir, on aurait cru que personne n'avait laissé de partenaire à la maison.

Et pendant ce temps, le brise-glace cinglait vers le sud en traversant les périls des quarantièmes rugissants, puis des cinquantièmes hurlants et des soixantièmes mugissants. Parfois, nous nous enfoncions dans un épais brouillard d'où entraient et sortaient des pétrels antarctiques noir et blanc, toujours dans le sillage du navire.

Au bout d'une semaine de ce régime, un feulement nous parvint du flanc du brise-glace. Le navire avançait plus lentement, presque paresseusement. En regardant par mon hublot, je voyais, s'étirant jusqu'au gris de l'horizon, d'épaisses plaques de glace arrondies bordées d'une croûte saillante. Sur le pont, je plissais les yeux dans la lumière éblouissante pour regarder la horde mouvante de ces crêpes de glace givrées que notre étrave bousculait. En l'espace d'une seule journée, le monde s'était métamorphosé. Les crêpes s'élargirent puis cédèrent la place aux floes et bientôt nous fûmes dans le pack.

Dans la mesure du possible, le navire suivait des chenaux d'eau noire. Mais, à mesure que les floes s'épaississaient, nous commençâmes à briser de la glace. Sur le gaillard d'avant, je m'agrippais au bastingage et, penché par-dessus bord, alors que le bâtiment s'élevait, je sentais des vibrations se propager dans la coque métallique que des fragments de glaçon raclaient avant de se casser et de disparaître en tourbillonnant sous la proue. De temps à autre, de violentes trépidations ébranlaient les ponts tandis que, dans un soubresaut suivi d'une secousse, l'hélice broyait des blocs de glace entiers. Se produisait alors un puissant bruit de gong suivi de grognements et de craquements alors que l'étrave écrasait les floes de tout son poids.

Par courrier électronique, je tentais de partager mes découvertes avec Debbie. Mais mes mots semblaient vides de sens, même à moi. À une semaine et demie de distance de Hobart, je ne savais déjà plus qui j'étais. J'habitais désormais cet étrange lieu de lumière, mon ancienne vie sombrant doucement dans l'oubli.

Pendant deux semaines, nous avons progressé, élargissant peu à peu la distance qui nous séparait de la réalité. La banquise devint lassante. Ces craquements, ces raclements de glace broyée. Le bruit sourd contre le métal, les grincements et les grondements. Pourtant ces journées monotones étaient ponctuées de surprises. Des manchots empereurs surgis de nulle part se propulsaient sur les floes puis décampaient à toute allure devant la proue du navire. Des phoques crabiers semblables à des limaces d'argent couchés sur la glace, réveillés par notre approche, effectuaient de spectaculaires tours sur eux-mêmes en donnant de grands coups de queue et en soufflant, prêts à atta-quer le navire. Dans les zones d'eau libre s'élevaient les jets des baleines de Minke. Nous naviguions de conserve avec ces rorquals identifiables au petit aile-ron dorsal en forme de crochet qui faisait une brève apparition quand ils plongeaient. Les pétrels des neiges d'un blanc pur voltigeaient au-dessus de la glace pilée de notre trace, à la chasse au krill. Les hélicoptères décollaient à l'arrière pour observer les phoques ou repérer les nappes libres afin de faci-liter notre avancée.

Je passais mes journées sur la passerelle à l'affût des oiseaux, et la nuit, dans la clarté de nos phares, je guettais les icebergs. Le commandant de bord m'avait assuré que nous pouvions heurter un iceberg à la vitesse de neuf nœuds sans couler. Je songeais au *Titanic* filant à vingt-trois nœuds dans un champ d'icebergs.

Au moins deux fois par jour, j'enfilais toutes mes couches de vêtements et je bravais le froid sur le gaillard d'avant, les yeux tournés vers la blancheur aveuglante, ou bien baissés vers la ligne de flottaison pour regarder la glace se plisser, se briser, se fracturer. Il nous arrivait de nous retrouver pris au piège par de la glace empilée en chevauchement, tourmentée et fragmentée. Après avoir poussé le plus possible en avant puis fait machine arrière, nous avons répété la manœuvre pendant plus d'une heure, le navire par-venant enfin à éperonner suffisamment la glace pour passer dans une zone de résistance moindre.

Au bout de la troisième semaine dans le pack, nous approchâmes de la base Davis par le couloir d'icebergs au coucher du soleil. La lumière scintillait sur les faces sculptées des gigantesques glaçons. Sur la banquise, les manchots Adélie décampaient devant le brise-glace. Finalement, nous arrivâmes en vue de la station ; les blocs cubiques des baraques nichées au pied des escarpements accidentés marron des collines de Vestfold. La mer de glace était piquetée de centaines d'icebergs, d'îles enneigées et des silhouettes noires des manchots progressant en file indienne.

Dès que l'*Aurora* s'immobilisa dans un long tressaillement, nous fûmes tous saisis par une intense frénésie : il fallait ravitailler la base au plus vite. Chaque jour passé loin de Hobart coûtait à l'Antarctic Division des dizaines de milliers de dollars, de sorte que tous les bras étaient mis à contribution. Hägglunds, tracteurs et bulldozers entouraient le navire à la façon d'un troupeau. Les grues étaient constamment en action. À tour de rôle, à l'arrière d'un engin, nous filions à la base sur la large route glacée nivelée à coups de bulldozer. Après nous avoir donné nos rations, on nous conduisit à nos chambres afin que nous puissions y déposer notre barda. Les hivernants tels que moi étaient logés dans le bâtiment vert pomme que nous appelions le dortoir. Les autres, ceux qui repartiraient à la fin de l'été, dormaient dans des containers d'un rouge délavé alignés de l'autre côté de la route, comme dans un camping. La route servait de frontière aux deux communautés : les « estivants » et les « hivernants » ; eux et nous.

Trois jours plus tard, le bateau était reparti. Hormis les silhouettes étranges des icebergs pris dans les glaces, la baie de Prydz était déserte – une mer gelée imprimée d'une cicatrice noire à l'endroit où le navire avait fait demi-tour et s'était remis à défoncer la glace.

Les choses commencèrent à prendre forme. Les premières rations de bière furent distribuées. Les scientifiques s'organisèrent et mirent au point leur programme. Les tâches furent déléguées. L'apprentissage débuta. Dans l'atelier, nous autres mécaniciens diésélistes étions sans cesse sollicités. Un quad refusait de démarrer. Un Hägglunds avait besoin d'un plein. Il fallait veiller à la maintenance des canots, des outils, des Ski-Doo, des tronçonneuses pour découper la glace. Il fallait réparer et modifier le matériel pour les scientifiques. Sans oublier la surveillance constante des générateurs. L'entretien des Hägg anti-incendie – une mission vitale dans la base où tout départ de feu est synonyme de catastrophe.

Les scientifiques ne tardèrent pas à débuter leur mission, disparaissant à l'horizon de la banquise. Les jours suivaient un rythme régulier – petit déjeuner, collation, déjeuner, collation, dîner. Ceux qui avaient pris du poids pendant le long trajet à bord du brise-glace ne maigrirent pas avec le régime riche en calories : les rations étaient presque toutes nappées de fromage. Ces repas, il fallait les préparer. Cinq par jour pour nourrir cinquante personnes. Nos deux cuistots étaient les personnes les plus précieuses de la base : manger était essentiel pour le moral des troupes. Mais tout seuls, impossible de venir à bout d'une pareille charge de travail. Aussi nous relayions-nous pour jouer les marmitons, peler des seaux entiers de patates, remplir et vider les lave-vaisselle, éplucher et émincer les carottes et les oignons, râper le fromage, faire le service à table.

La routine au sein de la base n'empêchait pas les choses de bouger. Le samedi soir, des fêtes s'organisaient d'elles-mêmes. Un anniversaire était un excellent prétexte à une beuverie. Les musiciens se regroupèrent pour former un orchestre qui animait la salle commune. Les ragots allaient bon train, fondés parfois sur la réalité, d'autres fois sur du vent. Des animosités naquirent, des brouilles à propos d'histoires de cœur. Des relations se nouèrent. D'autres se dénouèrent. Des mariages commencèrent à battre de l'aile.

Au milieu de tout ça, je suivais mon bonhomme de chemin. J'évitais les beuveries au dortoir et les fêtes à la base. Quand je n'étais pas à l'atelier ou dans la salle des ordinateurs en train d'écrire un e-mail à Debbie, j'étais dehors où je me greffais à des missions scientifiques pour aider les biologistes à compter les manchots et à marquer les phoques, et les glaciologues à prélever des échantillons des lacs emprisonnés sous la banquise ou des carottes de glace. Comme il devait toujours y avoir un diéséliste à la base, ces escapades étaient rares. Cela dit, les scientifiques cherchaient souvent des assistants, de préférence quelqu'un de calme et de compétent.

Je meublais ma solitude en contemplant ces immenses paysages, ces animaux bizarres, la lumière resplendissante. Partant pour une promenade à ski, je dépassais les manchots Adélie se hâtant à la queue leu leu vers leurs colonies sur les îles. Sur des montagnes de glace d'un bleu poudreux trônait un iceberg érodé par le vent, d'une extraordinaire couleur de jade. Un léopard de mer était allongé à son sommet, il dormait, sa tête lourde posée sur la glace. Sur mon passage, il étira la forme sinueuse de son corps puissant puis roula sur lui-même et bâilla en découvrant des dents pointues.

Plus le temps passait, plus je trouvais des occasions de partir en mission. Nous baguions et marquions les manchots Adélie sur une île pas trop éloignée de la base. Nous riions de leurs ruses de Sioux pour voler aux uns et aux autres les cailloux qui leur servaient à construire leurs vastes nids pour lesquels ils se battaient avec de furieux coups d'ailerons. Je ne me lassais pas d'observer les rituels de la parade : ils baissaient la tête, enroulaient leur cou autour de celui de leur partenaire, battaient lentement la mesure de leurs ailerons. Toujours plus de manchots arrivaient, en se dandinant ou en glissant sur le ventre, se poussant au moyen de leurs pattes solidement griffues. Quel tapage sur le site de reproduction – les cris de tous ces animaux noirs éparpillés sur les flancs rocheux des collines fêtant les retrouvailles avec leurs partenaires. Après la ponte venait l'incubation des œufs. Le vacarme s'estompait pour être remplacé par un silence paisible. Les manchots restaient assis sur leur nid, les yeux à moitié fermés, le vent ébouriffant leurs plumes.

La mer de glace finit par fondre. Mes escapades furent réduites à des marches dans les vallées et autour des lacs des collines de Vestfold, avec quelques heureuses exceptions lorsque je parvenais à me greffer à une mission de quelques jours sur des îles lointaines. La collecte d'échantillons terminée pour la journée, j'observais les fulmars s'élever sur leurs ailes rigides dans le souffle vif de la brise. Les pétrels des neiges voltigeaient devant les façades rocheuses. Parfois j'écoutais le clapotis de l'eau sous la glace en train de fondre autour de l'île. Je regardais les Adélie nageant telles des torpilles dans les hauts-fonds et le vent dessinant des motifs à la surface de la mer.

Et tout le temps, je pensais à Debbie. Nous nous téléphonions une fois par semaine. Entre deux appels, je lui écrivais des e-mails dans lesquels je lui racontais tout, ce que je faisais et ce que je voyais. Je lui décrivais les icebergs de la baie de Prydz, la variété de leurs formes et de leurs coloris. Les couchers de soleil tardifs, les jours de plus en plus longs, le manchot Empereur solitaire du Long Fjord qui avait glissé jusqu'à moi sur son ventre puis s'était assis à côté de moi et était resté ainsi plusieurs minutes. Je lui décrivais la fonte de la glace, la sensation bizarre de vivre vingt-quatre heures sur vingt-quatre en plein soleil, la laideur de la base une fois la neige disparue. Les heures interminables dans l'atelier, le vide de ma vie sans elle. Je lui disais qu'elle me manquait, que je l'imaginais dans notre petite maison, que nous serions bientôt tous les deux réunis.

Comment peut-on être détruit sans le savoir ? Cela me surprend encore. En même temps qu'il donne, l'Antarctique prend. Alors, après tout ce qui m'est arrivé à cause de cet endroit, pourquoi ai-je aussi envie d'y retourner ?

7

Il était près de midi quand Mary se força à se préparer à manger. Toute la matinée, elle avait attendu le garde forestier. Il n'était toujours pas arrivé. Elle en était malade. Et s'il ne venait pas ? Que ferait-elle ? Elle n'avait pas beaucoup de temps devant elle pour s'acquitter de sa dette envers Jack, et si le garde forestier la laissait en plan, c'était la catastrophe. Sa famille viendrait la chercher et la ramènerait de force à Hobart. La maison de retraite médicalisée de Jan se dressait, menaçante, à l'horizon.

Elle vida toute une série de cachets sur le comptoir de la cuisine et les avala avec de l'eau glacée. Il fallait qu'elle tienne le coup, pas question de céder à la négligence. Les réminiscences lui avaient dérobé le plus clair de sa matinée et elle avait déjà oublié de prendre ses médicaments de 10 heures.

Assise sur le canapé, un sandwich et une tasse de thé posés sur la table basse devant elle, elle regarda distraitement par la fenêtre en luttant contre un accès d'agitation. Si seulement elle pouvait se détendre et contempler tranquillement la vue. En tout cas, celle de son sandwich la dégoûtait.

Finalement, elle entendit le claquement sourd d'une portière, suivi de bruits de pas rapides sous la véranda. Une ombre passa devant la fenêtre. Ce devait être lui, le garde forestier. Un coup énergique frappé à la porte. Il avait l'air pressé.

— Entrez, dit-elle d'une voix forte.

La porte s'ouvrit en grand sur un jeune homme en uniforme : chemise et pantalon kaki, pull vert. Un physique râblé, des cheveux roux avec la raie au milieu, une peau pâle éclaboussée de taches de rousseur. La main posée sur la poignée de la porte, il avait une expression boudeuse de collégien. Il la dévisagea en fronçant les sourcils, sans un mot. Le désarroi de Mary monta d'un cran. Manifestement, il n'avait pas envie d'être là : cela n'allait pas faciliter les choses. Elle empoigna sa canne, se mit en position debout et lui tendit la main.

— Je me présente : Mary Mason. Entrez, je vous en prie, asseyez-vous.

Il lâcha comme à regret la poignée de la porte et s'avança. Elle lui tendit une main ferme, afin de lui montrer qu'il avait devant lui une femme dynamique à la conversation captivante, et non une vieille qui n'était plus que l'ombre d'elle-même. Dans sa volonté de se montrer enthousiaste, elle tint sa main un peu trop longtemps dans la sienne. Il se tournait déjà vers la porte pour repartir. Non, non, il ne devait pas s'en aller, pas encore...

— Je suis heureuse de faire votre connaissance, dit-elle. Aimeriez-vous une tasse de thé ?

Il eut un léger mouvement de recul.

— Désolé, pas aujourd'hui, Mrs Mason. Je fais seulement un saut pour voir si vous allez bien.

— Eh bien, je suis toujours en vie.

— Vous n'avez besoin de rien ?

— Rien d'autre qu'un peu de compagnie.

— Bien, alors je repasserai demain, dit-il en se reculant vers la porte.

— Vous ne voulez pas rester un moment ?

— J'ai d'autres tâches qui m'appellent, dit-il en se saisissant de nouveau de la poignée de la porte.

— Comment vous appelez-vous ?

— Leon, grommela-t-il, presque inintelligible. Leon Walker.

— Que diriez-vous de demain, Leon ? lui proposa-t-elle. Je veillerai à ce que le thé soit prêt.

Son insistance se trouva quand même récompensée.

— Très bien, dit-il à contrecœur, demain, c'est d'accord.

Il s'en fut sans lui laisser le temps d'ajouter quoi que ce soit. Elle était vexée. Peut-être n'aimait-il pas les personnes âgées. Peut-être avait-il décidé qu'il ne l'aimerait pas. Que pouvait-elle faire ? Elle avait pourtant besoin de son aide. Elle décida de sortir marcher dans les dunes – il devait avoir inspecté l'aire de camping et, une fois qu'il aurait fait le tour des tentes, il rebrousserait chemin pour repasser par ici. Cela lui laissait tout juste le temps de descendre sur la plage, et quand il l'apercevrait en roulant sur la piste le long du sable, il se dirait : « Voilà cette vieille dame, Mary Mason. Elle est gaillarde malgré son âge, à se promener par un temps pareil. » Elle remonterait dans son estime. Il ne la considérerait plus comme une mouche importune autour d'un barbecue.

Elle traîna des pieds jusqu'à sa chambre et délogea son manteau de la pile de vêtements accumulés sur le fauteuil. Une fois chaudement vêtue, elle prit sa canne et se dépêcha de gagner le vestibule. Dehors soufflait un vent terrible, chargé de sel, qui bourdonnait dans les broussailles. Heureusement qu'elle portait un pantalon. Une jupe aurait été malvenue dans cette tourmente. Relevant le col de son manteau, elle avança penchée en avant et dégringola plus qu'elle ne descendit la pente. Le bruit de sa toux fit s'envoler un rouge-gorge perché sur une barrière. Mary s'arrêta pour regarder le petit oiseau se propulser tel un projectile au-dessus des herbes.

La piste se perdait dans le sable. Elle suivit les traces de pneus de Leon jusqu'au sommet des dunes où le vent sembla redoubler de force en remontant de la plage. Non sans mal, en glissant sur le sable sec, elle descendit la dune. Elle commençait à se demander si ce qu'elle faisait était bien raisonnable. Toujours est-il qu'elle était arrivée jusque-là et qu'elle n'allait pas s'avouer vaincue. Il devait la voir en action. Il devait avoir envie de lui parler.

Une fois sur la plage, elle se tourna dos au vent et fit mine de marcher à grands pas. Dix minutes suffirent à sa déconfiture. Marcher ainsi quand on a soixante-dix-sept ans et le cœur fragile, ce n'était pas jouable. Si Leon la voyait maintenant, il la prendrait pour une vieille folle.

Elle fit une pause pour regarder la mer avec l'horrible sensation d'avoir une éponge dans la poitrine. Elle avait intérêt à rentrer à l'abri du vent. Une fois sur la plage, c'était autre chose que de regarder par la fenêtre de la maison. East Cloudy Head ressemblait à un énorme morceau de roche brisée qui s'était soulevé de terre et pointait vers le pôle Sud. De l'autre côté de la baie, les falaises de dolérite grise de West Cloudy Head étiraient leurs profils bossus se terminant par des écueils. Les vagues affluaient du sud-ouest et l'horizon était barré par une bande courbe gris acier. Un goéland géant vola au-dessus d'elle, tendit le cou pour la regarder puis s'éleva en planant dans un courant aérien. Les embruns chatouillaient sa peau que le sel picotait. Ici, elle était chez elle – l'air, le sel sur ses joues. La vie coulait de nouveau dans ses veines, une vraie vie. Elle était peut-être à l'article de la mort, mais elle se jura de continuer jusqu'au bout à vivre plutôt que d'être « naphtalinisée » dans une maison de retraite.

Contente d'elle, elle se détourna de la mer en se disant qu'en matière de démonstration d'indépendance elle en avait assez fait pour aujourd'hui. À ce moment-là, comme elle l'avait espéré, le 4 × 4 de Leon dévala la piste à moins de cinquante mètres d'elle. Une Toyota blanche. Elle reconnut son front plissé derrière le volant – ses sourcils formaient une barre courroucée. Il se gara et sauta du véhicule.

— Vous êtes sûre que vous devriez sortir par ce temps ? lui lança-t-il, sa voix hachée par une bourrasque.

— Je voulais sentir le vent, répondit-elle d'un ton de défi.

— Pas besoin de venir jusqu'ici pour le sentir, dit-il en fourrant ses mains dans ses poches.

— N'est-ce pas une journée magnifique ? hurla-t-elle en retenant une terrible envie de tousser. Une belle journée à Cloudy Bay...

Il haussa ses gros sourcils, à croire qu'il doutait de sa santé mentale. Peut-être, en effet, était-ce un signe de folie de trouver qu'il faisait beau. Pourtant, sur l'île Bruny, on ne pouvait pas s'attendre à autre chose. Il devrait le savoir.

— Vous habitez pas loin ? s'enquit-elle en s'appuyant sur sa canne.

Elle cherchait à l'amadouer.

— Non.

Il se mit à donner des coups de pied dans le squelette d'un puffin à moitié enfoui sous des touffes d'algues et du sable. Elle entendit le crâne fragile craquer sous sa grosse chaussure.

— Vous venez tous les jours par le ferry de Kettering ?

— Bien sûr que non. J'habite à Adventure Bay.

Il l'obligeait à lui tirer les vers du nez. Adventure Bay était située sur la côte est de South Bruny, à une trentaine de minutes en voiture. Une pléiade de célèbres explorateurs y avait accosté : Cook, Bligh, Furneaux, d'Entrecasteaux, Baudin, Flinders. Pour eux, cette baie avait été un havre de grâce – ils avaient pu s'y ravitailler en eau et en bois, ils y avaient tenu des réunions pacifiques avec les indigènes. Car la population de l'île avait aimablement accueilli les intrus – ces explorateurs qui ne faisaient que passer, ces baleiniers qui s'installaient jusqu'à ce que toutes les baleines franches australes aient quitté les eaux environnantes, ces colons, enfin, qui ne partaient pas. La colonisation fut une catastrophe pour les Aborigènes. Leurs femmes furent violées par les baleiniers et les chasseurs de phoque. La maladie emporta les autres. Le petit groupe de survivants fut déplacé sur Flinders Island. Aujourd'hui, en dépit de son triste passé, Adventure Bay était un lieu paisible.

— Ah, Adventure Bay. On y est bien tranquille, commenta-t-elle. Avez-vous l'âme en paix, Leon ?

La façon dont il la regarda lui indiqua qu'elle avait dépassé les bornes. Il se tenait debout devant elle, légèrement déhanché, les mains toujours ancrées dans les poches.

— Comment était le camping ? enchaîna-t-elle, tentant une autre ouverture. Il y a des campeurs ?

— Personne. Les gens n'aiment pas venir ici quand il y a autant de vent.

Il appuya sur le mot *gens* afin de lui signifier qu'elle sortait de l'ordinaire.

— Moi, ça me plaît, dit-elle, acceptant la confrontation.

Ses sourcils se rejoignirent de nouveau.

— Si vous ne surveillez pas cette toux...

D'après son intonation, elle pouvait croire à une mise en garde. Et voilà que la toux, cette traîtresse, la reprenait. Elle arracha sa canne au sable et la replanta dans l'intention d'avancer d'un pas.

— Il vaut mieux que je rentre, dit-elle. Profitez bien du vent.

Elle avait réussi à effectuer quelques pas quand une quinte la secoua. Cela n'allait pas être commode de retourner à la maison dans ces conditions, mais elle était trop orgueilleuse pour quémander de l'aide. Elle se détourna, s'efforçant de ravaler sa toux, presque saisie d'un haut-le-cœur.

— Attendez, Mrs Mason ! claironna Leon d'un ton où la condescendance était teintée d'impatience, comme s'il s'adressait à une enfant. Je ne fais pas souvent le taxi, mais pour aujourd'hui, je vais vous reconduire chez vous. Vous avez l'air d'en avoir besoin.

Elle leva la main pour l'arrêter, mais déjà il lui empoignait le coude et l'entraînait vers la voiture. Un silence froid régna dans l'habitacle pendant que la voiture remontait vers la maison en bondissant impitoyablement sur les dunes. De toute évidence, ses excentricités l'irritaient et il avait hâte de se débarrasser d'elle.

Il lui ouvrit la portière et l'aida à descendre. Puis il l'accompagna, toujours en la soutenant, et la fit s'asseoir sur le canapé.

— N'oubliez pas que j'ai des consignes. On m'a seulement demandé de vérifier si tout allait bien ici.

Mary se sentit une bien petite chose, réprimandée comme une gosse. Il sortit en claquant la porte, sauta dans son 4 × 4 et démarra en trombe.

8

Leon serrait fort le volant en fonçant sur la piste le long de la plage. Comment avait-on pu lui imposer une telle corvée ? Qui était cette vieille folle sur laquelle il devait veiller chaque jour ?

— Mrs Mary Mason, prononça-t-il tout haut d'une voix méprisante.

Elle ne figurait pourtant pas dans la description de son travail. C'est ce qu'il avait dit à son patron quand celui-ci lui en avait parlé pour la première fois. Mais son patron l'avait envoyé sur les roses, en lui disant que cela lui prendrait cinq minutes et que ça lui vaudrait un supplément de salaire appréciable. Bon, d'accord. Il s'était imaginé qu'il allait pointer sa tête dans la porte et faire coucou de loin avant de repartir. Mais il voyait déjà que cette vieille dame s'attendait à autre chose de sa part. Elle souhaitait avoir de la compagnie. Elle avait besoin d'attention. Son accueil tout à l'heure avait été clair sur ce point : elle était dans l'expectative. Et lui, il avait déjà assez à faire chez lui, alors s'occuper d'elle en plus...

Il bifurqua, laissant la plage derrière lui, et tourna autour du parking vide de Whalebone Point. Fallait-il qu'il nettoie les toilettes aujourd'hui ? Ne pouvait-il pas laisser ça pour demain, étant donné que désormais il passerait par ici tous les jours, et pour Dieu sait combien de semaines ? Quelle perte de temps. Et d'où venait-elle, cette vieille bique, de toute façon ? D'après le patron, elle avait payé grassement ses services. Apparemment, pour tranquilliser sa famille. Rien de contraignant. Quelle barbe ! En plus, elle s'attendait à ce qu'il soit poli et prenne le thé avec elle. Elle voulait qu'ils aient des conversations. Ce n'était pas dans le contrat tel qu'il l'avait entendu.

Il descendit de voiture et claqua la portière avant d'entrer dans les toilettes. Un imbécile avait trop tiré sur un rouleau et une bande de papier hygiénique traînait sur le sol. Une fois qu'il eut tout nettoyé, il n'y avait pas grand-chose d'autre à faire. Il ferait mieux de rentrer chez lui, vaille que vaille. De ce côté-là non plus, il n'y avait pas lieu de se réjouir.

Il faisait ce boulot depuis un bon bout de temps : trois, quatre ans peut-être. Ce n'était pas tout à fait ce pour quoi il avait signé – l'approvisionnement en papier toilette, le ramassage des ordures, le comptage de l'argent puisque les visiteurs du parc national étaient censés s'acquitter du droit d'entrée... quand ces salopards voulaient bien payer. Mais la majorité d'entre eux passaient sans s'arrêter devant les caisses en faisant semblant de ne pas les avoir vues. Bien entendu, personne ne le saurait, les guérites étaient vides ; c'était un système basé sur la confiance en l'honnêteté d'autrui.

En sortant de sa formation de garde forestier à Hobart, il s'était imaginé dans un des grands parcs nationaux, celui de Cradle Mountain-Lake St Clair, ou entretenant les sentiers des montagnes de l'Arthur Range. S'il avait pu, il se serait senti honoré d'occuper ces postes. Patrouiller dans le bush, ou même prendre en charge un refuge de randonneurs. Seulement une fois que les choses avaient commencé à se dégrader chez lui, il n'avait pas eu le choix. Sa sœur ayant migré à Devonport des années auparavant, il était le seul à pouvoir intervenir, un peu à la manière des forces du maintien de la paix des Nations unies.

Il n'était pas retourné à Adventure Bay de gaieté de cœur. Il ne s'y passait jamais rien. Les touristes trouvaient le coin joli ; les plages étaient agréables, vous pouviez prendre un bateau pour visiter la côte sud-est de Bruny. N'empêche, c'était un trou perdu, avec son vieux musée poussiéreux, ses quelques monuments et son coffee-shop. S'il n'avait pas quitté l'île pour terminer sa formation à Hobart, il serait devenu dingue... quoique ce fût peut-être exagéré. Il aimait Bruny. Il avait ces rivages dans le sang.

Mais qu'allait-il faire à propos de cette Mrs Mason ? Il se maudit d'avoir accepté de prendre le thé avec elle demain. Qu'attendait-on de lui ? Qu'il reste là à bavarder gentiment avec elle ? Qu'avait-il à lui dire, de toute façon ? « Comment c'était au temps de l'arche de Noé ? » « Quand est votre prochain rendez-vous pour votre mise en plis ? » Non, c'était trop rude. Il ne savait rien d'elle, au fond.

Il piqua vers le sommet de la montagne en prenant les virages à toute allure. C'était l'avantage de connaître ces routes comme sa poche ; il serait capable de faire le trajet en dormant. Non qu'il s'en vanterait auprès de sa mère. Seigneur ! Dire qu'il habitait encore sous le toit familial à son âge. Quelle honte. Si seulement il y avait une solution en vue – il serait libre alors de présenter sa candidature ailleurs. Il avait tenté de faire comprendre à sa mère qu'elle devrait songer à déménager, mais il savait d'avance que c'était peine perdue. Le vieux était un salaud. Dieu sait pourquoi elle restait.

Une fois sur la montagne, il s'arrêta pour prendre un bol d'air. Sur le sentier du mont Mangana, pentu et perpétuellement mouillé, il trouvait réconfortante l'odeur du bush humide. Une odeur de compost évoquant la forêt se recyclant. Le cycle de la vie, c'est ce qu'il aimait dans la nature. Quel dommage qu'aucun des grands arbres n'ait été préservé. Il lui faudrait retourner sur la grande île pour voir ces forêts où le diamètre des troncs excède la largeur de son 4 × 4. Sauf que ce n'était pas son 4 × 4. Il appartenait au parc national.

Il venait souvent marcher ici quand les choses n'allaient pas à la maison. Ce n'était qu'à vingt minutes de route d'Adventure Bay. Peu de gens poussaient jusqu'ici les jours de semaine, surtout à cette époque de l'année. Il pouvait crier tout son soûl en s'adressant aux arbres et au ciel sans déranger personne. Crier lui faisait du bien, cela relâchait les tensions accumulées. Et il valait mieux être seul.

Pendant les prochaines semaines, il allait monter ici souvent pour crier au sujet de Mary Mason. Il émit un grognement. La pauvre vieille avait l'air mal en point. Et cette toux était mauvais signe. Presque un râle d'agonisante. Peut-être n'en avait-elle plus pour long-temps. Il regretta aussitôt cette pensée. Il ne pouvait quand même pas souhaiter sa mort. Car qui serait le petit veinard à qui il reviendrait de la trouver ? Depuis le temps qu'il vivait sur cette île, il se figurait parfois qu'un jour il tomberait sur un cadavre ramené par la mer – la côte était si isolée. Mais là, c'était différent. Chaque fois qu'il se rendrait à ce chalet de Cloudy Bay, il ne pourrait s'empêcher de se demander si Mrs Mason était encore de ce monde.

Bon, la première corvée était cette invitation à prendre le thé demain. En revêtant son uniforme ce matin, il espérait la décourager, lui rappeler qu'il avait de multiples autres responsabilités. Cela dit, il était payé pour veiller sur elle.

Il remonta dans sa voiture et redescendit de la mon-tagne voir ce qui l'attendait à la maison.

9

Mary avait toujours été du matin. Elle se sentait reposée et pleine d'entrain. Le monde avait l'air propre. Dans ce coin du pays, c'était aussi l'heure où le vent ne s'était pas encore levé et où la pluie avait cessé. Ce matin-là était particulièrement clair. Une mer calme – à peine une ride. Des vaguelettes irrégulières déferlant sans bruit dans le silence. De l'autre côté de la baie émergeaient lentement les silhouettes des falaises – brunes et grises, striées d'ombres – et la mer reflétait l'argent du ciel.

Debout à la fenêtre, elle observait les mérions qui sautillaient et pépiaient sur la pelouse. Elle songeait à son fils préféré, Tom.

Par une journée paisible telle que celle-ci, Tom disait autrefois que l'océan se reposait. Qu'il attendait que la météo change et se préparait à recevoir une raclée avec le retour du vent. Les flots ne pouvaient pas toujours se tenir tranquilles, ajouta-t-il, sinon le cap finirait par se prendre au sérieux et oublier qu'il était là pour être déchiré par la tempête. Tom n'avait pas tort. Les périodes de calme avaient une raison d'être. Elles permettaient de recharger les batteries. Car il fallait beaucoup d'énergie pour affronter les épreuves de l'existence.

Parfois Tom s'exprimait avec une profonde sagesse, pourtant, elle se faisait du souci. Il était tellement bizarre, et puis cette incapacité à aller de l'avant. Quarante-deux ans et toujours seul. Elle n'avait pas prévu ça. Elle espérait qu'il trouverait l'âme sœur, une gentille fille qui le comprendrait et le soutiendrait. Elle avait été soulagée quand il avait épousé Debbie, en dépit des défauts de cette dernière. Au moins, il avait l'air heureux, son visage radieux reflétait une confiance tranquille dans l'avenir. Il avait même perdu ce regard lointain qui ne l'avait pas quitté depuis l'enfance : la marque de Bruny. Sauf qu'à son retour d'Antarctique il avait repris ce regard et ne l'avait plus quitté. Jess meublait quelque peu sa solitude, mais un chien, si affectueux et attentif soit-il, ne pouvait jamais combler le vide créé par l'absence de compagnie humaine. Tom avait besoin d'une femme, très vite. Pendant qu'il pouvait encore envisager d'avoir des enfants. Il ferait un bon père. Elle s'assit péniblement sur le canapé et couvrit du plaid ses jambes ankylosées.

La météo d'aujourd'hui lui fit penser au cap. À cette époque de l'année, le ciel y était souvent couvert – toutes ces journées grises ; ces nuages bas et chargés en provenance du Sud suintant de l'humidité. Puis il y avait eu ces jours miraculeux avec un ciel épuré où les nuages ressemblaient à des bouffées de vapeur sur un miroir. La blancheur du phare était si éblouissante qu'elle faisait mal aux yeux. La mer était un drap lisse d'un bleu tranchant piqué çà et là par l'écume des vagues.

Si vous grimpiez la colline et regardiez vers le sud où le ciel tombait sur l'arche ample de l'horizon, il vous arrivait d'apercevoir un éclat scintillant : Pedra Branca et Eddystone Rock, les derniers bastions de terre avant l'immensité inimaginable d'un océan qui ne se terminait qu'en butant sur la banquise. Les jours où la visibilité était aussi cristalline vous procuraient un plaisir dont l'intensité effaçait vos peines et transcendait vos ennuis. Vous pouviez rester éternellement en contemplation, oubliant d'aller pendre votre linge. Vous observiez la courbe jaune de Lighthouse Bay, le vol des aigles pêcheurs planant en cercle au-dessus du cap, s'élevant dans les courants ascendants.

Sa cage thoracique était encombrée. C'était le moment de prendre ses médicaments. Du fluide s'accumulait dans ses poumons. Le médecin lui conseillerait d'augmenter sa dose de diurétique. Elle se tourna à moitié pour consulter l'horloge. Il était près de 10 heures. Le garde forestier n'allait plus tarder. Quel était son nom déjà ? Elle aurait dû s'en souvenir. C'était important.

Leon – oui, c'était cela. Que c'était donc énervant, la façon dont les noms ne cessaient de lui échapper. Ces trous de mémoire insupportables brisaient le fil de ses pensées.

Elle boitilla jusqu'au comptoir et sortit deux tasses, déposa dans chacune un sachet de thé puis renversa sur une assiette le contenu d'une boîte de biscuits à l'arrowroot. Tout devait être prêt pour le recevoir. Ce qu'elle avait à lui offrir était minable, mais c'était tout ce qu'elle avait sous la main. Elle avala ses cachets et s'assit pour l'attendre. Finalement, elle entendit la voiture et des pas sur le plancher de la véranda. Le poing de Leon ébranla la porte.

— Entrez !

Elle se leva alors que le battant s'ouvrait et s'agrippa au dossier du canapé pour ne pas perdre l'équilibre. Il la dévisagea depuis le seuil, l'air mécontent. Une quinte de toux la plia en deux. Elle qui avait prévu de l'accueillir joyeusement, elle était essoufflée. Il s'avança et l'aida à se rasseoir. D'après le pli de sa bouche, elle voyait bien qu'il était irrité.

— Qu'est-ce que vous faites, Mrs Mason ? La prochaine fois, ne vous levez pas.

— Je ne voulais pas vous voir décamper de nouveau.

Il lui jeta un regard impatient sous ses yeux mi-clos.

— J'ai du boulot.

— Vous ne voulez pas me rendre visite ?

Il garda un silence buté.

— Je vous ai préparé du thé, dit-elle en se relevant tant bien que mal. Hier, vous aviez dit que vous resteriez. L'eau vient de bouillir.

Avec un soupir de résignation, il s'écroula sur le canapé et repoussa le plaid sur le côté.

— Vous aimez votre travail, Leon ? demanda-t-elle en rallumant le feu sur la gazinière.

Baissant la tête, il passa la main dans ses cheveux.

— Ce que j'aime surtout dans mon travail, c'est que je ne suis pas obligé de parler aux gens.

Ah, il valait mieux changer de tactique...

— Bien, dit-elle d'une voix cajoleuse, aujourd'hui, j'ai besoin de plusieurs choses. Et il faut bien que je vous en parle, non ?

En réalité, elle n'avait besoin de rien, mais c'était un bon prétexte pour le retenir.

— Comment ça va, à Adventure Bay ? ajouta-t-elle.

Il poussa un grognement.

— Comme d'habitude.

— Rien n'a changé ?

— Pas grand-chose. Le café a un nouveau propriétaire mais sinon il sert toujours le même jus de chaussette.

— Vous êtes amateur de café ? Je n'ai que du thé.

— J'ai du boulot, je n'aime pas traînasser.

En frottant les pieds par terre, il baissa les yeux puis les releva pour les fixer sur la fenêtre, n'importe où plutôt que sur elle.

— Pourquoi habiter Adventure Bay si vous détestez l'endroit ?

— Je n'ai jamais dit que je le détestais.

— Eh bien, ce n'est pas fréquent... un jeune homme tel que vous vivant sur l'île.

— Je vis chez mes parents.

Sans cacher son étonnement, elle s'enquit :

— Vous avez quel âge ?

— Le quart du vôtre.

Et insolent avec ça ! Sans doute parce qu'il était obligé de rester à bavarder avec elle et voulait la punir.

— Pas d'autre point de chute ?

Elle aurait dû se mordre la langue. On est tellement centré sur soi et susceptible quand on est jeune. Il allait peut-être se lever et partir.

Il réagit avec un temps de retard. Et quand il reprit la parole, il sembla plus calme, presque abattu.

— Vous ne comprendriez pas. Quelquefois, c'est dur de partir. Et, de toute façon, je ne veux pas vivre de l'autre côté du canal d'Entrecasteaux. J'ai passé presque toute ma vie sur l'île.

— Qui n'offre pas beaucoup d'opportunités, n'est-ce pas ?

Il la fusilla du regard.

— Non. C'est tout ce qu'il y a pour moi. Je m'occupe des toilettes publiques... et des vieilles dames. On me paye.

Elle passa outre la remarque désobligeante.

— Vous pourriez peut-être trouver un emploi dans une autre partie du parc national.

— Vous êtes sourde ou quoi ? Puisque je vous dis que je veux rester ici, à Bruny.

Il se renfrogna. Qu'est-ce qui pouvait bien le rendre aussi malheureux ? Elle était persuadée qu'il avait peur de quitter l'île. Mais pour quelle raison mystérieuse ? La plupart des jeunes n'avaient qu'une hâte, c'était de s'envoler du nid – à moins que cela ne les arrange d'y demeurer. Elle avait entendu dire que de nos jours les enfants étaient comme des boomerangs, ils se réfugiaient chez leurs parents dès que la vie devenait difficile pour eux. Les parents n'arrêtaient pas de les tirer de toutes sortes de mauvais pas en leur fournissant une aide financière. Cela ne s'était pas passé ainsi avec ses propres enfants, se dit-elle en versant l'eau bouillante dans les tasses et en remuant les sachets de thé.

— Vous prenez du lait, Leon ? Du sucre ?

— Non, sans rien.

Ses sourcils en permanence froncés dessinaient une barre rousse sur son front. Il semblait porter un lourd fardeau. En s'efforçant de ne pas renverser de thé, elle plaça la tasse de Leon et l'assiette de biscuits sur la table basse avant de retourner chercher la sienne. Leon ne leva pas le petit doigt pour l'aider. Elle s'assit dans le fauteuil et tenta de ranimer la conversation.

— Avez-vous fait une belle promenade à pied hier sur les falaises ?

Avec un grognement, il fourra un biscuit dans sa bouche.

— Je n'y suis pas monté, vous avez oublié ? J'ai dû vous sauver de la plage.

— Vous devriez y aller plus souvent. C'est un baume pour l'âme. Quand il y a du vent, on a l'impression qu'on pourrait voler.

Il détourna vivement les yeux.

— Je suppose que c'est toujours pareil là-haut, poursuivit-elle en gardant l'espoir qu'à un moment ou à un autre la glace se brise. Ces colonnes de roche noire étaient déjà là avant les hommes. Et elles seront toujours là quand nous aurons tous disparu. Je trouve ça rassurant, pas vous ?

Il paraissait s'ennuyer. Pourtant, une pointe de curiosité perça dans sa voix lorsqu'il demanda :

— Quand êtes-vous venue ici pour la première fois ?

— Il y a plus de cinquante ans. Avec mon mari, Jack, et sa famille.

Elle se rappela les longues jambes de Jack ouvrant un chemin dans les broussailles, ses épaules carrées, son profil tourné vers la mer. Elle ne se lassait pas d'essayer de décrypter les arcanes de sa personne, explorant son corps, sondant son esprit. Par la suite, après leur départ de la ferme, la question de savoir qui il était avait continué à lui paraître mystérieuse. Mais elle en avait pris son parti ; c'était comme ça à l'époque, on était éduqué pour accepter ce genre de situation.

— Mon mari est mort, dit-elle, mais les rochers sont toujours là. Cet éperon de terre se tient toujours en sentinelle face au pôle Sud. Quand on grimpe là-haut, on est loin de tout... loin de l'ordinaire. C'est quelquefois réconfortant.

Leon l'observait attentivement.

— Que faisiez-vous à Bruny ?

— Jack était le gardien de phare du cap. Nous avons habité ici pendant vingt-six ans. Il avait grandi sur l'île, du côté de Lunawanna.

— Je connais l'histoire du phare, dit Leon, soudain plus attentif. J'ai lu plein de choses à ce sujet à la bibliothèque municipale d'Alonnah. Il a été construit par des forçats pour éviter les naufrages. La tour mesure treize mètres de haut. Il a été allumé la première fois en 1838. On se servait d'huile de baleine.

Mary sourit. Elle avait réussi à éveiller sa curiosité.

— Ce n'était plus le cas de mon temps. Je ne suis pas aussi vieille.

— C'était comment, de vivre là-bas ?

— Vous pouvez l'apprendre par vous-même. Ils louent un des cottages de gardien. Vous pouvez vous y installer. Découvrir les sensations que cela vous procure.

Il secoua la tête.

— Ce ne serait pas la même chose. Rien à voir avec ce que vous y avez vécu.

Elle avait trouvé le moyen d'entrer en communication avec lui. La clé de son âme.

— Vous voulez que je vous raconte ?

Il opina discrètement. Elle souleva sa tasse et but une gorgée de thé tout en se demandant s'il n'allait pas trouver qu'elle allait trop loin.

— Et si vous m'emmeniez faire un petit tour en voiture ? Je serais plus bavarde au grand air.

Il se laissa tomber en arrière, impatient.

— Ce n'est pas prévu au programme, vous savez... de vous promener en voiture.

— Je vais finir par devenir grabataire à force de rester enfermée ici.

Il croisa les bras.

— C'est vous qui avez choisi de venir. Vous saviez à quoi vous attendre. Je suis garde forestier, pas guide touristique.

Les sourcils froncés, il la fixait sévèrement.

— Rien qu'au bout de la plage, avança-t-elle avec un frisson d'excitation.

Cloudy Corner était la première destination sur sa liste.

Après une légère hésitation, il répondit avec une petite grimace :

— Bon, d'accord. Mais juste un petit tour.

Dehors, le vent lui donna un coup dans la poitrine. Mary leva sa main devant sa bouche pour tousser. Leon la prit par le coude et l'entraîna vers le 4 × 4. Il était plus costaud qu'il n'en avait l'air ; soutenue par lui, elle avait l'impression de marcher sur un nuage. Il la poussa dans la voiture.

— Attachez votre ceinture, grogna-t-il. Je ne voudrais pas avoir à vous ramasser sur le plancher.

Il manquait de tact, mais cela dit, il n'avait pas tort. Après deux jours passés sur le canapé, elle était sans force. À Hobart, elle était en permanence occupée à quelque chose, elle se trouvait toujours une activité qui l'obligeait à bouger. Mais ici, par pur désœuvrement, elle restait assise à la fenêtre à regarder déferler les vagues.

Il fit claquer la portière et vrombir le moteur. Ils descendirent vers la plage en bondissant sur les dunes. Il conduisait en silence, même quand ils firent une embardée pour éviter un ruisseau encaissé qui se jetait dans la mer. Elle s'appuya d'une main au tableau de bord pour se redresser, mais il continua à l'ignorer, le regard braqué droit devant. Non loin de Cloudy Corner, il s'arrêta et désigna la mer du doigt.

— Regardez par là, de l'autre côté de la baie.

Le soleil nappait de jaune les falaises à la lisière du bleu argenté des flots.

— Magnifique, dit-elle.

Il tourna la voiture face à la mer, comme Jacinta le premier jour. Il coupa le moteur. Le bruit des vagues leur parvenait assourdi. Des bourrasques appuyaient contre les vitres.

— Allez-y, dit-il. Je vous écoute.

Elle lui jeta un regard étonné, ayant oublié que cette promenade était assortie d'un engagement de sa part. Puis la mémoire lui revint. Elle lui avait promis de lui raconter la vie au phare. Peut-être cette petite escapade n'était-elle pas une aussi bonne idée que cela, après tout.

— Ça vous plaisait ? D'être la femme du gardien de phare ? Cela devait vous convenir, si vous êtes restée aussi longtemps.

— Au début, c'était merveilleux.

Elle s'adressait à Leon, mais en son for intérieur, sa mémoire l'emmenait vers Jack. Elle enchaîna :

— Quand nous nous sommes installés sur le cap, nous avions quitté l'île depuis trop longtemps. Elle nous avait manqué... à tous les deux. Bruny a toujours été l'endroit où nous nous sentions chez nous.

Leon l'observait attentivement. Elle continua :

— Le cap, pour nous, c'était retrouver la liberté. L'espace, le grand air. Les oiseaux. Les phoques. Les dauphins, parfois. On était à notre place, comme des vaches à l'étable.

— Vous ne vous sentiez pas seuls ?

— Pas au début. Il y avait tant à faire. Jack était très occupé par son travail. Et moi j'installais la maison. Et puis il y avait les vaches à traire, le poêle à alimenter, la cuisine, la lessive. Nous recevions parfois des visiteurs, mais la route n'était pas très carrossable. Nous étions isolés.

L'emploi du temps du gardien de phare était chargé. Il accomplissait un travail nocturne, et la journée, il devait nettoyer. Et puis il y avait de temps en temps un mouton à tuer et à découper. Le phare à repeindre. Et les observations météo... Il ne prenait qu'une seule journée de congé en fin de semaine. C'était l'occasion d'explorer le cap pour Jack, elle et les enfants. Elle se rappelait la crique qu'ils avaient découverte en descendant une pente sauvage. Ils s'installaient pour y pique-niquer sur des dalles noires. Un lieu calme et silencieux, à l'abri du vent, un havre d'où ils pouvaient contempler de l'autre côté du détroit le rivage crénelé de la baie de la Recherche[1]. Souvent un groupe de dauphins jouait au large, caracolant dans les vagues. Jan et Gary pataugeaient dans l'eau

_____

1. Découverte par d'Entrecasteaux, d'où ce nom français qui existe en même temps que le nom anglais.

froide des hauts-fonds, ou bien s'amusaient à jeter des cailloux en produisant un maximum d'éclaboussures. Ensuite, Jack et elle remontaient en dérapant sur le sol pierreux de l'étroit sentier creux, chacun portant un enfant sur le dos. En arrivant à la maison, ils avaient la sensation d'être propres, paisibles, polis comme les galets roulés par les flots.

Les tout premiers mois au phare avaient ravivé la flamme de leur amour. Lorsque Jack n'était pas éreinté par le manque de sommeil et les cris du vent, ils se cramponnaient l'un à l'autre dans la nuit chuchotante, puisant soulagement et réconfort dans l'étreinte des corps. Ils renouaient avec la tendresse. Oui, cela avait été merveilleux, pendant un temps.

— Comment faisiez-vous pour les courses ? s'enquit Leon.

— Nous nous faisions livrer tous les mois par camion. Il débarquait du ferry à North Bruny. Quand nous avons déménagé au cap, la route entre Lunawanna et le phare venait d'être construite. Les livraisons étaient beaucoup plus faciles. Avant, le bateau rattaché au phare, le *Cape York*, déposait des provisions sur Jetty Beach et on devait ensuite les transporter dans les cottages des gardiens. En fait, on n'était pas à plaindre, même si on était toujours contents de voir arriver le camion.

Elle se rappelait le vieux camion Ford traversant la lande en klaxonnant pour annoncer sa venue.

— Pour le déballage, tout le monde s'y mettait, poursuivit-elle à haute voix. Jack portait les cartons et on les rangeait ensemble dans le garde-manger. Ma fille Jan était très bonne pour organiser des chaînes. Elle passait les conserves à son frère Gary qui me les tendait... Comme les sacs de farine étaient trop lourds pour les enfants, c'était moi qui m'en chargeais. Nous mangions des choses simples, des ragoûts, des beignets, de la viande salée, des légumes en boîte.

— Et les produits frais ? Vous deviez avoir un potager.

— Un potager plutôt minable, dit Mary qui s'était pourtant escrimée à travailler cette terre sablonneuse qui ne retenait pas l'humidité. Les pluies étaient abondantes, mais trop salées. Les plantes finissaient toutes par dépérir.

Comme Jack, ajouta-t-elle en son for intérieur avant d'embrayer sur un souvenir plus agréable :

— L'île a été bonne envers nous. Les gens nous envoyaient des produits de saison : des pommes, des abricots, des choux, des petits pois. Mais, étant donné que ce n'était pas régulier, on se contentait la plupart du temps de ce qu'il y avait dans la réserve. Je dois avouer que nous nous fichions un peu de la cuisine. La vache suffisait à nous approvisionner en beurre, crème et lait. Et quand Gary pêchait un poisson mangeable, c'était formidable. Parfois, lorsqu'un fermier tuait un de ses moutons, nous mangions du gigot.

— Vous aviez souvent des visites ?

— Très rarement.

— Même après la construction de la route ?

— Les gens avaient leur propre vie à mener. On voyait du monde pendant la saison de la chasse au puffin, mais ça s'est arrêté quand elle a été interdite.

— Et vous dites que vous ne vous sentiez pas seuls ? insista Leon.

— C'est devenu plus difficile quand les enfants ont grandi. Ils avaient envie de voir des jeunes de leur âge. Finalement, on les a mis en pension.

— Et vous ?

Mary n'avait pas souvent pensé à elle.

— La plupart du temps, ça se passait bien pour moi.

Pourtant, par moments, la solitude lui avait pesé. Elle avait essayé de devenir amie avec la femme de l'autre gardien. Hélas, même dans un lieu aussi isolé, les relations hiérarchiques étaient délicates. En cas d'urgence, l'entraide venait tout naturellement, mais d'ordinaire, l'épouse du chef des gardiens ne recherchait pas sa compagnie. Son mari et elle n'avaient pas d'enfant. Jan et Gary étaient peut-être trop turbulents.

— Et la météo ? s'enquit Leon.

Ah, la météo. Tout dans leur vie dépendait de la météo.

— Quand il faisait mauvais, on était coincés à l'intérieur. Le vent soufflait parfois tellement fort qu'on ne pouvait même pas tenir debout. Seuls les hommes sortaient. N'importe qui d'autre aurait été précipité dans la mer. Les oiseaux ne s'y aventuraient pas non plus. Mais quand il faisait beau, c'était le paradis. Il n'y avait rien de plus délicieux sur Terre.

144

La caresse lumineuse du soleil sur la côte. Le scintillement de la lumière sur l'océan. La Tasmanie se profilant en violet à l'ouest. On ne pouvait pas rêver mieux.

— Est-ce que ça valait la peine ? l'interrogea Leon dont la voix pénétra de nouveau sa rêverie. Était-ce un endroit heureux ?

Elle leva les yeux, hésitante. Pouvait-elle affirmer que ces années-là avaient été heureuses ? Oui, jusqu'au moment où tout avait commencé à se dégrader. Mais le lieu lui avait-il apporté un contentement durable ? Ou s'était-elle contentée de ce qu'elle avait et de trouver sa raison de vivre dans les petits bouts de bonheur qu'ils étaient en mesure de se donner, Jack et elle ?

— Je n'en demandais pas plus, répondit-elle.

Après tout, qu'était le bonheur ? Et combien de personnes pouvaient se vanter de l'avoir connu ?

Soudain, elle sentit la fatigue lui peser. Portant son regard vers le large, elle se vit elle-même dans l'écume du ressac qui battait les rochers. Pourvu que Leon s'aperçoive de son épuisement... À son grand soulagement, il redémarra le 4 × 4 et remonta la piste vers le terrain de camping. Il prit soin de contourner les bosquets d'eucalyptus qui ombrageaient les différentes zones.

À un moment donné, il arrêta son véhicule près d'un site de campement. Avec son aide, elle descendit, raide et lente, un peu branlante. Il installa une souche coupée dans un triangle de lumière sous les branches que le vent agitait. Elle s'assit auprès des vestiges d'un feu. Il ramassa son sac de papier hygiénique et se dirigea vers les toilettes. La porte claqua derrière lui et reclaqua quand il sortit. Il parcourut le terrain en évitant de s'approcher d'elle.

Peu importait à Mary d'être seule. Dans sa jeunesse, elle était venue camper ici même, avec les Mason. Le vieux camion roulait jusqu'à la fin de la route et longeait lentement la plage. Les Mason allumaient un feu de camp sous les arbres et préparaient le thé pendant que Jack et elle grimpaient sur la falaise.

La première fois qu'elle y était venue avec Jack sans personne, c'était pour leur lune de miel. Le ciel était chargé ce jour-là. Ils avaient marché depuis la ferme avec leur barda. Comme le bout de la plage leur avait paru loin... Sur la dernière dune, ils avaient fait une halte, livrant leur visage au baiser salé de la brise. Mary était en nage sous ses vêtements chauds qui pesaient lourd. Elle était prête à s'avouer vaincue. Mais Jack avait insisté pour marcher en direction des grands eucalyptus. Elle se souvenait de son émerveillement en découvrant cet endroit – Jack et elle seuls sous le firmament, la luminosité de l'eau chatoyante, les falaises d'East Cloudy Head dorées par les derniers rayons de soleil.

À Cloudy Corner, Jack s'était frayé un passage dans les broussailles. Elle l'avait suivie sous les arbres et le sombre refuge ménagé par leurs branches. Elle avait voulu dormir sur la plage sous les constellations, mais Jack avait dit que le vent allait se lever. Il pensait qu'ils seraient mieux à l'abri des arbres. Ils avaient étalé sur le sol une bâche et des plaids. Puis ils s'étaient déshabillés et s'étaient précipités dans les vagues glacées. Ils sautaient, se couraient après, s'embrassaient. Ils avaient la chair de poule.

Frigorifiés, ils s'étaient séchés avec des serviettes rugueuses. Une fois emmitouflés dans plusieurs couches de vêtements, ils étaient partis à la chasse au trésor sur la plage. Ils avaient longé le pied de la falaise jusqu'aux rochers où les cormorans séchaient leurs ailes dans le vent. Plus loin, ils avaient foulé de denses coussins végétaux grêlés de terriers de puffin. Les fleurs mauves des succulentes croustillaient sous leurs pas. Sur une grande dalle plate au sommet de la falaise, ils s'étaient assis pour regarder le noir océan. Mary entre les jambes de Jack pour qu'il puisse l'envelopper de sa chaleur. Ivre de liberté et d'amour, elle s'était appuyée contre sa poitrine.

Pour le dîner, ils avaient mangé des tartines de fromage fondu et une boîte d'abricots au sirop. Elle se rappelait la lueur vacillante des flammes sur le visage de Jack penché sur le feu dans lequel il glissait des fagots de bois. Et le frisson de la brise remontant de la plage, le bruissement des feuilles. Elle voyait encore Jack accroupi devant le modeste brasier. Jambes maigres, épaules larges et musclées. Visage mince et long. L'angle de la mâchoire, la joue mal rasée.

Après le repas, ils avaient marché sur la plage sous la clarté blanche de la lune. Ils s'arrêtaient pour s'étreindre passionnément, ou se serrer l'un contre l'autre pendant qu'un froid polaire congelait l'air autour d'eux. Cette nuit-là, blottis dans le cocon douillet de leurs bras, ils écoutèrent le bruit des vagues se brisant sur la plage. Cela faisait des années qu'ils rêvaient d'un tel moment d'intimité. Ce désir fou. Cette longue attente. Le manque d'expérience. Ils étaient désarçonnés.

Mary se rappela ensuite combien ils avaient souffert en quittant la ferme pour se retrouver à Hobart. Jack s'était replié sur lui-même. Et elle, comme elle avait été malheureuse... Le phare avait été pour eux une trêve bienvenue. Si seulement Jack n'avait pas été autant affecté par le vent. C'était un miracle qu'ils s'en soient sortis. Sans la patience de Mary, sa dévotion même, sa détermination en tout cas, leur mariage aurait sûrement fait naufrage, ce qui n'aurait rien eu d'exceptionnel. Sauf qu'à l'époque un mariage raté était une catastrophe. Les femmes n'avaient pas le choix en ce temps-là. Une divorcée s'exposait à l'opprobre public. Et puis, en dépit des faiblesses de Jack, elle l'aimait.

Elle avait souvent souhaité pouvoir enseigner à ses enfants comment empêcher les relations de s'étioler dans un couple. L'art du bonheur conjugal. Mais, même si elle était en mesure de leur décrire ce qui se passait dans son cœur, il n'était pas question de leur dicter la manière de mener leur vie. Impossible de leur épargner les souffrances douces-amères engendrées par les désillusions et les erreurs. Faire renaître l'amour de ses cendres était un prodige dont le secret n'était pas transmissible. On ne pouvait pas épargner aux autres le chagrin. Il était inscrit dans la destinée de chacun. Si c'était à refaire, elle s'y serait peut-être prise autrement.

Du haut de son grand âge, elle distinguait la maille qui avait sauté dans le tricot de leur vie commune. Elle avait mis des années à comprendre que, si on ne les prononce pas à point nommé, les mots s'effacent pour toujours. Quand elle avait commencé à discerner ce qui n'allait pas dans sa relation avec Jack, le fil avait déjà été rompu. Le vent l'avait emporté et tout ce qui restait, c'était du vide.

Leur vie au cap avait été dominée par le phare. Il était presque en permanence sous ses yeux puisqu'elle le voyait de la fenêtre de la cuisine. Son faisceau ponctuait leurs nuits. Le réveil de Jack les tirait chaque jour du lit à 4 heures du matin. Il devait assurer les relevés météorologiques et être prêt à éteindre le feu à l'aube. Les gardiens n'étaient pas trop de deux pour les six relevés météo quotidiens, l'entretien des générateurs, le nettoyage des vitres de la lanterne et de la lentille de l'optique, la peinture de la maçonnerie, la réparation des clôtures et le débroussaillage.

Jack veillait au bon fonctionnement du phare et Mary s'occupait de la maison. Elle faisait son pain, des gâteaux, les repas. Pendant qu'elle travaillait, les enfants apprenaient leurs leçons, penchés sur leur cahier avec un crayon, et à côté d'eux un petit tas de copeaux. Deux fois par jour, elle trayait la vache.

Elle faisait la lessive, suspendait le linge dehors, donnait à manger aux poules et au poney. Le soir, elle cousait, elle tricotait des pulls et des chaussettes. Elle barattait le beurre. Elle faisait du fromage. Elle piochait le piteux potager en se disant que si elle en prenait soin les plantes finiraient peut-être par pousser. Et en permanence, en bruit de fond, la bouilloire chantait sur le fourneau, dans l'éventualité où Jack rentrerait, aurait envie de boire du thé et de manger un morceau.

Alors que leurs jours, leurs mois, leurs années tournaient autour du phare, le vent s'était mis à ronger Jack. Une lente érosion. Ses mains, déjà abîmées par le travail à la ferme dans le froid et sous la pluie, se déformèrent peu à peu. À la pointe méridionale de l'île, le vent était implacable. Au début, son souffle constant tapait sur les nerfs de Jack. Le sommeil ne semblait pas l'apaiser. Il devint nerveux, irritable, il ne tenait plus en place. Pour que les enfants ne le dérangent pas, Mary les envoyait dans leurs chambres pour lire, jouer à des jeux de société ou autre, du moment qu'ils ne faisaient pas de bruit.

Les jours de congé, ils allaient pique-niquer dans une crique tranquille à l'abri du vent. Là, Jack se calmait, comme soulagé. S'ils traînaient assez longtemps, ils retrouvaient par instants leur vieille entente chaleureuse. Mais ces précieux instants étaient de moins en moins fréquents et de plus en plus brefs. Entre eux, de façon insidieuse, une distance s'était établie dans tous les menus événements de la vie quotidienne.

Mary ne s'en était pas rendu compte tout de suite. Ils avaient en quelque sorte évolué chacun de leur côté dans des directions différentes. Et, pour tisser de nouveaux liens, il fallait être deux. Mary ne pouvait pas le faire seule.

La nuit, elle restait allongée dans leur lit et écoutait Jack respirer. Parfois, elle se glissait contre lui – dans l'obscurité la distance pouvait être abolie – et ils se prenaient frénétiquement, désespérément. Ils avaient tous les deux faim de quelque chose qu'ils n'osaient pas demander. Dans l'étreinte muette des corps, ils prétendaient que le gouffre ne se creusait pas entre eux. Puis il n'y eut même plus cela. Il fit de son arthrite une excuse pour ne plus la toucher. Elle s'efforça de le décharger le plus possible des corvées à la maison. Si elle l'aidait davantage, se disait-elle, peut-être se montrerait-il moins impatient. Il se souviendrait peut-être d'embrasser ses enfants. Il lèverait peut-être les yeux assez longtemps pour la voir, elle.

Lorsque le vent balaya même ce fil ténu qu'avaient été leurs rapports, il ne resta plus rien à quoi se raccrocher qu'un peu de brume dans un espace illimité. Ils étaient perdus.

En pleine nature, sous ce ciel immense, dans ce désert, ils auraient dû retrouver un chemin vers le cœur de l'autre. Dans ce lieu qu'ils aimaient autant l'un que l'autre, pourquoi n'avaient-ils pas réussi ? Le seul élément du cap Bruny qui pénétrait leur relation était l'étendue illimitée du paysage. En fin de compte, elle n'avait plus tenté de relancer son désir. Il prit l'habitude de lui tourner le dos pour dormir. Et elle, elle s'était tournée vers les enfants, laissant Jack se replier dans ses silences et sa solitude.

C'était si facile pour elle de chercher l'évasion dans les activités de la vie quotidienne. Les tâches ménagères étaient son bâton de pèlerin. La routine, sa forteresse. Tout le reste s'était figé sous le quadrillage précis de son emploi du temps. Les années passaient, les saisons se succédaient, les enfants grandissaient. Jack et elle, à force de ne plus communiquer, vivaient une trêve permanente d'où étaient bannis la haine comme l'amour. Le règne de l'indifférence. Pour meubler le vide, elle se livrait à la rêverie et cultivait un jardin secret. Certains diraient que c'est une pente dangereuse pour une femme.

Même si elle était réfractaire aux souvenirs de cette époque (aujourd'hui encore il lui déplaisait d'évoquer cette période), elle n'hésitait pas à accuser la tempête, son accident et tout ce qui s'était produit ensuite d'être la cause de sa quasi-rupture avec Jack. Et, dans son cœur, elle jetait la pierre au phare lui-même. Le phare avait fait à la fois leur bonheur et leur malheur, et avait été à l'origine du retour du bonheur. Il avait été pour eux le cycle de la vie. Ce n'était ni la faute de Jack ni la sienne. Leur couple était déjà déliquescent et il avait suffi d'une série de catalyseurs. Ils n'avaient pas eu le choix. À la suite des décisions qu'ils avaient prises, un enchaînement de circonstances les avait précipités à la catastrophe.

L'horrible vérité, c'est que la suite de ces événements avait tracé le chemin qui menait à la lettre aujourd'hui cachée dans sa valise au chalet de Cloudy Bay.

10

C'est le jour de la semaine où je vais voir maman. Pendant que je prends mon petit déjeuner, Jess se planque sous la table à mes pieds. De temps à autre, elle lève vers moi un regard de martyre. En voyant le toast dans ma main, une lueur d'espoir apparaît. Elle est déçue que nous ne sortions pas nous promener. En général, nous descendons sur la plage pour regarder le soleil s'élever lentement au bord de l'océan. En cette saison, la lumière matinale est d'une beauté inouïe, la mer comme du verre liquide. Par temps clair, la brume déploie un voile autour des montagnes. Le soleil est un globe orange flamboyant. Mais, ce matin, en dépit de la supplique muette de Jess, la promenade n'est pas au programme. De toute façon, elle va pouvoir courir tout son soûl à Cloudy Bay, même si elle ne le sait pas encore.

En sortant la voiture de l'allée, je remarque une camionnette de déménagement devant une des maisons de l'autre côté de la rue. La silhouette d'un homme se découpe en noir à la fenêtre. Je me demande qui emménage et à quoi ils vont ressembler. Vont-ils vouloir engager des relations de voisinage ? Je n'apprécie guère les changements. À la seule idée d'avoir à vivre une nouvelle situation sociale, je suis pris d'une vague nausée.

Coningham n'est pas loin de Kettering. Je suis toujours en train de ruminer cette histoire de nouveaux voisins quand j'arrive au terminal du ferry. Il n'y a presque pas d'attente avant l'embarquement. Très peu de gens se rendant sur l'île à cette heure, on est vite à bord. Au moment de larguer les amarres, je suis seul sur le pont avant.

Pendant la traversée, le murmure du ferry sur l'eau berce ma méditation sur le vide. La mer est calme, comme ensommeillée. Les cormorans volent bas. Debout dans le vent glacé, je regarde se rapprocher les côtes de North Bruny, envoûté par les grincements cadencés du moteur et le mouvement régulier des vagues, faisant tout pour éviter de penser à maman. Hélas, impossible d'arrêter les rouages de mon esprit. Je n'ai pas dit au revoir à mon père quand il est mort. Je suis déterminé à être là quand le tour de maman viendra. Et maintenant que cette échéance se profile, je ne sais pas quoi lui dire.

Depuis la mort de papa, j'ai rendu visite chaque semaine à ma mère. Je passe dîner chez elle après le travail. Nous mangeons des mets simples : purée-saucisse, côtes d'agneau-légumes. Parfois, je lui achète un bon steak. Elle n'a qu'une maigre pension pour vivre. Aussi je lui glisse toujours des petits extras dans son frigo : un rôti, du chocolat, des tranches de bacon.

Nous regardons ensemble les actualités. Nous ne parlons pas beaucoup. C'est agréable de ne pas être obligé de faire la conversation. Elle veut savoir si je vais bien. Et moi, cela me rassure de la voir relativement en forme. À son âge, on est exposé aux complications médicales. Son traitement a stabilisé son état, mais les propos de Jacinta m'inquiètent. Si elle se fait du souci pour maman, peut-être est-ce parce que son cœur est de plus en plus fragile. Jan a peut-être raison. J'aurais dû prendre des bouteilles d'oxygène. Les hôpitaux en louent, je crois. Après cette visite, je vais me renseigner... ou m'en voudrait-elle de me mêler de ce qui ne me regarde pas ?

Si seulement Jan pouvait éviter de la prendre à rebrousse-poil. Je sais combien maman aimerait qu'elles puissent s'entendre. Dommage que Jan et Gary ne lui rendent pas plus souvent visite. Depuis que maman a perdu en mobilité, elle ne sort plus beaucoup. Quelle vie ennuyeuse pour elle ! Clouée dans cette vieille maison, réduite à écouter la radio ou regarder la télé. Il m'arrive de lui laisser Jess pour la journée. Elles sont bonnes amies et la présence de ma chienne lui redonne de l'énergie.

J'aimerais trouver un moyen d'aborder avec elle la question de son cœur. Mais c'est une vieille dame rusée, elle vous voit venir de loin. Lui manifester mon inquiétude, c'est tout ce que je peux faire. Le reste dépend d'elle. Dommage. Elle pourrait bénéficier de soins appropriés à son cas. Un bon médecin aurait pu au moins lui éviter des souffrances inutiles.

Je comprends qu'elle veuille s'éloigner de Hobart où Jan la harcèle avec cette histoire de maison de retraite médicalisée. À sa place, moi aussi j'organiserais une évasion en bonne et due forme. Qu'elle ait choisi Bruny comme destination n'a rien de surprenant. On sait tous combien elle aime cet endroit. C'est typique de la part de Jan d'en faire tout un plat. Elle refuse de s'y rendre sous prétexte que l'île lui a volé sa jeunesse. Quel amour du drame ! Pas étonnant que son mari l'ait plaquée. Comment a-t-elle fait pour avoir une fille aussi adorable que Jacinta ? Mystère.

Après avoir débarqué, je roule vers l'est puis vers le sud, guidé par mes souvenirs d'enfance. Aujourd'hui, je rends visite à maman à Cloudy Bay, mais c'est au cap que je me la rappelle le mieux. Devant l'évier, une bonne odeur de pain chaud embaumant l'air. Regardant le phare sur le promontoire à travers la vitre sale. Posant un tas de crayons sur la table pour la leçon. Servant le dîner dans un nuage de vapeur. Remuant la terre du potager.

Elle était tellement affectueuse avec moi quand j'étais petit. Toujours prête à me faire un câlin et à me rassurer. Peut-être savait-elle que j'en avais besoin – je n'ai jamais été sûr de moi. Elle a été ma meilleure amie. Après tout, j'étais le seul enfant au phare. Ce qui n'était pas plus mal ; j'ai appris à ne compter que sur moi-même. Mais je suppose que j'étais plus proche d'elle que les enfants ne le sont en général de leurs parents.

Papa était pour moi une énigme. Non qu'il n'ait pas fait des efforts. On allait parfois à la pêche, on jouait aux cartes. Pendant la journée, il n'était jamais là. Nous étions toujours tous les deux, maman et moi. Il y avait les leçons, les jeux de société, la cuisine, le tricot, les promenades où nous observions les oiseaux.

Quel remue-ménage quand Jan et Gary rentraient à la maison pour les vacances. Ils me paraissaient tellement grands. Ils parlaient fort. Entre maman et Jan, les disputes éclataient. Gary allait attendre la fin de la tempête dans l'atelier avec papa. Mon frère, beaucoup plus sociable que moi, savait comment s'y prendre avec lui. Contrairement à moi. Papa n'était pas bavard. Quand nous étions tous les deux, on entendait voler les mouches. Je ne savais jamais comment rompre ces silences. En entendant Gary et papa se charrier et rigoler dans l'atelier, je me sentais nul.

Nous étions, je crois, une famille ordinaire. Avec du bon et du mauvais. Du bonheur et de la tristesse. N'est-ce pas ainsi pour tout le monde ? On habitait un drôle d'endroit. Mon âme en est imprégnée. Mais j'ai beau ne pas être tout à fait comme les autres, j'ai les mêmes besoins. L'amour, la compagnie, l'espoir, le travail, les loisirs. Maman a toujours été là pour moi. Elle est la force invisible et muette derrière ma guérison. Elle n'a même pas eu à me soutenir. Rien que de la savoir là me donne du courage. Hélas, ce sera bientôt fini. Je vais être bien seul. Sans autre recours que moi-même.

À Cloudy Bay, je fais rouler la Subaru sur le sable et je coupe le moteur. La marée est basse, la mer retirée très loin vers le sud. Jess grimpe sur mes genoux et halète dans ma figure. J'ouvre la portière et elle bondit dehors. Elle galope vers une bande de mouettes à cette vitesse prodigieuse dont est capable le kelpie. Sans quitter mon siège, je hurle. Elle trace une grande courbe et revient vers moi, langue battant au vent. Je la gronde. Elle renverse la tête en arrière et jappe. Avec des gloussements de rire, les mouettes décollent. Au-dessus de l'eau, elles longent la plage en volant dans le lit du vent. Jess jappe encore une fois comme pour me dire : Regarde, elles sont parties, tu aurais dû me laisser courir après elles.

Je me sens obligé de lui rappeler :

— C'est un parc national, tu connais les règles. Tu n'as pas le droit de sortir de la voiture.

Je fais claquer la portière.

— Vas-y ! Cours jusqu'au bout de la plage !

Elle arrache une gerbe de sable. De temps à autre, elle jette un coup d'œil derrière elle pour vérifier que je la suis toujours.

Au bout de la plage, je remonte sur la piste qui mène au chalet. Je descends du véhicule pour être accueilli par Jess. Tout est tranquille. Même le grondement de l'océan est assourdi par les dunes. J'espère que maman a entendu la voiture. J'attends, je surveille la porte. Elle reste fermée. Je me rappelle qu'elle devient sourde et qu'elle a du mal à marcher. C'est idiot de ma part. En fait, j'ai peur d'entrer et de la trouver morte. Ce silence m'angoisse. Jess se demande ce que je vais faire. Je monte les marches devant la maison et frappe doucement avec le poing. Elle ne vient toujours pas. J'ouvre et appelle :

— Maman ! C'est moi, Tom !

Il fait bon à l'intérieur. La petite fenêtre du calorifère à gaz rougeoie. Maman l'a réglé au minimum – toujours aussi économe. La chaleur est certainement insuffisante pour ses vieux os. Je sais combien elle a froid quand elle est immobile. L'odeur de propane me ramène en Antarctique. Chaque fois qu'on entrait dans une baraque, il fallait ouvrir les petites fenêtres pour laisser échapper le gaz et éviter l'asphyxie.

Maman dort, allongée sur le canapé, bordée dans un plaid. Elle a la respiration rauque et grasse. Je reste là à la regarder. Que dois-je faire ? Peut-être sortir attendre dehors qu'elle se réveille, ou me promener sur la plage. Qu'est-ce que je fais ici, au fond ? J'ai l'impression d'être un intrus. Elle détesterait savoir que je la vois comme ça, les jambes et les bras écartés, le cou tordu avec la tête sur le côté.

Elle a bougé. Elle toussote.

— Maman, dis-je d'une voix que je veux forte. Maman, je suis venu te voir.

Elle tressaille et fait claquer ses lèvres. Puis elle prend une grande inspiration et tousse fortement. Ses paupières papillonnent. Elle ouvre les yeux.

— Jack... ? Oh, c'est toi, Tom.

D'un air stupéfait, elle promène un regard autour d'elle pendant que, de ses mains, elle cherche à tâtons quelque chose sur le canapé et sous le plaid. Qu'est-ce que ça peut bien être ?

— Je peux t'aider ? dis-je.

— Tu l'as vue ? Tu as vu la lettre ? Une enveloppe ?

— Non, je n'ai rien vu. Je viens d'arriver. Tu veux que je la mette à la poste ?

— Merci, mais non. Tout va bien.

Elle me fait signe de m'écarter, puis se redresse péniblement, la respiration sifflante. Elle sort un mouchoir.

— Tu me pardonneras. Ça manque de dignité.

Je reste les bras ballants pendant qu'elle continue à tousser.

— Ça va passer, m'assure-t-elle d'une voix étranglée. C'est un de mes mauvais jours. Je suis toujours moins bien au réveil.

Elle est d'une pâleur à faire peur.

— Tiens, dit-elle en me prenant le bras. Aide-moi à me lever pour que je t'embrasse.

— Tu peux m'embrasser en restant assise.

— C'est pas pareil.

— Non, mais on s'en contentera.

Je m'assieds à côté d'elle pour qu'elle puisse mettre ses bras autour de moi. J'ai l'impression qu'elle s'agrippe à moi avec l'énergie du désespoir.

Elle s'appuie au dossier du canapé et plonge son regard dans le mien.

— Tu es un brave garçon, Tom. Ton cœur est bon.

Solitaire, plutôt. Je lui tapote affectueusement la main pour regretter aussitôt mon geste. Je ne voudrais pas qu'elle croie que je me prends pour quelqu'un de supérieur.

— Tu peux remettre la bouilloire sur le feu ? me demande-t-elle. L'eau vient de bouillir, ça prendra une minute. Un peu de thé va me faire le plus grand bien.

Dans le coin cuisine, la bouilloire est plus tiède que brûlante. Il s'est passé plus de temps qu'elle ne le pense. Elle m'observe du canapé.

— Tu as appelé papa en te réveillant.

— C'est vrai ? Je suis peut-être en train de perdre la boule.

Elle tousse avant de pester :

— Ces satanés poumons... Je n'arrive plus à respirer avant de parler. Tom, apporte-moi mes cachets, s'il te plaît. Ils sont sur le plan de travail.

Je trouve ses médicaments. Jan prétend que maman oublie de les prendre. Elle a peut-être raison.

— Un verre d'eau, articule-t-elle en cherchant son souffle.

Je lui remplis un verre au robinet.

— Merci.

Elle paraît si reconnaissante alors que c'est si peu de chose. Je me sens inutile. Je lui apporte son thé. Elle m'invite d'un geste à m'asseoir en face d'elle sur le fauteuil. Après quelques gorgées, ses joues deviennent rouges. C'est mieux que cette horrible pâleur.

— Comment le prend Jan ? me lance-t-elle.

— Mal.

— Elle a organisé les funérailles ?

— Pas tout à fait.

— Alors elle m'a réservé une place dans une maison de vieux avec mon nom écrit noir sur blanc sur la feuille au pied du lit. Jacinta, ça va ?

— Bien.

— Je parie qu'elle s'est fait engueuler par sa mère.

— Elle a l'habitude.

— Je ne voulais pas lui imposer ça, mais je ne voyais pas d'autre moyen. Jan doit être furieuse.

— Elle l'est.

— Alex soutient Jacinta ?

— Oui.

— Parfait. Et Gary ?

— Cela va t'étonner, mais il la soutient aussi.

— Comme quoi, le bonheur est dans l'inattendu.

Maman se frotte la poitrine et se racle la gorge.

— Pourquoi ne pas m'avoir demandé de te conduire ici ?

Elle me jette un coup d'œil avant de répondre :

— J'y ai pensé. Mais tu as assez sur les bras. Jacinta est jeune et la jeunesse résiste à tout.

— Je n'ai rien sur les bras en ce moment. L'Antarctique et tout le reste, c'est loin derrière moi maintenant.

— Peut-être, mais ça te suit. Je voudrais te voir avec une gentille fille.

— Au garage, j'ai peu de chance d'en rencontrer. On en voit seulement de loin en loin.

Maman rit. Elle pense peut-être aux photos de charme que les gars punaisent sur les murs de la salle de repos.

Un lourd silence s'installe. La conversation, ce n'est pas mon fort. En général, maman parle pour nous deux mais aujourd'hui, elle est trop fatiguée. Je cherche quelque chose d'amusant à lui dire. Par la fenêtre, au-delà des dunes, j'aperçois un panache d'écume sur la mer. Maman suit mon regard.

— C'est un bel endroit, tu ne trouves pas ? dit-elle. Une belle journée pour grimper sur la falaise... Le vent et la vue...

— Tu adores monter là-haut, n'est-ce pas ?

— C'est un de mes endroits préférés. Un lieu spécial pour ton père et moi.

— Ça fait combien de temps que tu n'y es pas retournée ?

— Je ne me rappelle plus. Trop d'années. Une fois son arthrite déclarée, ton père n'a plus été capable de gravir le sentier.

— Tu n'y allais jamais seule ?

— Je n'en ai pas eu l'occasion. Quand nous avons déménagé à Hobart, il y avait trop de choses à faire.

Elle m'observe. J'évite de croiser son regard. Je préférerais que nous parlions de sa maladie. Mais je ne sais pas comment aborder la question de sa mort. Je ne sais pas comment lui demander si elle se sent prête.

— Pourquoi tu ne vas pas te balader là-haut tout à l'heure ? Tu me raconteras ce que tu as vu, dit-elle avec une expression empreinte de douceur. Cela me permettra de revoir le paysage à travers tes yeux.

— C'est une idée.

— Tu devrais. Je m'en voudrais que tu sois venu pour rien.

— Et toi, maman ?

— Quoi, moi ?

— Ton séjour ici se passe bien ?

— Très bien. Ne t'inquiète pas.

L'espace d'un instant, elle a l'air si fragile qu'on la croirait sur le point de s'effondrer. Puis son visage retrouve sa fermeté. Elle s'adosse aux coussins et me regarde comme seule une mère peut vous regarder.

— Tu es content de ton travail ?

Le terrain est plus sûr...

— Je ne chôme pas.

— Tu as pris une journée de congé ?

— Ils s'en sortiront sans moi.

Elle promène les yeux autour de la pièce.

— Où est Jess ?

— Dehors.

— Laisse-la entrer. Je voudrais lui dire bonjour.

J'ouvre la porte. Jess trotte droit vers maman et fourre son museau sous la vieille main. Elle restera assise tant que maman caressera ses oreilles soyeuses. Elle lève vers ma mère un regard à la fois soumis et patient. Maman se penche et murmure à Jess des mots affectueux dans ce « parler bébé » que les femmes réservent aux tout-petits et aux animaux de compagnie.

— Alors, ça te plaît d'être ici toute seule ? dis-je, content d'avoir réussi à renouer un dialogue.

— C'est un peu isolé, m'avoue-t-elle.

— Et le garde forestier ?

Elle hausse les épaules.

— Un jeune gars fermé comme une huître. Le premier jour, il n'a même pas accepté une tasse de thé. Mais je suis en train de l'amadouer... Ne le dis pas à Jan. Elle m'enverrait d'office une infirmière par l'intermédiaire de l'administration du parc.

Son rire sonna, pétillant d'humour.

— Tu as besoin d'un service ? Tu veux que je te fende quelques bûches ?

— Non, tu es gentil. Je n'ai pas allumé le poêle. Je me sers du calorifère à gaz.

— Et tu manges ?

Je retourne dans le coin cuisine glisser quelques biscuits sur une assiette. Elle en choisit un et commence à le grignoter.

— Quand j'y pense.

— Jan ne serait pas satisfaite de cette réponse.

— Mais Jan n'est pas ici.

— Et tes médicaments ? Tu les prends ?

— Comme mes repas. Quand j'y pense.

— Jan se fait un sang d'encre.

— Dis-lui qu'elle a tort. J'y pense souvent quand même. Et je ne suis ici que depuis quelques jours. Tu n'auras qu'à me reposer la question dans deux semaines.

Elle fait sa provocatrice. Je laisse couler. Au moins, j'ai obtenu une réponse, même si ce n'est pas celle que Jan aura envie d'entendre.

— Combien de temps tu comptes rester ?

Maman hausse les sourcils.

— Le temps qu'il faut.

J'acquiesce et détourne les yeux, en proie à une sorte d'hébétude. La bouche sèche. C'est bien ce que je redoutais. Elle a l'intention de rester ici pour attendre la fin. Je devrais sauter sur l'occasion pour l'interroger. Hier soir, j'ai dressé une liste de questions à lui poser. Le moment est venu d'aborder le sujet de la vie et de la mort. Mais, à présent, c'est trop dur pour moi. Je me trouve des excuses : il se présentera un moment plus propice, elle n'est pas si malade que ça. D'ailleurs, elle ne tousse plus. Elle avait raison, c'était seulement une congestion liée au réveil.

Elle se penche et laisse tomber un biscuit sur le plancher pour Jess. Je vois qu'elle n'est pas enchantée par le tour que risque de prendre la conversation. J'esquive donc en marmonnant :

— Tu la gâtes trop, maman.

— C'est mon rôle. Je ne voudrais pas la décevoir.

La queue tambourinant sur le sol, Jess adresse à maman un de ses sourires canins qui expriment son ravissement.

— Comment tu as trouvé ce chalet ? Je croyais que tu n'étais pas retournée à Cloudy Bay depuis des années.

167

— Dans une brochure que quelqu'un m'a déposée. Je me suis dépêchée de tout organiser sans que personne ne le sache. Je ne voulais pas donner à Jan des raisons de me ramener de force.

— Hormis le fait que tu es vieille et que tu es cardiaque ?

— Un détail, dit-elle avec un sourire en coin.

— Parle-moi encore de ce garde forestier.

Elle s'appuie sur les coussins, essoufflée, des bruits raclant sa poitrine. Je sens une boule se former dans ma gorge. Elle est très malade. Cette respiration difficile, cette fatigue immense. La mort se rapproche lentement à travers l'océan, elle surfe sur la houle, elle attend l'heure où elle va déferler sur la plage et monter jusqu'ici pour l'emporter, qu'elle soit prête ou non.

Elle regarde par la fenêtre. Le gris plombé du ciel. Que voit-elle au-dehors ? Mon père ? Le phare ? Nous, ses enfants, jouant sur le cap ?

Je continue maladroitement :

— Jacinta et Alex vont venir ce week-end. Ils envisagent de passer la nuit.

— Parfait. Ce ne sont pas les lits qui manquent dans ce chalet.

Elle tousse, une toux caverneuse, des gargouillements dans les poumons.

— Tu n'as pas à être seule. Je peux rester ici. Je pourrais demander un congé de quelques semaines.

— Non, non, je me débrouille très bien toute seule, proteste-t-elle en plongeant son regard dans le mien.

Tu crois que ce sera fini dans quelques semaines, n'est-ce pas ?

Je détourne les yeux, sans voix.

— Ça s'aggrave, c'est vrai. Quand le corps se désintègre, on n'a plus sa place ici.

— Ne dis pas ça, maman.

— Pourquoi pas ? Parce que tu n'as pas envie de l'entendre ? C'est la vérité pourtant.

— Certaines personnes ont toujours l'impression de n'avoir de place nulle part, dis-je avec un haussement d'épaules.

Elle me fixe.

— Où veux-tu en venir ?

— Je n'en sais rien. Je suis comme papa. Lui aussi avait du mal avec les mots. Avec lui, il ne fallait pas être exigeant du côté de la communication. Je suis comme lui... taciturne.

Elle me dévisage d'un air bizarre que je ne lui ai jamais vu.

— Non, tu ne lui ressembles pas du tout.

En me fixant comme si elle lisait en moi à livre ouvert, elle marmonne :

— C'est l'effet de l'Antarctique. Tu ne t'es jamais remis.

— Papa est mort alors que j'étais à bord du bateau.

Nous voilà revenus au sujet que j'ai tant cherché à esquiver.

— Oui, je sais. Je me suis souvent demandé...

Elle se tait, me jette un coup d'œil puis désigne d'un geste la fenêtre.

— Pourquoi tu ne vas pas te promener un peu ?
Fais-toi un sandwich à emporter. Tu n'es quand
même pas venu jusqu'ici pour rester enfermé toute
la journée.

Je prépare un déjeuner pour maman. Des sandwichs à la confiture et des petites tranches de pomme
pelée afin que la peau ne se colle pas dans sa gorge.
Pendant que je coupe des pommes de terre, de la
citrouille et des carottes pour les faire tremper dans
une boîte en plastique, elle boit son thé sur le canapé,
Jess roulée en boule à ses pieds. Je prévois un gigot
d'agneau pour le dîner, que nous prendrons de bonne
heure. Comme ça, elle aura de la viande froide et des
légumes pour quelques jours[1]. Ensuite, j'irai prendre
le ferry pour Kettering. Je devrais pouvoir arriver à
temps pour assister à la conférence à l'antdiv, à moins
que le ferry soit en retard. J'espère que maman va s'en
sortir toute seule jusqu'à la visite de Jacinta et Alex.
Dans la poubelle, il n'y a que des boîtes de haricots et
de tomates vides. La cuisine n'a pas beaucoup servi
depuis son arrivée.

Le temps que je prépare la viande en y faisant des
petites incisions pour y insérer des morceaux d'ail,
maman s'est mise à ronfler. C'est incroyable que notre
brève conversation l'ait épuisée à ce point. Je dépose
le gigot dans le four et ramasse mon sandwich sur

1. En Australie, le repas du soir est constitué traditionnelle-
ment de *meat and three veg*, une viande et trois légumes.

le plan de travail. Jess lève à peine les yeux alors que je lace mes souliers et sors par la porte de derrière.

Des nuages s'amoncellent du côté des montagnes. Le brouillard monte autour d'East Cloudy Head. Je marche d'un bon pas sur la plage, traverse le camping jusqu'au début du sentier de la falaise. Sur le *logbook*[1], quelques randonneurs – leur nombre chute dès que la météo est mauvaise – ont indiqué leur passage à la mine de plomb.

Avant d'amorcer mon ascension, j'enlève ma première laine polaire et la fourre dans mon sac à dos. Le sentier traverse une zone qui a été victime d'un feu de brousse l'an dernier. Les espèces particulièrement résistantes aux incendies sont en train de repartir – épais lomandras aux frondes raides, minuscules banksias et pousses vertes de casuarinas perçant le sol sablonneux. Des plantes grimpantes envahissent les squelettes calcinés des eucalyptus. Ce regain de vie autour de moi alors que je songe à la mort de maman... Que vais-je devenir après ? De nouvelles pousses grandiront-elles sur le terreau de ma vie ? Ou serai-je comme ces eucalyptus réduits à des moignons, brûlés au-delà de tout espoir de régénération ?

Essoufflé, je marque une pause à l'endroit où le sentier devient soudain plus escarpé. Les montagnes au nord sont noyées de brume. Là-haut, sur la falaise,

---

1. Un cahier est installé sur chaque terrain de camping sous un auvent ou dans une cabane. Les randonneurs doivent y indiquer les caractéristiques du chemin qu'ils vont emprunter.

il y en a aussi. En contrebas, les vagues frangées d'écume galopent entre les deux pointes rocheuses. À l'altitude où je me trouve, je peux voir les écueils aux roches tourmentées. La perspective s'éclaircit à mesure que l'on grimpe. De la plage, le point de vue est souvent trompeur.

Je repars en accélérant l'allure à travers des champs de banksias et de hakeas dont les fleurs en forme de brosse sont largement ouvertes. J'atteins la ligne de crête, je m'engage dans un col étroit et j'arrive enfin à la falaise d'East Cloudy Head. En une heure et demie, j'ai atteint le sommet des falaises. Maintenant, ce qu'il me faut, c'est un endroit abrité des puissantes bourrasques pour jouir du paysage.

Côté est, des parois abruptes rongées par l'érosion et creusées de grottes; des rochers aux formes évocatrices battus par le ressac. Au large, l'archipel des Friars, des îles verdoyantes frangées de blanc. Je sais qu'il y a sur l'une d'elles une colonie de phoques, mais on ne les voit pas d'aussi loin. La haute mer côté sud est striée par les crinières d'écume de la houle qui se rue vers la terre. L'horizon est invisible dans la brume.

Le vent forcit. Je remets ma polaire, à laquelle j'ajoute un coupe-vent, un bonnet et des gants. Je dois tenir bon; prendre le temps de respirer et de vider mon esprit suffisamment pour me permettre de trouver en moi la force qui me permettra de résister aux semaines qui viennent, les dernières de ma mère.

Je m'assieds dans un creux. À l'ouest, je vois les méandres de Cloudy Bay et de Cloudy Lagoon. Je suis le tracé des falaises et, tout à coup, je le reconnais au loin, très loin... Le cap Bruny, un contour flou à la surface de l'océan. Je m'attarde. Je racle les coins et les recoins de ma mémoire.

Au début, je ne distingue pas le phare. Les minutes passent. Je ne vois que les vagues et le ciel changeant. Puis un faisceau de lumière s'échappe d'une échancrure entre les nuages et éclaire la tour – un solide pilier blanc ancré dans le sol, une balise d'espoir émergeant de l'océan de la vie.

Recroquevillé sous les assauts d'un vent glacial, je garde les yeux fixés sur le phare jusqu'à ce que je n'en puisse plus. Puis je redescends m'occuper du gigot. J'ai tout le reste de l'après-midi à consacrer à maman.

DEUXIÈME PARTIE

L'évolution

11

Les conférences à l'Antarctic Division se tiennent dans l'auditorium au sous-sol. L'escalier situé près de la porte d'entrée descend directement dans le foyer, un vaste espace ouvert qui abrite quelques pièces de musée : des photos encadrées et des vitrines remplies de crampons rouillés, de traîneaux à chiens et de vêtements d'explorateurs d'un autre temps. C'est un lieu de rendez-vous parfait : on peut y attendre longtemps sans s'ennuyer.

Ce soir, on y a dressé une table avec des boissons et des petits-fours. Tout le monde bavarde autour du buffet. Les festivités ne vont pas tarder à commencer. Bien entendu, il vaut mieux être accompagné. Hier, j'ai téléphoné à Bazza pour essayer de le persuader de venir, sans résultat. Il prétend que les techniciens comme moi – les diésélistes, les électriciens, les plombiers – fuient en général ces petites sauteries entre scientifiques parce qu'ils ne se sentent pas à la hauteur. Eh bien, cela décrit bien l'impression que j'ai maintenant, même si je sais que je suis plus savant que la plupart d'entre eux sur le chapitre des manchots.

J'ai hésité à venir. Je ne sors pas beaucoup. Mais, depuis la réunion de famille de dimanche, je suis bombardé de coups de fil de Jan, et cette conférence est une bonne excuse pour ne plus avoir à répondre au téléphone. Après avoir vu maman aujourd'hui, j'ai appelé Jan pour l'informer qu'elle restait à Bruny. Que n'ai-je pas entendu ? Ce serait de ma faute si elle mourait là-bas. Tout ce qu'elle m'avait demandé, c'était de la ramener. Et je n'étais arrivé à rien, comme d'habitude.

Je déambule ici et là, je tente de passer inaperçu, je regarde les photos. Ma préférée : L'*Aurora Australis* pris la nuit au bord de la banquise près de la base Davis. Le brise-glace est illuminé à la façon d'un gâteau d'anniversaire. Le ciel est noir avec, tout au fond, des lueurs vertes qui rappellent pourquoi on lui a donné le nom d'aurore australe.

Je sais des tas de choses sur ce navire. Une dimension de quatre-vingt-cinq mètres m'avait semblé impressionnante jusqu'à ce que l'ingénieur me dise qu'ils l'avaient réduite pour se conformer aux contraintes budgétaires. En fin de compte, ils ont obtenu un navire quelconque. Capacité d'accueil : moyenne. Capacité de transport : moyenne. Efficacité du brise-glace : moyenne. Voilà ce qui se produit quand on fabrique un navire au rabais.

Un homme sort de l'auditorium. John Fredricksen, un grand échalas avec une tête trop grosse par rapport à son corps. Je n'ai jamais eu directement affaire à lui, mais je sais qu'il étudie les manchots depuis des années. À l'antdiv, ça se passe comme ça. Dès que quelqu'un se lance dans un domaine, il ne le quitte pas avant la retraite. Les scientifiques fonctionnent en circuit fermé : difficile d'y entrer, difficile d'en sortir.

Fredricksen tape dans ses mains pour obtenir l'attention.

— Par ici, venez prendre vos sièges.

Je suis le flot sans me mêler aux papotages. Les gens s'installent à certaines places comme si leurs noms étaient épinglés aux sièges. Je me mets dans le fond en bout de rangée afin de pouvoir m'échapper rapidement si nécessaire. Sur l'estrade, une jeune femme, petite, brune, vêtue d'un jean et d'un T-shirt, tripote un ordinateur relié à un vidéoprojecteur. Elle cherche un fichier dans son disque dur. Puis elle fait signe de la tête à Fredricksen pour qu'il baisse la lumière. Elle est prête.

Elle se présente : Emma Sutton. Elle a passé trois étés à la base Mawson à observer le manchot Adélie. Les manchots reviennent en début de saison pour se reproduire et repartent avant la fin de l'été. Pour elle, l'étude d'une espèce à cycle de reproduction courte est intéressante car cela lui permet, de retour à Hobart, d'organiser les données recueillies et de prévoir son équipement en vue de la campagne suivante.

Elle s'est concentrée sur le régime alimentaire des manchots Adélie sur une île au large de la base Mawson, l'île de Béchervaise. Depuis des années, chaque individu a été marqué par micropuce. Au cours des derniers étés, Emma et son équipe ont construit une barrière obligeant les manchots qui entrent ou quittent la colonie à passer sur une balance afin de les peser.

Emma raconte comment ils ont équipé certains individus d'un système de localisation et de collecte des données par satellite miniaturisé permettant de les suivre dans leurs trajets une fois qu'ils ont quitté l'île. Lorsque les manchots reviennent après être allés chercher de la nourriture, elle leur ôte la balise qu'ils ont sur le dos. Elle fait la grimace en évoquant l'étape suivante : le lavage d'estomac. En obligeant l'oiseau à régurgiter le poisson qu'il transporte, elle condamne hélas son poussin à une mort certaine. Mais elle obtient ainsi des informations sur les Adélie et leur impact sur la pêche en Antarctique.

À l'évocation de cette forme de torture qu'est le lavage d'estomac, des murmures s'élèvent dans l'assistance. Je n'aime pas non plus tellement cette idée, mais je comprends les raisons d'Emma. Ce qu'elle dit est tout à fait rationnel. Je me demande si cette recherche a abouti à des statistiques de variations dans les zones de pêche. Je m'abstiens toutefois de poser la question car ce ne serait pas chic de ma part de lui demander de justifier son travail devant un public. De toute façon, il serait bien étonnant qu'une bande de manchots augmente les risques de pillage de la mer.

Emma nous montre un tableau détaillé des différentes espèces de poissons collectées, suivi d'une carte des voyages effectués par les manchots. C'est incroyable de voir quelles distances ces oiseaux sont prêts à parcourir pour attraper de quoi nourrir leurs poussins. Et encore plus de voir à quelle profondeur ils sont capables de plonger.

Sur les photos, l'île de Béchervaise paraît rocheuse, sauvage et balayée par le vent. Une petite cabane ronde et rouge est perchée sur des pilotis. Emma montre des photos d'elle debout devant ce refuge, savamment emmitouflée. Elle présente également des clichés de son assistant manipulant les manchots. Puis elle nous décrit par le menu le cycle de reproduction du manchot Adélie en cliquant sur une série de photos de poussins, depuis les petites boules de duvet jusqu'au jeune adulte aux yeux cernés de blanc et au brillant plumage noir et blanc.

Parmi les images, il y en a plusieurs de grands labbes dévorant des œufs abandonnés ou des poussins morts. Cet énorme oiseau brun est le charognard des colonies de manchots. Il vit du malheur des autres. Emma dit qu'ils lui sont sympathiques et qu'elle aime les observer. Après tout, fait-elle remarquer, le grand labbe est bien obligé de se nourrir. Elle a raison. Mais les gens ne voient en général que le mignon petit oiseau duveteux et le sang sur le bec du prédateur.

Quant à moi, c'est l'œil perçant du grand labbe qui me captive. Je reconnais ce regard. C'est celui des membres d'une expédition après un séjour au Pôle, c'est le regard perdu au loin du soldat au retour du champ de bataille. Emma l'a aussi, ce regard.

Ce qui me permet de savoir qu'elle n'est pas rentrée depuis longtemps. Autre indice : les coups d'œil qu'elle jette au public une fois la lumière rallumée. Elle n'a plus l'habitude des murs, elle se sent enfermée. Elle est accoutumée au ciel, au vent, au froid qui peut vous manger les doigts. Cette lueur dans ses yeux rallume une flamme en moi. J'ai envie d'y retourner.

Je laisse les autres sortir de l'auditorium. Emma est occupée à débrancher ses câbles. Elle ne remarque pas tout de suite ma présence. Je reste assis, le cœur battant à tout rompre, alors qu'une idée folle prend racine dans mon esprit.

— Excusez-moi, dis-je en m'avançant finalement dans l'allée.

J'ai la gorge sèche, ma voix est tendue. Elle lève les yeux. Des prunelles noisette. Des pommettes hautes.

— J'ai beaucoup aimé votre conférence. Je suis un fan des manchots.

— Comme tout le monde, non ? me sourit-elle. Ils sont adorables. Mais, en tant que sujets d'étude, pas commodes. Cela dit, je les adore. Il faut être turbulent pour survivre en Antarctique.

J'hésite. Je serre les poings.

— Vous n'êtes pas à la recherche d'un assistant, par hasard ? Je veux dire, vous n'auriez pas besoin de quelqu'un pour vous accompagner la prochaine fois ?

Son sourire se fait distant.

— C'est peu probable. Nous avons tout le temps des demandes. On ne manque pas de candidats. Mais merci quand même.

Elle se remet à remballer son matériel. Elle m'ignore ostensiblement. Ce n'est pas mon genre d'insister, pourtant je reste planté là. D'où me vient ce courage ?

— J'ai un savoir-faire qui pourrait vous être utile. Je suis mécanicien diéséliste...

Elle s'impatiente :

— Mais vous ne connaissez rien aux manchots.

— Si. Je suis déjà allé au froid.

Elle lève les yeux.

— Combien de fois ?

— Juste une.

— Et vous n'y êtes pas retourné ?

— Problèmes familiaux.

— Ah, oui. C'est toujours la même histoire, soupire-t-elle en glissant son ordinateur dans son sac. Alors, pourquoi maintenant ? Ma conférence vous a inspiré ? Les photos de l'Antarctique font cet effet, conclut-elle avec un petit sourire.

Par un léger haussement d'épaules, je lui fis entendre que c'était délicat à expliquer. Comment lui dire que c'est la lueur dans ses yeux qui m'a rappelé mon séjour là-bas ?

— C'est la faune, dis-je. Surtout les oiseaux.

Elle ramasse ses sacs.

— Bon, eh bien, merci. Je vous ferai savoir si j'ai besoin de quelqu'un.

— Je devrais peut-être vous donner mon nom et mon téléphone ?

Avec un soupir, elle repose ses sacs par terre.

— Oui, en effet. Au cas où...

Elle extrait de son sac à dos un bout de papier et un crayon. J'écris mes coordonnées, adresse comprise.

— Merci. Je vous passerai un coup de fil si jamais nous faisons passer des entretiens.

Il fait froid dans la voiture. Jess est roulée en boule sur le plancher. Elle se redresse et me gratifie de son sourire. Nous avons notre petite routine : elle s'attend à ce que je la caresse et lui demande si ça va.

— Que dirais-tu si je repartais en Antarctique ? dis-je en sortant du parking.

Elle halète rapidement, pose son menton sur le siège passager et me regarde. Dans ses yeux se reflète le jaune des éclairages de la rue. Elle ne sait pas de quoi je parle. Ce n'est pas plus mal. Je préfère qu'elle ignore que ma loyauté n'est pas aussi profonde que la sienne.

— Si seulement tu avais le don de la parole. Au moins on pourrait en discuter.

Un coup de klaxon retentit derrière moi. Jess relève aussitôt la tête. Dans le rétroviseur, je vois une petite voiture blanche et Emma au volant. Elle me prend sans doute pour un doux rêveur arrêté à l'intersection avant la grande route. Vexé, je me dépêche de mettre mon clignotant et de tourner à gauche. Emma tourne à droite en direction du centre.

Alors que nous abordons le rond-point, Jess gémit et se tortille. Elle ne sait pas à quoi je pense, mais elle voit bien que je suis soucieux. J'oublie de diminuer l'intensité de mes feux avant de croiser une voiture.

L'automobiliste aveuglé me fait un appel de phares, et ce bref éblouissement est pareil à un éclair qui me transperce l'âme. J'ai l'étrange sensation que mon esprit est un cerf-volant lâché dans le vent. Sur le plancher, Jess halète de plus en plus rapidement. Elle saute sur le siège à côté de moi. Je hurle. Elle retourne se coucher en faisant le gros dos, comme si j'allais la frapper. Je tressaille de culpabilité.

— Pardon, ma Jess.

Je tends la main pour la caresser, au risque de faire une sortie de route.

— Pour me faire pardonner, tu auras du rab ce soir. Une fois n'est pas coutume.

Du rab ! J'enfreins toutes les règles. Comment quelques images de manchots ont pu avoir un tel effet sur moi ?

Je verse les croquettes dans le bol de Jess. Je me fais griller des toasts. Pas un repas extraordinaire, mais pour ce soir, ça ira. Du placard de l'entrée, je sors mon vieux projecteur de diapositives et je l'installe sur une chaise dans le séjour. Je l'allume puis glisse deux bouquins en dessous de manière que le faisceau éclaire le mur à la bonne hauteur. Après quoi, j'y insère le tourniquet pré-chargé et j'éteins les lampes. Jess, qui a terminé son repas, lape un peu d'eau avant de venir se coucher sur le tapis pour la projection, une occupation que nous avons abandonnée depuis longtemps.

De mes quinze mois au pôle Sud, j'ai rapporté des tonnes de diapos. À l'époque, tout le monde faisait de la photo argentique ; nous développions nous-mêmes nos pellicules dans une chambre noire. C'était amusant de tremper le film dans différents bains et de voir l'image apparaître comme par magie. Je suppose que, si je retournais maintenant en Antarctique, il faudrait que je m'équipe d'un appareil numérique. Cela semble être la norme. Bien sûr, je regretterais mon vieux reflex.

Si on jugeait mon séjour en Antarctique à mes diapos, on croirait que le temps était au beau fixe. Mais, quand on reste des mois entiers au même endroit, on choisit ses moments pour prendre des photos. Personne n'aurait l'idée de sortir son appareil dans le blizzard. J'ai tellement d'images. Les baraques colorées de la base. Les formes arrondies des collines de Vestfold. Des phoques de Weddell pareils à des limaces noires sur la glace. Des manchots Adélie glissant en file indienne sur le ventre. Des icebergs roses au soleil couchant. Des vols de pétrels des neiges dans un ciel voilé de gris. Parmi les clichés, cinq retiennent assez mon attention pour que je m'y intéresse longuement.

Un bébé phoque crabier couché sur une plaque de glace à côté de sa mère. De grands yeux noirs et une fourrure brune duveteuse trop grande pour lui. En l'espace de trois semaines, grâce au lait de sa mère, il produira une épaisse couche de graisse. Il grandira, deviendra plus fort tandis que sa mère se ratatinera et perdra ses forces. Non loin, un mâle attend patiemment. Lorsque la femelle sera trop faible pour repousser ses avances, il la séparera de son petit pour s'accoupler avec elle. Dès cet instant, le jeune phoque sera obligé de se débrouiller seul. Le lien entre la mère et son petit est solide, mais seulement pendant une courte durée. La banquise est en perpétuelle transformation. Rien n'est jamais garanti. Les relations sont intenses mais brèves. Telle est l'impermanence des choses en Antarctique.

La deuxième photo, représentant une colonie de manchots Adélie sur l'île Magnetic, au large de la base Davis, est prise du point le plus élevé de l'île. Au loin, des icebergs saisis dans une scintillante banquise d'argent. Une image lumineuse qui rend hommage à la puissance et au caractère éphémère de la lumière de l'Antarctique ; un don qui tient du miracle ; elle illumine votre âme et, l'instant d'après, elle s'est évanouie.

Sur la troisième photo, un phoque de Weddell est couché à moitié sur la glace au bord d'un trou de respiration. En fait, cette femelle se servait de son corps comme d'une passerelle pour aider son petit à sortir de l'eau. J'avais été attiré par des bruits d'éclaboussures et des braiments. Le bébé phoque essayait en vain de trouver un point d'appui pour se hisser hors du trou. Chaque fois que la mère parvenait presque à l'en sortir, il s'affolait et replongeait avec des gargouillis désespérés. Puis on voyait son museau émerger et il se remettait à crier. J'avais observé leur manège pendant quelques minutes. Et quand la mère a finalement trouvé la solution, j'avais appuyé sur le bouton.

Chaque fois que je regarde cette diapo, je me rappelle combien c'est dur de survivre au Pôle, même pour les créatures adaptées à cet environnement difficile. Et une chose est sûre : les hommes n'ont pas leur place en Antarctique. Il ne faudrait surtout pas l'oublier.

Un bébé phoque de Weddell mort dans un creux figure sur la quatrième photo. La chaleur de son corps avait sculpté une tombe dans la glace. Il n'était pas mort depuis longtemps, mais ses yeux avaient déjà été mangés par les grands labbes et les pétrels géants, ceux qui avaient décollé à regret à mon approche. La mort n'est jamais loin en Antarctique. Et, une fois mort, vous êtes la proie des charognards. Cette diapo me rappelle que la mort a son utilité, autant que la vie.

La cinquième photo, je l'ai prise au milieu des immenses icebergs près de la base Davis. J'explorais la zone en ski quand, marquant une halte, je levai les yeux vers les élégantes arabesques que dessinaient ces géants de glace sur le ciel pur. Dans leur ombre bleue, il n'y avait pas de vent. Rien ne bougeait. Un calme absolu. Et dans ce vide sonore, j'avais entendu le son du silence. Mon âme avait été instantanément sous sa coupe. Sous la coupe de l'Antarctique.

J'éteins le projecteur. La pièce retrouve sa tranquillité. Je me sens seul alors que Jess dort à mes pieds sur le tapis. Comme chaque fois, je ne sais pas si le fait de se souvenir est une bonne ou mauvaise chose. Cela réveille chez moi un désir galvanisant de liberté. Mon cœur bat plus fort à la seule idée de retourner là-bas. Puis la culpabilité prend le dessus. Le chagrin de ne pas avoir été au chevet de mon père agonisant. La peur d'être absent si jamais maman... Des fils à la patte... Voilà pourquoi je n'ai pas quitté Hobart depuis si longtemps.

Revoir ces diapositives m'a rappelé les leçons que m'a enseignées le pôle Sud. Je ne sais toujours pas quel usage faire de cette sagesse. Peut-être en fin de compte n'ai-je rien appris qui puisse m'aider à vivre. Et que sais-je de la mort, alors que celle de ma mère plane constamment en suspens au-dessus de moi telle une ombre menaçante ? Depuis l'Antarctique, je n'ai fait qu'attendre. Je n'ai pas eu le courage de vivre, par crainte de nouvelles blessures. Quand la confiance est brisée, il est difficile de la retrouver.

12

L'appel arriva six mois après mon arrivée en Antarctique. La campagne d'été terminée et le dernier bateau parti, les glaces s'étaient refermées sur nous et nous isolaient du reste du monde. Je venais de rentrer d'une randonnée à ski autour des icebergs dans les environs de la base. J'avais poussé jusqu'à l'île Gardner, déserte et silencieuse depuis que les manchots Adélie avaient migré, ne laissant derrière eux que les pierres éparpillées de leurs nids.

Debbie eut l'air surprise de m'entendre. Comme si elle s'attendait à tomber sur un répondeur. Elle me parla d'une voix distante – depuis quelques mois nos conversations étaient poussives.

— Tom. Tu es dans ta chambre ?

— J'allais descendre dîner.

Une odeur de cuisine montait par l'escalier du dortoir.

— C'est l'heure de dîner chez vous ? J'oublie tout le temps cette histoire de décalage horaire.

Au téléphone, Debbie et moi bavardions en général des détails de la vie quotidienne. Debbie me décrivait les rideaux qu'elle avait commandés ou ses achats pour la cuisine. Sa nouvelle teinte de cheveux. Les gens qui l'énervaient au bureau. Son patron. Moi, je lui racontais les menus événements de la base. Les trucs idiots que mes collègues faisaient. Par exemple cette fête à tout casser qu'ils avaient improvisée samedi soir alors que je lisais dans ma chambre. Les corvées de l'atelier. Les complications de la vie en communauté. Mais, cette fois, nous n'avions rien à nous dire. Les autres passaient dans le couloir pour descendre manger. Je me levai de mon lit pour fermer la porte.

— Ça va ?

— Ça va. Bon, non, ça ne va pas du tout, Tom...

Le silence fit grimper d'un cran mon angoisse. C'était l'appel que tous les « hivernants » redoutaient. Celui qui annonçait une mauvaise nouvelle à la maison. Maman ou papa ? Un accident ? Je ne respirais plus.

— Tom ?

— Je suis là, dis-je, mon âme emportée par les bourrasques qui tourbillonnaient dehors, le regard fixé sur la blancheur impénétrable. Un problème avec maman et papa ?

— Ils vont bien. Tout le monde va bien... sauf moi, répondit-elle d'un ton lugubre. Tu es tellement loin.

Très loin, en effet, dans mon désert de glace.

— On savait que ce serait comme ça.

— Comme quoi, Tom ? répondit-elle d'une voix émue. On savait combien la solitude me pèserait ? On savait que je resterais cloîtrée entre quatre murs avec la télé pour seule compagnie ? Pendant que toi tu fais la fête avec tes potes ?

— Je ne vais pas à beaucoup de fêtes.

Je ne me mêlais pas tellement à mes collègues, justement pour mieux penser à elle qui m'attendait chez nous à Hobart. Le temps passait lentement.

— Je me sens tellement seule, Tom.

S'ensuivit un silence. J'étais effondré. Que faire ? Rien ne pouvait remédier à ma désolation. Notre mutisme se prolongea. Je finis par articuler d'une voix méconnaissable :

— Dis-moi un peu où tu en es.

Un autre silence. Puis Debbie déclara d'un ton à la fois sec et hésitant :

— C'est trop dur. Je n'en peux plus.

Un frisson glacé me parcourut.

— Tu étais d'accord... tu disais que ce serait une bonne chose pour nous.

— Je ne me doutais pas que ce serait aussi difficile.

— Il n'y aurait pas quelqu'un à qui tu pourrais te confier ?

— Ils en ont tous marre de m'entendre. L'Antarctique, l'Antarctique, l'Antarctique... Je n'ai pas d'autre sujet de conversation. Comment tu fais, toi ?

— Je travaille.

Toutes ces heures à l'atelier. Le temps qui s'écoulait au fil des machines qui passaient entre mes mains. J'ajoutai :

— Je lis. Je sors de la base dès que je peux. Je suis entouré. Je t'écris...

Silence.

— Tu devrais peut-être parler à un psy de l'antdiv ?

Elle me répondit par un claquement de langue qui en disait long sur son dégoût.

— Pas étonnant qu'ils salarient des psys. Ce genre de chose doit être banal. Qu'est-ce que me dira un psy ? Que je souffre des mêmes symptômes que les autres épouses ?

Silence.

— Je suis désolée, Tom, mais j'ai rencontré quelqu'un.

Je n'entendais plus que le bruit de ma respiration et le vent dehors dont les bourrasques chargées de neige semblaient emporter ma vie.

— Tom. Tu es là ? J'ai dit que j'avais rencontré quelqu'un. Quelqu'un qui est là pour moi.

Un son caverneux. Ma propre voix, comme si je prononçais de très loin :

— Je suis là pour toi.

— Tom, enfin, repartit Debbie. Tu es à l'autre bout du monde. Je ne tiens plus le coup.

— Depuis combien de temps ?

D'un ton moins assuré, elle répondit :

— Pas mal de temps... Je ne savais pas comment te l'annoncer...

La rencontre datait de plusieurs mois. Deux, trois, quatre... Elle avait attendu le retour à Hobart du dernier bateau afin d'être certaine que je ne pourrais pas rentrer. Je n'avais aucun recours. Pourquoi n'avais-je rien vu venir ? Ou alors, si, et j'avais refusé de reconnaître les signaux.

— Qu'est-ce que tu voulais que je te dise ? Réfléchis ! Que je supportais mal que tu sois si loin, que je me sentais vulnérable ?

— Pourquoi pas ?

— Cela n'aurait rien changé. Ces choses-là arrivent, on ne les attend pas. Parfois elles nous tombent dessus une fois que c'est trop tard. Je suis désolée, Tom.

Silence. Un homme se noie en silence.

Elle raccrocha.

Elle m'avait téléphoné au début de l'hiver. Le choc émotionnel m'avait anéanti. Comment accepter ce qui pour moi était inacceptable ? Ma femme avec un autre homme... Mon remplaçant ! Et notre mariage bon à mettre au placard.

Les jours raccourcissaient. Il n'y aurait plus de bateau avant la fin de notre hivernage. La route du retour était coupée.

Au cours des premières semaines, je l'appelais très souvent. Si elle était à la maison, on parlait, elle pleurait.

— Qu'est-ce qu'on pourrait faire ? Je n'ai pas envie que ce soit terminé...

— Rien. C'est trop tard. Tu es coincé là-bas.

— Si tu m'avais dit plus tôt...

— Mais je ne l'ai pas fait. Je t'en prie, ne rejette pas toute la faute sur moi. Je n'ai pas fait exprès.

— Et moi qui suis venu ici pour nous...

— Je suis désolée que ça n'ait pas marché.

— Moi aussi. Je t'aime. Je suis ton mari. Tu es ma femme.

— Je suis désolée, Tom. Combien de fois faut-il que je te le répète ? On n'avait pas prévu ça...

Peut-être aurions-nous dû. Au briefing avant le départ, ils nous avaient donné les statistiques des séparations. Pour les hivernants, c'était effrayant : cela touchait quatre-vingts pour cent des couples. Mais nous ne nous sentions pas concernés. Nous n'avions rien à craindre. Notre union résisterait à tout. Nous étions plus forts que les autres. Et ce pourcentage, ce n'était qu'un chiffre... Nous riions en prononçant le surnom de l'antdiv : la division des mariages brisés et des vies foutues.

Elle refusait de me donner le nom de son nouveau compagnon, ni aucune précision à son sujet.

— Ça ne ferait qu'empirer les choses. Tu dois te remettre en selle et tirer profit de ton séjour en Antarctique. C'est tout ce qu'il te reste à faire.

Elle était patiente et supportait mes longs silences. Parfois, elle ne répondait pas au téléphone. Je rappelais, encore et encore. Cela signifiait qu'elle était avec lui. Ce type. Ils parlaient tous les deux. Ou ils faisaient l'amour. Il était auprès d'elle, et moi, j'étais en Antarctique. Prisonnier de l'hiver. Je ne pouvais même pas me battre pour la garder.

Un jour, elle m'avait demandé de ne plus l'appeler. Elle avait versé trop de larmes, il n'y avait plus rien entre nous deux. Le mieux, c'était d'aller de l'avant.

De l'avant vers où ?

J'étais inconsolable. Même les aurores australes les plus merveilleuses ne me guérissaient pas de ma tristesse. Chaque jour, je me rendais à pied à l'atelier. Je marchais le plus vite possible en prenant de grandes inspirations d'air glacé, tenaillé par la sensation que j'étais en train de tomber en morceaux. Pendant les blizzards, je me forçais à travailler alors que les autres restaient au chaud. Je m'agrippais à la corde qui reliait le dortoir à l'atelier et bravais les pluies d'aiguilles de glace ou la tempête de neige, souhaitant presque que le vent hurlant me balaye de la surface de la banquise. Après m'être bagarré avec la porte pour la fermer, je me cachais sous un moteur dont j'admirais le plan symétrique, parfaitement ordonnancé. Je puisais du réconfort dans le démontage et le remontage des pièces détachées.

Seul dans la salle commune du dortoir, je passais des heures à regarder la lumière décliner sur la baie de Prydz. Plus l'hiver devenait rude, plus je me sentais chez moi. Les ténèbres s'harmonisaient avec mes états d'âme. J'avais envie de souffrir. Comme si une matière noire avait pénétré les replis les plus intimes de mon être, éteignant les moindres lueurs d'espoir.

Autour de moi, la vie continuait. Les deux hivernantes s'étaient trouvé des partenaires, ce qui suscitait des jalousies chez certains. Moi, je m'apercevais à peine des tensions dans le groupe. Les étranges comportements que provoquait la nuit polaire me paraissaient n'avoir aucun sens. Un scientifique se mit à parler à son assiette. Quelqu'un inscrivit nos noms sur nos mugs. Certains piquaient des colères si on s'asseyait sur « leur » chaise. Avec seulement dix-huit personnes en tout, le choix en termes d'affinités était réduit. Les brouilles n'étaient pas toujours passagères.

Vint le plus terrible : la nuit noire vingt-quatre heures sur vingt-quatre. Les autres s'affairaient autour de mon indifférence. Je ne comptais pas les heures que je passais prostré sur mon lit, sans dormir ni manger. Lorsque la lumière du jour refit son apparition, je me sentais vidé de toute mon énergie, broyé par le chagrin.

Le travail me sauva. Par ce froid intense, toute tâche devait être soigneusement planifiée. Avant d'essayer de démarrer une machine qui n'était pas au garage, il fallait commencer par passer trois ou quatre heures rien qu'à la réchauffer. Après un blizzard, des congères bloquaient l'accès aux préfabriqués. Pour déblayer, je devais réchauffer la pelleteuse ou le Bobcat. Quand je parvenais enfin à faire entrer la machine dans l'atelier après un séjour à moins trente degrés sur la glace, l'acier pompait toute la chaleur et il fallait encore patienter deux jours avant que le bâtiment et la machine soient assez chauds pour que je puisse me mettre au travail.

La vitesse avait été bannie de ma vie. Toutefois, c'est au caractère routinier de mon activité que je dois de ne pas m'être effondré. Pas à pas, je refaisais les gestes de ma vie, celle de Tom Mason. Le matin, je prenais ma douche, je descendais, un pied après l'autre, à la salle à manger. La nourriture avait un goût de carton. J'avais la gorge contractée en permanence.

Avec le retour du soleil, je pris l'habitude de marcher autour de la base. Quand ses rayons devinrent moins timides, je poussai jusqu'aux collines et j'observai le ciel. Je trouvais la paix en contemplant les paysages, toute cette immensité, la banquise. La lumière me faisait revivre. Les couleurs de la glace et du firmament me rassuraient : les roses, les mauves, les abricots qui viraient imperceptiblement à l'orange, à l'argenté, au blanc. Peu à peu, je me raccrochais à la vie. À l'atelier, je travaillais à une autre allure. Le printemps était à peine dans ses balbutiements qu'on préparait déjà la campagne d'été. Je me remis à parler aux autres.

Et bientôt les manchots Adélie revinrent en glissant, le ventre sur la glace.

Le premier bateau arriva à la fin octobre.

Après sept mois d'isolement, nous fîmes semblant d'être enchantés de revoir du monde. Seulement nos craintes et nos angoisses ne tardèrent pas à prendre le dessus. Comment allions-nous faire face à l'invasion ?

Qui allait venir ? Comment se conduiraient-ils ? Quels changements leur arrivée imposerait à notre routine ? Nous étions prédisposés à voir en eux des néophytes bruyants qui n'hésiteraient pas à nous bousculer. Ce qu'ils se révélèrent être. Ils nous dérangeaient après les mois de tranquillité dans cette immensité et la nuit noire dont on ne peut parler que lorsqu'on l'a connue. Les « estivants » avaient l'air de considérer que le monde leur appartenait. Ils violaient notre paix et notre intimité. Ils parlaient trop fort, leur enthousiasme nous offusquait.

Je les évitais en me concentrant sur le déchargement du navire. Nous travaillâmes jour et nuit, nous arrêtant à peine pour manger. Les biologistes fraîchement débarqués tournicotaient autour de la base et allaient visiter les îles à ski. Maintenant qu'ils avaient échappé au confinement du bateau, rien n'importait plus que leur bon plaisir. À la salle à manger, ils se moquaient de nos petites manies bizarres – ces balises qui nous avaient guidés pendant la nuit sans fin.

Quand, une fois délesté de son fret, le bateau repartit, je m'assis avec une poignée d'autres hivernants et bus de la bière presque en silence. Des jeunes femmes ivres flirtaient scandaleusement, dansaient en prenant des poses provocantes et riaient à gorge déployée. Le vieux diéséliste à côté de moi poussa un grognement et se leva, sa bière à la main.

— Elles n'ont rien à faire là, dit-il. Ce n'est pas tolérable. Je vais dans ma chambre.

Nous habitions tout à coup dans un autre monde, où l'on pouffait de rire dans les couloirs, où l'on s'entassait dans la salle informatique et où la machine à café était tout le temps prise d'assaut.

Je me réfugiai dans mon atelier. Au moins, au milieu des moteurs, je retrouvais une vie normale. Un ingénieur hélicoptère entra pour réserver un quad.

— Y en a une qui t'a tapé dans l'œil ?

Je tombai des nues.

— Non, marmonnai-je. Je suis marié...

Il rit.

— Je ne pensais pas que ça comptait ici, répliqua-t-il.

Et il me fit un clin d'œil quand je lui donnai les clés.

Comme dans toutes les bases, l'intimité n'existait pas. Il se passa vite le mot que j'avais besoin qu'on me remonte le moral après le naufrage de mon mariage. Certains m'invitèrent à les accompagner sur le terrain. Les scientifiques ne furent pas longs à comprendre que je pouvais leur être très utile. Sur une île éloignée, j'aidai un biologiste à observer le pétrel des neiges. Avec un autre, je capturai et baguai des manchots Adélie. Je participai à l'étude des sorties alimentaires des populations de manchots sur les îles à proximité de la base. J'assistai aussi Sarah, qui travaillait sur le phoque de Weddell. C'était la première fois qu'elle étudiait cette espèce et elle apprécia mes conseils et les connaissances que j'avais acquises l'été précédent.

Un soir, lors d'une fête au dortoir, elle vint vers moi, ivre, et me demanda si je voulais danser. Je refusai gentiment et restai à ma place, contre le mur, ma bière à la main.

— Tu n'as qu'à venir sur le terrain avec moi, me lança-t-elle en retournant sur la piste. Tu devrais sortir de la base plus souvent. Et il me faut un assistant. Il y a eu un tas de naissances dans le Long Fjord.

Le lendemain matin, je préparai mon sac, le sanglai à un quad et la suivis sur la banquise. Nous filâmes bon train, passant devant deux îles prises tels des hummocks noirs dans la glace qui devint aussi lisse qu'une autoroute. Des colonnes de manchots Adélie progressaient vers leurs colonies, leurs plumes noires ébouriffées par le vent.

Comme il était difficile de s'orienter dans les collines de Vestfold, nous étions à la recherche de repères permettant d'arriver jusqu'aux fjords. Tant qu'on n'était pas familier du terrain, impossible de distinguer les unes des autres les collines qui cernaient le dôme gris du plateau. Mais, une fois que l'on savait ce qu'il fallait chercher, elles prenaient des allures amicales. Les fjords gelés nous servaient d'autoroutes où nous foncions sur nos quads.

Les fjords étaient relativement protégés du vent et du blizzard qui se ruait du plateau le long des vallées entre les collines. Certains endroits étaient à l'abri, par exemple autour des îles des fjords. C'était là que, au printemps, les phoques de Weddell donnaient le jour à leurs petits. Les mâles montaient la garde près des trous de respiration qui servaient aux femelles de leur harem à entrer et sortir de l'eau.

En roulant sur les fjords gelés, Sarah et moi passâmes devant plusieurs bandes de phoques somnolents. Nous prîmes soin de ne pas les approcher car nous ne voulions pas les déranger afin de pouvoir revenir plus tard avec le matériel de marquage après avoir déposé nos sacs au refuge.

Brookes Hut – un conteneur d'expédition modifié – apportait une touche rouge au bout de la petite baie en surplomb des glaces marines. Nos quads bondissaient sur les crevasses de marée. La piste se terminait derrière une congère crasseuse. Nous coupâmes le moteur de nos engins devant le refuge. L'intérieur nous parut d'une tranquillité extraordinaire. Le vent n'était plus qu'un grondement extérieur. Nous rangeâmes nos provisions sur les étagères à côté des conserves de haricots, du lait en poudre, des raisins secs et des canettes de bière congelées. Après avoir jeté nos sacs de couchage sur les lits, nous ouvrîmes les petites fenêtres et équipâmes les W-C d'un sac en plastique destiné à être ramené à la base pour être brûlé.

Pendant que Sarah faisait bouillir de l'eau pour le thé, je sortis observer le ballet de minuscules pétrels tempête au plumage brun au-dessus des rochers. La lumière matinale se teintait à présent de gris pâle. La glace était plate et uniforme. Quelque part de l'autre côté du fjord résonnait l'écho du braiment d'un phoque de Weddell. Le gel pénétra mes narines, me tirant des larmes. Le paysage était de toute beauté ; raboteux, rude, sauvage. J'étais content d'avoir échappé à la base, aux ragots et à la mesquinerie des relations humaines. Sarah n'était pas une fille compliquée. Avec elle, il n'y avait jamais de problème. J'étais sûr de passer quelques jours agréables. L'atelier de mécanique pourrait se passer de moi.

Après le thé et du chocolat, nous réunîmes notre matériel avant de repartir, nos quads déchirant le silence. Sarah me guida vers la colonie la plus proche – un tas de grosses limaces tachetées de gris. Après avoir coupé les moteurs, nous restâmes longtemps sans bouger, à l'écoute des rares bruits de gorge et des reniflements. Un petit cria. Un phoque émit un braiment caverneux répété en écho. Puis nous n'entendîmes plus que les craquements de nos crampons sur la glace tandis que nous marchions vers eux.

Nous fîmes le tour du harem en comptant les petits et les femelles. Plusieurs phoques redressèrent leurs museaux pointus pour nous regarder. Ils ouvraient et fermaient les narines, palpant l'air de leurs moustaches blanchâtres. Un mâle se tourna vers nous et déplia ses nageoires arrière, révélant une bague colorée. Les bébés endormis ressemblaient à des sacs de fourrure bruns abandonnés sur la banquise. J'avais pour mission d'escamoter l'un d'eux pendant que Sarah distrayait sa mère avec un drapeau sur une hampe. Une fois que je l'eus attrapé, je me dépêchai d'équiper le petit avant de le relâcher.

La journée fut bonne. Nous réussîmes à baguer un grand nombre de petits et d'adultes. Le soir, Sarah prépara un dîner de légumes frais – reçus par le bateau – que nous dégustâmes avec du vin. Un bon début de saison ! Assis sur le deck du refuge, nous assistâmes au coucher de soleil de minuit en buvant notre vin qui refroidissait à vue d'œil. Nos gants nous gênaient pour tenir notre fourchette.

Après la vaisselle, la partie de cartes. Puis nous tirâmes le rideau de séparation entre nos lits et nous glissâmes dans nos sacs de couchage. Le vent cognait aux fenêtres et s'arc-boutait contre les murs du conteneur. À l'intérieur, il n'y avait pas de bruit. À l'intérieur, on n'avait rien à craindre. Je restai éveillé. Sarah respirait fort, elle dormait. Dans la nuit, je songeais à Debbie, chez nous, couchée auprès d'un homme que je ne connaissais pas.

Comme une ombre, Sarah traversa la pièce. Je m'étais trompé en la croyant endormie. Elle avait dû percevoir mon désarroi dans mon souffle rauque. Elle descendit la fermeture Éclair de mon sac de couchage et s'allongea à côté de moi dans le cocon de plumes. Ses mains étaient douces sur mes bras qu'elles caressaient. Elle était chaude, toute proche.

Je résistais au désir. Avec quelle douceur ses doigts explorèrent mes joues et mes lèvres... Elle prit ma bouche. Je luttais de toutes mes forces, mais même sans me toucher, elle sentit mon érection. J'étais trop malheureux pour refuser.

Elle fut ma planche de salut.

Mon refuge préféré à la base Davis était celui que l'on surnommait le « melon » à cause de sa forme de melon d'eau. Situé à Trajer Ridge, il faut, pour y arriver à partir de la base, traverser un terrain vallonné, grimper jusqu'à un col et longer des vallées rocailleuses. Et puis, soudain, se déploie sous vos pieds un paysage lacustre. Sous un ciel immense, la lumière scintille sur les eaux immobiles d'un lac caché. Ne vous reste plus qu'à y descendre. Au début du printemps, accroupi sur la berge, on observe les chapelets de bulles d'air emprisonnées dans la glace. La saison terminée, la glace fond et le lac se transforme en un miroir étincelant.

Après cette étape, on contourne congères et rochers. Peu à peu, on descend des collines pour se retrouver sur le fjord Ellis gelé. C'est à ce moment-là que l'on s'équipe des crampons. On se traîne sur la glace si longtemps que l'on finit par avoir des ampoules aux talons.

Par une belle journée, la réverbération de la lumière vous chauffe. On transpire. On s'arrête pour enlever une ou plusieurs couches de vêtements. On repart. Tout ce qu'on entend, c'est le bruit de sa respiration et le raclement des crampons. Les collines s'élèvent autour de nous. De temps à autre, là où la glace se heurte au roc, on voit des flaques d'eau libre tels des lacs miniatures en pâte de verre.

Au bout du fjord, un escarpement mène jusqu'au plateau. On suit une crête d'où on a une vue à vol d'oiseau sur les collines désolées. Par temps clair, les plus lointaines se découpent en noir sur le bleu électrique du ciel. L'après-midi venant, la lumière blanchit et écrase le paysage tandis que le lointain se dessine, plus net...

Du sommet de la crête, on aperçoit le dôme rouge du refuge en équilibre sur son rocher plat. Des filins le rattachent à la terre, lui permettant de résister au blizzard le plus féroce, aux vents les plus déchaînés. Au-delà, le plateau est uniformément blanc. Quel soulagement quand on entre dans ce refuge. On n'a plus le poids du sac sur le dos. Sur le deck, on s'ouvre une bière. En chaussettes et en Thermolactyl, le tout propre et sec, on regarde les derniers rayons inonder les collines avant que le froid tombe et vous oblige à rentrer. On fait cuire son repas, on lit, on écoute le vent chanter. La nuit, on se glisse dans son couchage et on attend que le sommeil nous trouve. Le vent se cabre contre les murs et gazouille dans les filins. On entend gémir et frapper à la porte. Recroquevillé dans son lit, on se sent en sécurité. On pourrait être en train de flotter dans une matrice.

C'est la sensation que j'éprouvais avec Sarah au lendemain du désastre qui avait anéanti mon mariage. Tout l'été, elle continua à m'inviter à l'assister sous toutes sortes de prétextes. Je la suivais comme un tou-tou. Les autres ne tardèrent pas à voir en nous un couple. Ce qui arrangeait Sarah. Elle était tranquille : personne ne s'aviserait de la draguer. Dans l'ensemble, les autres ne m'en tenaient pas rigueur. Nous étions discrets et ils étaient tous au courant de mes malheurs. Ils savaient que j'avais dégusté. Ce qui ne les empê-chait pas de me harceler de questions. Sarah était-elle un bon coup ? Comment avais-je pu gagner le gros lot ? Qu'est-ce que ça me faisait de savoir que Sarah avait un petit ami à Hobart ?

Sarah s'abstenait de toute allusion à ce petit ami. Les autres filles avaient des photos du leur affichées dans leur chambre. Sarah n'avait que des clichés de ses parents et de son chat. Je ne l'interrogeais pas sur sa vie et elle ne m'interrogeait pas sur la mienne. Elle appliquait un baume sur mes blessures et je me disais que nos relations pouvaient aller plus loin. À la station, je faisais profil bas, cœur fermé. Sur le terrain, Sarah était mon cocon.

Un jour, l'*Aurora Australis* surgit dans la baie de Prydz avec un nouveau ravitaillement. Le navire devait embarquer quelques hivernants, dont moi. Je confiai à Sarah que j'aimerais la revoir à Hobart à son retour. En guise de réponse, elle me lança un regard glacial, puis elle rit.

— Tu savais pourtant que j'avais un petit ami. Je pensais que tu comprenais.

Je sentis la terre vaciller sous mes pieds.

— Je suis désolée, Tom, ajouta-t-elle, mais je suis fiancée.

— Fiancée ?

— Tu sais comment c'est. Ça ne se fait pas de porter une bague, ici.

Une bague ne se faisait pas, mais coucher avec moi, si. Elle m'embrassa gaiement sur la bouche.

— Viens me retrouver ce soir. Ce sera notre dernière fois.

Pourquoi ai-je obtempéré ? Quel démon m'a mené jusqu'à sa porte ? Pourquoi avoir lacé mes souliers dans le dortoir, mis mon manteau et pataugé dans la neige fondue jusqu'à son préfabriqué où m'attendaient la lumière tamisée des bougies et une musique douce ?

Elle me fit entrer et me déshabilla. En l'espace d'une soirée, je fus de nouveau en miettes. Inutile d'essayer de guérir de Debbie. Il n'y aurait que des rémissions. Des faux-semblants, des pis-aller, des remplaçantes. Pourtant, je laissai Sarah me faire l'amour. Je restai étendu auprès d'elle, dans la chaleur de son corps, avec l'impression d'être un fétu de paille emporté par le vent.

Le lendemain matin, l'hélicoptère déposa ma carcasse à bord du navire et je retournai en Tasmanie.

13

Mary s'était figuré qu'un retour à Cloudy Bay lui procurerait la paix qu'elle y avait puisée dans sa jeunesse. Hélas, l'angoisse avait supplanté les joies de la solitude. L'insomnie gâchait tous ses petits plaisirs. Le bruit du vent, sa toux, ses ruminations à propos de cette satanée lettre, sa peur de voir Jan débouler tout à coup pour la ramener à Hobart, tout cela l'empêchait de dormir. S'ajoutait l'impression que le temps passait trop vite et qu'elle n'aurait pas celui de rendre hommage à Jack. Sur sa liste d'endroits à visiter, elle ne pouvait barrer que Cloudy Corner. Elle avait encore fort à faire.

Sa santé se détériorait, indéniablement. La nuit, elle arrivait à peine à respirer. Les cachets avaient un effet limité. Le repos la fuyait. La lettre quittait rarement ses pensées. Ironique retour des choses. Alors qu'elle était venue sur l'île afin de se délester enfin de sa culpabilité, cette missive lui rappelait sans cesse ce qu'elle avait fait.

Jack était auprès d'elle à Bruny. Sûrement. Elle sentait sa présence dans le silence. Il l'observait, attendait. Parfois il chevauchait le vent. D'autres fois il passait à travers le chalet, invisible. De le savoir tout près la rassurait. Elle qui avait souffert si longtemps d'être seule, elle ne l'était plus tout à fait.

Leon passait la voir. Elle appréciait sa compagnie – elle en avait si peu –, mais pendant ces visites, la tension était palpable. Elle cherchait à tout prix des arguments pour qu'il l'emmène où elle voulait. Elle employait mille ruses pour amener la conversation sur le terrain qui l'arrangeait. Tous ces stratagèmes allaient-ils susciter chez lui de la pitié ou de la colère ?

Il venait tous les jours, comme prévu. Il s'arrêtait le temps de boire le thé et de discuter de la météo. Elle s'efforçait de prolonger ce moment en essayant de trouver un bon prétexte pour l'accompagner pendant sa tournée. Mais elle ne parvenait pas à l'inciter à sortir de sa réserve. La seule chose qui l'intéressait était le phare, et encore, il avait souvent l'esprit ailleurs. Après quoi, il repartait comme s'il était pressé.

Aujourd'hui, toutefois, il était entré en trombe sans un bonjour et avait foncé dans le coin cuisine pour mettre la bouilloire sur le feu. Mary le salua poliment et lui lança une remarque sur la météo. Il la dévisagea d'un air courroucé.

— Comment ça, il fait beau ?

— Il ne pleut pas, fit-elle remarquer. Il n'en faut pas plus à Cloudy Bay.

Toujours furieux, il fit claquer le *Hobart Mercury* sur le plan de travail.

— Voilà le journal. Il date d'hier, mais j'ai pensé que vous aimeriez peut-être voir ce qui se passe ailleurs qu'à Cloudy Bay. Et voilà du lait.

Il rangea la brique de lait dans le frigo avant d'ajouter :

— Vous avez besoin d'autre chose ?

— Ma petite-fille vient me voir ce week-end. Vous n'avez qu'à prendre deux jours de congé.

Alors qu'il lui tournait le dos pour sortir les tasses, elle l'entendit marmonner :

— Les congés, ça n'existe pas.

— Vous devriez peut-être en profiter pour aller voir votre famille... aller pique-niquer quelque part avec eux.

Il pivota sur lui-même. Si ses yeux avaient été des mitraillettes, elle aurait été en mauvaise posture.

— Qui vous dit que j'ai envie de pique-niquer avec ma famille ?

— Oh, c'était juste une suggestion.

— Le pique-nique en famille, très peu pour moi, dit-il en posant les deux tasses sur le comptoir.

— Vous auriez pourtant bien besoin de vous reposer, insista-t-elle.

— En ce moment, je n'en ai pas beaucoup l'occasion, répliqua-t-il du tac au tac.

Le remords alluma une petite lueur au fond de ses yeux au moment même où il prononça ces mots.

— Cela ne durera pas toujours, si c'est là où vous voulez en venir.

— Vous envisagez de rentrer ?

— Pas tout de suite… mais il le faudra bien, au final.

Il lui glissa un coup d'œil furtif. Elle se retint de lui déclarer qu'elle avait l'intention de rester ici jusqu'à sa mort.

— Vous voulez bien m'apporter mes cachets ? demanda-t-elle.

Il servit le thé, lui donna ses cachets et s'assit sur une chaise pendant qu'elle avalait ses médicaments. S'ensuivit un long silence. Ils burent leur thé à petites gorgées et regardèrent par la fenêtre. Finalement, il se tourna vers elle. Sa hargne s'était évaporée dans l'atmosphère tranquille de la pièce.

— Le week-end prochain, des scouts vont venir camper à Cloudy Corner.

— Cela ne me dérange pas. Je ne les entendrai pas d'ici.

— Je pensais que vous pourriez discuter avec eux.

— J'irai leur dire bonjour.

Il hocha la tête.

— Ce n'est pas ce que je voulais dire. Vous pourriez leur raconter votre vie de femme de gardien de phare. Je suis sûr que ça les passionnerait.

Elle fut prise d'une quinte de toux. Une fois remise, elle rétorqua, agacée :

— Comme vous le voyez, je peux à peine aligner deux phrases.

— Vous n'aurez pas à parler longtemps, dit-il en se penchant vers elle.

Elle se tut. C'était peut-être là une opportunité à saisir. Ravalant son irritation, elle opina et prononça lentement :

— Entendu. Je leur parlerai... en échange d'une promenade.

Il fit la grimace.

— Où ça ?

— Au mont Mangana.

— C'est de la folie. Vous ne ferez pas vingt mètres sur le sentier.

— Je n'ai pas besoin de marcher. Je veux juste traverser la forêt en voiture.

— Quand ?

— Maintenant ?

Contre toute attente, il accepta. D'un air toujours aussi bourru, il la porta jusqu'au siège passager de son 4 × 4.

Les mouettes s'envolaient devant le véhicule allant à toute vitesse sur la plage.

Mary baissa sa vitre pour laisser entrer l'air pur. En dépit de la mauvaise humeur de Leon, elle savourait son triomphe. Elle ne pouvait retenir un sourire. Bientôt, elle serait en mesure de biffer une ligne supplémentaire de sa liste. Et puis, c'était merveilleux de s'échapper du chalet. Le sable fouetté par les embruns. Un océan de lumière perlée scintillante. Le monde était beau et elle en faisait partie, là, lancée à une allure extravagante. Le soleil échancrait les nuages et étincelait sur les flots.

Au bout de la plage, près du lagon, Leon monta sur la route et s'arrêta au parking de Whalebone Point. Il prit du papier toilette sur la banquette arrière et descendit du véhicule.

— J'en ai pour une minute.

Il traversa le tarmac, tête baissée, épaules rondes. Qu'est-ce qui pouvait bien travailler ce garçon ? se demanda Mary. Elle aurait aimé pouvoir lui poser directement la question, mais son attitude décourageait toute investigation.

Quand il grimpa dans le 4 × 4, il remonta la vitre de Mary.

— Nous allons rouler vite sur la route. Je ne veux pas que vous vous envoliez.

En sortant du parking, ils passèrent devant le camping. Un homme allumait un réchaud. Une femme, sans doute la sienne, pliait une tente. Leon leur fit un grand signe.

— C'est gentil de votre part, commenta Mary.

Il poussa un grognement.

— On me paye pour que je sois gentil avec les gens.

Ils passèrent devant des prés parsemés de moutons et de fougères arborescentes. La végétation côtière céda bientôt la place à des champs verdoyants où broutaient des hereford. Ici, de vrais arbres bordaient la route. De temps à autre apparaissaient des cottages pittoresques et de minces volutes de fumée montant des cheminées. Sur les pentes des montagnes, des zones désertes témoignaient de récentes opérations de déboisement.

— Vous ne pourriez pas ralentir un peu ?

Ils se rapprochaient de la vieille ferme des Mason et du cottage de son oncle et de sa tante. Cela faisait des années que les deux propriétés avaient fusionné. La maison natale de Jack avait été démolie, le cottage de son oncle rénové. Il servait de gîte aux touristes désireux de goûter aux charmes de l'île Bruny. La vieille grange avait disparu. Ce qui n'avait rien de surprenant, étant donné les intempéries auxquelles elle avait été soumise depuis tout ce temps.

— Arrêtez-vous ici, dit-elle alors qu'ils allaient passer devant le portail.

— Qu'est-ce que c'est ? s'enquit Leon, curieux malgré lui.

— C'est ici que j'habitais autrefois, l'informa-t-elle en désignant le cottage. La famille de Jack vivait dans la maison d'à côté, qui a été démolie.

— Vous êtes triste ?

Elle haussa les épaules.

— Je ne sais pas. Nostalgique, sûrement. On y a passé de si bons moments. La ferme a été pour nous un havre de paix.

Leon laissa le moteur tourner à l'arrêt et les vibrations du véhicule semblaient en phase avec le rythme de la vie – le fil du temps se déroulant à l'envers à travers les ans et les saisons.

— Quand on avait des vacances, on venait ici.

— Pourquoi ici? Pourquoi pas plus loin? À Bicheno, ou à Victoria? Un endroit différent...

— Jack ne gagnait pas grand-chose à l'époque, et nos congés étaient courts. Parfois, nous allions rendre visite à mes parents à Hobart. Mais nous venions ici en général.

Elle examina de nouveau le cottage. Rose était restée longtemps à tourner autour de la ferme des Mason. Mary s'était toujours arrangée pour que ses enfants ne croisent pas son chemin. Les années n'avaient rien changé à l'opinion qu'elle avait de sa belle-sœur : une femme coquette et centrée sur elle-même. Mary n'avait pas de temps à perdre avec ce genre de personne. Pourtant, les visites à la ferme faisaient toujours du bien à Jack. Dans ces champs, ce vent, il se détendait. Leurs loisirs, peu nombreux, étaient des joies simples : la pêche à Cloudy Bay, les pique-niques en montagne, les fish and chips à Lunawanna. Mary retrouvait par instants le Jack d'autrefois. Il souriait plus souvent, on entendait davantage sa voix. Il jouait avec les enfants aux échecs, au Monopoly. Tout ce qu'il ne faisait jamais au phare. Sous les draps, ils se blottissaient dans les bras l'un de l'autre. Ils ne faisaient pas l'amour, mais il l'étreignait et elle sentait son souffle dans ses cheveux. Elle se rappelait qu'elle l'aimait.

Des larmes embuèrent ses yeux. Elle fit signe à Leon de redémarrer.

— Ça va?

— Ça va aller, répondit-elle.

Juste avant Lunawanna, il tourna sur Adventure Bay Road. Ils se mirent à grimper à travers la forêt. Le 4 × 4 ralentit à mesure que la route de graviers se creusait de nids-de-poule. C'était le trajet quotidien de Leon. Aller-retour à Cloudy Bay. Petit à petit, les arbres entre lesquels ils zigzaguaient grandirent, leurs fûts se redressèrent, le sous-bois s'épaissit autour des troncs cernés de corrées de Lawrence, ces arbres endémiques de l'Australie. Plus ils montaient, plus le chemin devenait mouillé. Les cimes des arbres étaient des flèches perçant des nuées de brume.

— On peut s'arrêter près de la scierie ? dit Mary. Je voudrais sortir humer l'air.

Encore un élément de sa liste.

Leon se gara sur un dégagement à proximité du site de l'ancienne scierie, Clennett's Mill.

— Pourquoi ici ? s'étonna-t-il. Il n'y a plus que de la ferraille enfouie dans la broussaille.

— C'est là que le frère de Jack travaillait, dans le temps. Nous y montions parfois. Je veux me souvenir.

Il lui tendit la main pour l'aider à descendre du 4 × 4. Elle fit basculer ses jambes sur le côté. Comme elle était faible, il dut la prendre fermement par le bras pour l'empêcher de tomber. Une fois debout, elle s'écarta afin d'établir entre eux une distance aussi opaque qu'un nuage. Elle était déterminée à tirer de ce lieu la mémoire du passé. Sous ses pieds, un morceau d'écorce imbibée d'eau. L'air fleurait bon la menthe sauvage et les feuilles d'eucalyptus.

Quarante, ou plutôt cinquante ans plus tôt, Frank abattait ici des arbres tutélaires aux fûts gigantesques. Aujourd'hui, il n'y avait plus que des arbustes. Le renouvellement des peuplements était trop rapide. Les copeaux avaient remplacé les billes de pied. La forêt ne serait plus jamais la même, en dépit de ce que prétendaient les agronomes, mais c'était quand même beau. Mary tenta de respirer à fond en s'efforçant d'ignorer la sensation d'étouffement qui lui étreignait la poitrine.

À la cime des arbres, les feuilles bruissaient dans le vent. Des gouttes créées par la condensation du brouillard tombaient sur le haut de sa tête. Les doigts mouillés de la brume lui caressaient les joues. Elle ferma les yeux en espérant que les années s'effaceraient pour lui permettre de se fondre dans la grandeur éternelle de la forêt et de se retrouver au côté de Jack. Sous cette canopée, ils s'étaient embrassés avec passion, et peu leur importait d'être surpris. Elle se rappelait le chant de la brise. Le grincement lointain des scies. Le grognement des treuils. Des cris le long des rails du tramway.

Après leur déménagement à Hobart, Frank était mort ici même. Il manipulait une scie. Ils abattaient un arbre immense et Frank avait manqué de réflexe. Il était mort sur le coup. Un horrible accident, violent, dévastateur.

Frank avait été le fils joyeux, toujours prêt à sortir une vanne et à amuser la galerie. Sa disparition avait été un drame pour les Mason. Il manquait à tous, surtout à son frère aîné, Sam, dont il avait été très proche. Il ne laissait qu'un maigre héritage. Au lieu de retourner dans sa famille, Rose avait demandé à rester à la ferme. Mary savait qu'elle préférait se décharger sur sa sœur cadette de ses devoirs envers sa mère malade. Cela choquait Mary, mais celle-ci ne pouvait pas en parler aux parents de Jack qui se sentaient obligés de s'occuper d'elle.

Que se serait-il passé si Frank n'était pas mort ou si Rose était retournée auprès des siens ? C'était une question que Mary s'était souvent posée. Mais le passé est mort. On ne le réécrit pas. Rose en faisait partie. En s'imprégnant de la brume et des odeurs de la forêt, Mary se concentra sur le plaisir d'être là. Le temps passé miroitait sur les feuilles, mais rien ne pouvait être changé. Elle devait lâcher prise. L'heure était venue d'accepter.

Combien de temps Leon la laissa plantée au milieu du sous-bois humide ? Toujours est-il qu'à un moment donné il vint la prendre par le bras pour la reconduire au 4 × 4. Ils redescendirent de la montagne avec le chauffage à fond. Les arbres défilaient. Fatiguée, elle finit par somnoler à moitié.

Alors qu'ils longeaient Cloudy Bay en direction du chalet, elle lui offrit un sourire reconnaissant. Il avait été tellement patient, tellement compréhensif... Grâce à lui – mais cela, elle ne pouvait pas le lui dire –, elle avait atteint un des objectifs de son pèlerinage en mémoire de Jack. À ce remerciement muet, il acquiesça d'un signe de tête.

— Je vous verrai demain ?

— Oui, bien sûr. Demain on est vendredi et vous n'aurez pas de visite avant le week-end.

Il remonta sa manche pour consulter sa montre. Sur sa peau claire parsemée de taches de son, Mary remarqua des ecchymoses, allant du violet foncé au jaune vert, dont la forme rappelait celle de doigts.

— Qu'est-ce que c'est ? souffla-t-elle d'une voix gutturale.

S'était-il battu ?

Il jeta un coup d'œil à son poignet et se renfrogna.

— C'est rien.

Il baissa sa manche et fixa le pare-brise, fuyant son regard. Le pli de ses lèvres disait qu'il souhaitait le silence.

Elle entra dans le chalet à son bras. Elle brûlait de l'interroger. Quelqu'un l'avait-il blessé ? Avait-il fait du mal à autrui ? Elle le connaissait à peine. Il semblait parfois tellement sombre. Risquait-il de la frapper ? Ou bien était-il du genre à s'automutiler ?

Alors qu'il l'aidait à s'installer sur le canapé, elle tenta de cacher son désarroi. L'instant d'après, il était parti. Elle entendit le 4 × 4 démarrer en trombe. Elle se leva pour aller à la fenêtre. Il traversa la plage comme une flèche, emportant avec lui son secret. Mais il serait bientôt de retour. Ces bleus sur ses poignets étaient la clé du mystère de son exil volontaire sur Bruny. Elle en était convaincue. L'exil était un sujet qu'elle comprenait.

Retournant au canapé, elle s'enveloppa dans le plaid et laissa libre cours à ses souvenirs. L'histoire, son histoire, se déroula dans son esprit avec une clarté limpide. Cela s'était passé à la saison des pommes. Elle avait seize ans. Ces dix jours avaient changé sa vie. C'était le moment où la récolte des pommes mûres attirait la foule à Hobart. Des cageots de bois arrivaient des quatre coins du pays. En camion, en train, pour ensuite être embarqués sur des navires à vapeur, à destination des pays d'outre-mer. Les saisonniers affluaient pour la cueillette. Des stands se multipliaient dans les rues, proposant toutes sortes de variétés : Cox orange, Monroe, Ribston Pippin, Rome Beauty, New York, Sturmer Pippin et Democrats.

Elle se rappelait l'odeur des pommes en train de cuire. La vieille maison de ses parents à North Hobart en était remplie. Les couloirs étaient toujours encombrés de cageots. Ils mangeaient des pommes sous toutes leurs formes : tarte, cake, crumble, compote. Elle passait des heures à la cuisine avec sa mère à peler et à cuire les fruits. Autour du fourneau et des casseroles, il faisait chaud. À la fin de la journée, elle sortait marcher un peu. L'odeur du fruit lui collait à la peau.

Un après-midi, au parc, elle s'était arrêtée pour observer un jeune homme jouant à poursuivre un chien sur la pelouse. Tous deux débordaient d'énergie. Même s'ils avaient l'air un peu idiots à courir comme des fous dans les feuilles mortes en criant et en aboyant, le spectacle était très amusant. À regret, elle se détourna. Du travail l'attendait à la maison.

Un cri la fit se retourner. Le jeune homme la rattrapait à grandes enjambées. Elle s'arrêta en se disant qu'il était peut-être de la paroisse, que ses parents le connaissaient. Arrivé à une dizaine de pas d'elle, il pila en donnant un grand coup de pied dans un tas de feuilles. Puis, en riant, il attrapa son chien qui avait sauté d'un bond dans ses bras.

— Je m'appelle Adam, dit-il.

Il posa le chien et s'approcha, la main tendue. Il avait une poignée de main ferme et chaude. Un sourire charmant.

— Je m'appelle Mary, dit-elle, timide. Vous habitez par ici ?

— Non.

Toujours souriant, il lâcha sa main en précisant :

— Je ne suis pas souvent à Hobart. Je viens pour la récolte. Mais, aujourd'hui, j'en avais assez de ramasser des pommes. J'ai déserté ces fichues échelles pour venir me dégourdir les jambes dans le parc. Dites-moi, qu'est-ce que font les filles à Hobart par une journée d'automne, quand le vent souffle ?

— Elles pèlent et coupent des pommes.

Ils éclatèrent de rire.

— Moi, j'en ai soupé ! Cela fait des semaines que je grimpe aux arbres et que je remplis des cageots. Si je n'avais pas besoin de fric, il y a longtemps que je serais reparti.

— Ça paye bien ?

— Pas vraiment. Et les dortoirs sont moches, sombres et vétustes. Mais voilà, c'est ma vie. Et puis j'aime bien être sur la route.

Il se tut et passa une main dans ses cheveux blonds coiffés à la diable.

— Vous voyez, Mary, reprit-il en appuyant son nom d'un nouveau sourire. C'est beaucoup plus drôle de passer l'après-midi à explorer Hobart. Et je suis ravi de vous avoir rencontrée. On se promène un peu ?

Il lui jeta un coup d'œil plein d'espoir. Elle rit.

— Bon, d'accord. Mais une toute petite promenade. Il faut que je sois à l'heure pour le dîner.

Ils longèrent le vieux mur de pierre, les feuilles mortes bruissant autour de leurs chevilles.

— Je viens du Nord, l'informa-t-il. Nous descendons vers le sud à mesure que les fruits mûrissent, de verger en verger. J'ai commencé à Devonport. Puis Beaconsfield et George Town. Quand j'aurai fini ici, j'irai passer quelques semaines dans la vallée Huon. Puis j'irai voir s'il reste encore des poires sur la presqu'île Tasman.

— Vous voyagez beaucoup. Vous ne vous arrêtez jamais ?

Il haussa les épaules.

— Je cueille des fruits depuis que j'ai quinze ans. C'est tout ce que je sais faire. Je suis de Tasmanie, mais je n'hésite pas à traverser le détroit de Bass pour la saison dans les environs de Victoria. Là-haut, on ramasse des raisins, des poires et des oranges. Mais, pour les pommes, la Tasmanie est imbattable. J'ai

du travail pour plusieurs semaines. Ensuite, je retour-
nerai au Nord. Je trouverai peut-être un boulot dans
une ferme. Mais ce que j'aime surtout, c'est voir du
pays. C'est super de découvrir des nouveaux endroits.

Ils bavardèrent ainsi en marchant pendant une
heure. Mary le bombarda de questions. Pour sa part,
elle n'avait pas grand-chose à raconter et il prenait
manifestement plaisir à lui décrire un monde qu'elle
n'avait jamais vu. En rentrant chez elle, elle ne pensait plus qu'à lui, le cœur battant. Elle ne dit rien à
ses parents. Sans doute ne seraient-ils pas contents de
savoir qu'elle avait parlé à un inconnu.

Le lendemain, elle retourna au parc en espérant
revoir Adam. Il était là, adossé au mur de pierre. Il la
salua d'un beau sourire. Ce fut le début d'une grande
désillusion. Chaque après-midi, elle disait à sa mère
qu'elle sortait marcher un peu. Elle retrouvait Adam
après sa journée de travail. Ils s'asseyaient sur l'herbe,
le dos au mur de pierre, et reprenaient le fil de la
conversation de la veille. Jusque-là, elle n'avait jamais
osé envisager une autre vie que celle de ses parents.
Adam lui offrait un horizon élargi. Il lui insufflait du
courage. Elle n'aurait pas cru qu'on pouvait parler
comme ça à quelqu'un.

Leur attraction était mutuelle et teintée de magie.
Elle était séduite par son côté bourlingueur, sûr de
lui, et lui par sa candeur, la douceur de son innocence. Une jeune fille en fleur remplie d'espérances.
Elle l'imaginait menant une vie aventureuse, à l'op-
posé de la sienne. Il lui disait qu'il avait été témoin

d'incidents sordides auxquels il valait mieux qu'elle n'assiste jamais : bagarres, violences conjugales, jeux d'argent, vols. L'abus d'alcool aidant, la condition humaine dans les dortoirs des saisonniers était plutôt sordide. Il préférait ne pas se mêler aux autres, mais pour se défendre, il avait été obligé de faire certaines choses. Un sujet sur lequel il ne voulait pas s'étendre davantage.

Il était parti très jeune de chez lui pour échapper à un père trop sévère et aigri par la vie. Il était mieux tout seul que soumis aux critiques et aux insultes paternelles. Sa mère avait été très triste de le voir partir. Pauvre femme opprimée. Il lui écrivait régulièrement, mais il n'était jamais rentré. Il roulait sa bosse, il voyait toutes sortes de paysages, rencontrait des gens. Il n'était jamais plus heureux que lorsqu'il était sur la route.

En l'écoutant, Mary avait l'impression que le monde devenait plus grand. Elle était persuadée qu'ils étaient faits l'un pour l'autre. Puis, cinq jours après leur première rencontre, une page se tourna. Assis sur l'herbe dans un coin reculé du parc, ils parlaient comme d'habitude, élaborant des projets de voyages, quand, soudain, ils se turent. Adam la dévorait du regard. Son visage était radieux. Mary eut la sensation que le temps était suspendu en plein vol. Entre eux s'était glissé quelque chose de neuf, quelque chose de plus léger que l'air.

Il prit sa main dans la sienne. La chaude étreinte de ses doigts. Les yeux du garçon plongèrent dans les siens. Un regard de feu liquide où brûlait une question muette. Un frisson délicieux courut le long de son bras jusqu'au bout de ses ongles. Ce n'était pas bien. Il n'avait pas le droit de la regarder ainsi. Elle ne devait pas le laisser faire. Pourtant, c'était plus fort qu'elle, elle était ensorcelée.

Devina-t-il son trouble ? Toujours est-il que, l'espace d'un instant, l'intensité de son regard baissa. Elle en profita pour se détourner mais elle ne reprit pas pour autant sa main. Elle savait que c'était mal. D'un autre côté, il méritait sûrement sa confiance. Elle avait envie de s'évader avec lui de la vie ordinaire.

Même maintenant, alors que des dizaines d'années la séparaient de ce moment, Mary se rappelait le sourire sur les lèvres ourlées du garçon.

Elle avait donné son feu vert à un autre genre d'exploration. Il retourna sa main et se mit à tracer des lignes et des cercles sur sa paume. Affolée par les palpitations dans son ventre, elle recroquevilla les orteils. Du bout de ses doigts, il remonta jusqu'à son poignet. Un chatouillis exaspérant. Soudain, un brasier s'alluma en elle et elle voulut sentir ses doigts sur son visage, ses bras, sous ses vêtements.

Elle vit alors dans son regard qu'il savait. La honte lui donna la force de s'écarter de lui. Elle n'était pas ce genre de fille. Pour qui la prenait-il ? Et pourtant, elle lui abandonna sa main car, au fond, c'était ce qu'elle voulait. Elle ne pouvait pas se mentir à elle-même. Tout doucement, il remonta sa manche et promena ses doigts sur son bras jusqu'à la chair tendre du coude. Elle tressaillait de toutes les fibres de son corps. Elle était une rose qui s'ouvrait. Rien d'autre ne comptait plus. Un incendie se propageait en elle. Elle était perdue dans une mer de sensations.

À la fin de la semaine, ils s'embrassèrent.

Pourquoi est-ce que tout allait si vite ? Elle était paniquée. L'urgence la rendait audacieuse, presque brutale. Elle l'attirait à elle et s'enivrait au goût de ses baisers. Il ne la brusquait jamais. Il demeurait calme, maître de lui. Il lui imposait des limites avec un sourire. Entre deux baisers, ils parlaient. Ils faisaient des projets d'avenir. Rêves de cottage et de verger. Elle apprenait les gammes de la passion. Lui avait enfin trouvé une fille vertueuse. Une fille qui n'avait pas été abîmée par la vie. Une fille qui l'adorait.

Et puis, un jour, ses parents avaient su. Son père rentrait à pied à la maison quand il les avait surpris en train de s'embrasser. Il avait crié son nom si fort qu'on l'avait entendu aux quatre coins du parc. Horrifiée, elle s'était arrachée à l'étreinte d'Adam et avait foncé chez elle. Son père avait claqué la porte d'entrée à en ébranler les murs. Réfugiée dans sa chambre, elle avait écouté les éclats de voix dans la cuisine. Les exclamations incrédules de sa mère.

Un coup frappé à la porte plongea la maison dans le silence. Mary courut se poster en haut de l'escalier mais d'en bas, son père leva sur elle un regard furibond et d'un geste la renvoya dans sa chambre. Elle obtempéra, la mort dans l'âme, trop effrayée pour oser désobéir. Par la fenêtre de sa chambre, elle aperçut Adam. Son père sortit. Elle vit son dos raide, son attitude hostile. Elle comprit qu'Adam se présentait tandis que son père, toujours si peu aimable, ne daigna même pas échanger une poignée de main avec lui. Devant lui, Adam semblait triste, intimidé. Elle les suivit des yeux alors qu'ils s'éloignaient. La haie les déroba à sa vue.

Son père revint trop vite. Ils n'avaient sûrement pas eu le temps de parler tous les deux. Le jeune homme n'avait pas pu montrer à son père qui il était et combien il était un garçon formidable. Elle fut convoquée à la cuisine par l'injonction sonore de l'autorité paternelle. Ses parents la prièrent de s'asseoir. Ils discutèrent comme si elle n'était pas là.

— Un saisonnier ! Et quoi encore ? prononça son père d'un ton de mépris. On ne peut pas lui faire confiance. Elle fait n'importe quoi.

— Qu'est-ce qu'on peut y faire ? rétorqua sa mère, l'image même de la contrariété.

Son père avait toujours réponse à tout.

— Je l'ai envoyé au diable. Il ne reviendra pas.

Le cœur de Mary se serra. Elle respirait à peine.

— Et avec elle, qu'est-ce qu'on va faire ?

— On va l'envoyer chez ton frère, à Bruny. À la ferme, elle sera loin.

À table, pendant qu'elle arrosait son assiette de larmes, ils organisèrent son avenir. Elle n'était pas autorisée à poser de question. Elle devait faire sa valise et être prête à partir le lendemain matin. Ses parents n'étaient pas méchants. Ils agissaient ainsi pour son bien. Plus tard, elle comprendrait.

Elle fit sa valise, comme ils l'avaient exigé. Elle se tint à la fenêtre de sa chambre, scrutant la nuit noire, se demandant si Adam l'attendait quelque part. Elle l'aimait et voulait s'enfuir avec lui. Mais comment sortir ? Son père avait verrouillé les portes. Et où le retrouver ?

À son impuissance se mêlait une cuisante humiliation. Mais que pouvait-elle faire ? Elle était jeune et ses parents étaient responsables d'elle. Elle n'osait pas leur désobéir.

Avant l'aube, elle était dans le bus pour Middleton où elle prendrait le ferry. Dans l'ombre, Jack attendait. Jack et son avenir. Jack, si tranquille et sérieux. Jack, qui n'avait rien à voir avec Adam. Voilà vers quoi la menait son exil.

14

Leon s'éloigna du chalet en roulant à toute allure sur la plage de Cloudy Bay. Cela allait devenir une habitude. Pourtant, leur petite virée à la montagne avait été paisible, tout comme le chemin du retour. Mrs Mason était fatiguée par les réminiscences et le froid. Oui, cela avait été presque agréable. Bien entendu, l'atmosphère demeurait tendue entre eux deux, mais au moins, ils étaient sincères. Il appréciait la franchise de leurs relations. Personne ne faisait semblant d'être content. Il détestait les démonstrations excessives de politesse. Sa mère le traitait souvent d'ours mal léché, mais cela lui était égal.

Quel dommage qu'il ait tout gâché. Qu'est-ce qui lui avait pris de relever sa manche pour vérifier l'heure ? Il aurait aussi bien pu la lire sur le tableau de bord. Sans doute l'habitude... Il avait tendance à être obsédé par sa montre. Surtout à la fin de la journée, quand approchait le moment où son père rentrait à la maison.

Bon, Mrs Mason avait vu ses ecchymoses, et après ? Cela ne la regardait pas. Même si elle lui posait des questions la prochaine fois, il n'était pas obligé d'y répondre. Il était très habile quand il s'agissait de se défiler. De toute façon, à quel titre exigerait-elle des explications ? D'un autre côté, s'il souhaitait en savoir plus sur le phare...

Il s'était souvent demandé à quoi ressemblait la vie au phare à l'époque où il fonctionnait encore. Une fois par semaine au moins, sa tournée l'emmenait jusqu'au cap Bruny et à la péninsule Labillardière. Quand il avait le temps, il poussait jusqu'au bout de la route du cap et garait son 4 × 4 sur le parking derrière les cottages, puis il grimpait la colline. Le phare se dressait tel le symbole d'une gloire passée. Il rêvait de le voir dans la nuit, son faisceau balayant le littoral et la mer.

La nature au cap était si sauvage qu'on avait l'impression de se trouver au bout de la Terre. Il s'asseyait sur un banc de bois – construit à la mémoire d'un jeune homme précipité sur les récifs alors qu'il observait les oiseaux de mer. Par temps clair, lorsque les hauts-fonds étaient visibles, Leon se sentait proche de ce jeune homme. Seule une grande et folle passion avait pu l'habiter pour qu'il vienne camper sur ces rochers. Il y avait pourtant arrimé sa tente mais il n'avait pas prévu la vague scélérate. Leon imaginait cette grosse vague, gonflant avant de se briser sur la tente, d'en déchirer la toile, d'emporter le corps blotti à l'intérieur. Puis il regardait les rochers déserts. Une jeune vie balayée. Quelle horreur pour ses amis qui étaient venus le chercher à la date prévue. Ils avaient trouvé la falaise abritant ses occupants ailés habituels, mais aucun visage souriant ne s'était levé vers eux, aucune main ne les avait salués gaiement.

Par mauvais temps, il était réconfortant de braver les intempéries assis au pied de la tour. Il contemplait la houle dont les lignes de crête se confondaient avec la ouate grise de la brume. S'il empruntait le sentier à partir du phare, il pouvait voir les vagues se ruer sur les hautes falaises de l'île Courts.

Parfois, quand il montait du parking, il tombait sur Tony et Diane, le gardien et sa femme. Ils se montraient tous les deux aimables avec lui, le considérant comme l'un des leurs. Ils avaient déjà occupé ce poste avant la fermeture de l'ancien phare et ne cachaient pas leur antipathie pour les touristes. Le phare était un monument historique, conservé en l'état pour être visité, pourtant, tout dans leur attitude disait qu'ils avaient affaire à des importuns qui n'avaient pas le droit de déambuler à leur guise sur la colline.

Tony et Diane faisaient partie du paysage, affichant un visage aussi raviné que les falaises. Même s'ils le saluaient toujours gentiment, ils gardaient leurs distances. Pas une seule fois, ils ne lui avaient proposé une tasse de thé. Leon respectait le besoin des autres de préserver leur vie privée.

Pendant sa formation de garde forestier, il avait commencé à s'intéresser à l'histoire locale. Contrairement à ses camarades qui se contentaient d'apprendre le manuel et de recracher la leçon à l'examen, il s'était pris de passion pour le sujet. L'étude de l'histoire, de son point de vue, permettait de mieux comprendre d'où il venait. Ce pays assoupi que ses parents considéraient comme le leur. Plus il creusait le passé de l'île Bruny et de son phare, plus il était curieux, non seulement des faits mais aussi des sentiments qui avaient animé les gens qui vivaient là autrefois.

Mrs Mason lui avait conseillé de louer le cottage des gardiens pour quelques jours, mais Leon estimait avoir déjà une bonne idée de la vie qu'on y menait aujourd'hui et puis il était venu au phare par tous les temps. Non, ce qu'il voulait savoir, c'était ce que l'on éprouvait à l'époque où on y était complètement coupé du reste du monde. Au temps de Mrs Mason, et même avant. Il avait consulté les archives à la bibliothèque d'Alonnah. Des boîtes remplies de vieilles coupures de presse et de bulletins d'information sur l'agriculture, la sylviculture et, bien sûr, le phare.

Ses lectures l'avaient laissé sur sa faim. Tony et Diane n'étant pas très communicatifs, il pensait que Mrs Mason pourrait lui fournir de précieux renseignements. Si elle acceptait de parler aux scouts, il glanerait des anecdotes supplémentaires, ce qui lui permettrait ensuite de poser les questions propres à raviver ses souvenirs. En y repensant, leur expédition dans la forêt n'avait pas été inutile, même si elle avait vu les ecchymoses. Il se promit d'être plus prudent à l'avenir. Il boutonnerait ses manches afin de ne pas être tenté de les remonter.

Il vérifia de nouveau l'heure, cette fois sur le tableau de bord – autant prendre le pli. Avant de rentrer, il avait encore le temps de faire un saut à la poste d'Alonnah voir s'il y avait du courrier et de passer au camping du Neck. Il avait entendu dire qu'il y avait de la visite. Autant vérifier si tout allait bien et s'ils versaient leur cotisation. Il éprouvait un plaisir pervers à se réjouir de leur déconfiture lorsqu'il vérifiait la boîte et demandait où était leur participation. Certains campeurs étaient superbement bien équipés d'auvents sophistiqués pour les protéger de la pluie, de lampes à gaz, de tables pliantes. Tout le confort. Ils avaient assez d'argent pour se payer des crochets et des haubans dernier cri, mais pas pour payer le camping.

L'obligation de respecter l'heure était une contrainte pénible. De septembre à février, pendant la saison des pingouins, il aurait quelquefois bien aimé pouvoir rester avec les touristes au Neck pour observer les oiseaux au crépuscule. Mais il devait toujours être à la maison à 18 heures afin de pouvoir accueillir son père à son retour. Ainsi, quand son père était ivre, il avait une chance de désamorcer ses accès de colère et de protéger sa mère. Même si Leon était désormais plus costaud que son père, la fureur décuplait ses forces, et celui-ci frappait sans crier gare. Leon aurait pu se montrer aussi féroce que lui et lui donner une bonne leçon, mais il se contrôlait. Il se répétait que la force était intérieure, que la violence n'apportait rien.

Quand il était enfant, son père avait été un homme robuste. Il travaillait de longues heures dans les scieries de l'île. On disait qu'il existait peu d'ouvriers comme lui. Un as de la scie. La filière du bois avait beau souffrir de la conjoncture, son père ne manquait jamais d'ouvrage. Puis il y avait eu l'accident quelques années auparavant. La main droite de son père broyée par le mécanisme du banc de sciage. L'intervention pratiquée à l'hôpital de Hobart avait permis de la sauver autant que possible, mais il avait été mis à la retraite anticipée avec une pension d'invalidité.

Reg Walker n'était pas du genre oisif. Le rôle de pilier de la famille lui avait toujours convenu. Son travail était pour lui source de fierté, un statut qui lui donnait du pouvoir. La pension d'invalidité le marquait du stigmate du déshonneur. Après avoir râlé toute sa vie contre les tire-au-flanc et les profiteurs, il n'acceptait pas son handicap. À l'époque, Leon était étudiant à Hobart. Au début, il avait plaint son père. Sa mère lui disait qu'il était horriblement déprimé. C'est alors qu'avaient commencé les cuites.

Leon ignorait que son père avait déjà eu des problèmes avec l'alcool. C'est seulement en interrogeant sa mère qu'il avait su. À travers ses larmes, elle lui avait dit qu'il avait arrêté de boire avant leur mariage. Apparemment, il avait toujours eu le vin mauvais. Et, à force de provoquer les autres, il avait été mêlé à plusieurs rixes. Mais c'était il y a longtemps, lui avait expliqué sa mère. Dès qu'il avait renoncé à l'alcool, tout s'était bien passé. Il était presque fier de sa sobriété. Tant qu'il travaillait, elle n'avait pas été remise en question. Mais, après l'accident, en proie à l'ennui et au sentiment de ne plus servir à rien, il avait suffi d'un verre au pub pour faire remonter à la surface son agressivité et sa colère. L'alcool l'aidait à oublier, certes, mais elle mettait aussi au jour de vilains instincts.

Leon n'était pas encore au courant quand, un week-end, il avait rendu visite au modeste cottage en bois chaulé de blanc au bord de la route de la plage. Il avait toujours aimé retrouver l'atmosphère paisible de Bruny qui l'enveloppait dès qu'il coupait le moteur et descendait de voiture. À sa stupéfaction, la porte d'entrée était fermée à clé. Pourtant, les voitures étaient au garage. Il devait y avoir quelqu'un. Sa mère était peut-être sortie faire une promenade à pied.

Il alla marcher sur la plage, laissant passer une heure avant de retourner au cottage. Sa mère restait rarement dehors longtemps. En revanche, son père allait souvent voir des amis pendant la journée. Il n'était sans doute pas près de rentrer. Trouvant la porte toujours verrouillée, il tambourina sur le battant. Après tout, sa mère était peut-être sous la douche. Un silence. Puis un petit bruit. Il frappa de nouveau et l'appela.

Finalement, elle lui parla de l'autre côté de la porte close. Elle ne se sentait pas bien. Il ferait mieux de revenir la semaine prochaine. Elle avait une drôle de voix, comme si elle pleurait. Quelque chose n'allait pas. Avec beaucoup de réticence, elle accepta de lui ouvrir. Quand il vit son œil, il eut la sensation d'avoir lui-même reçu un coup. Il avait tout de suite compris de quoi il retournait.

Quel horrible après-midi. Leon avait essayé de la persuader de repartir avec lui. Si cela s'était produit une fois, il y aurait forcément des récidives. Sa mère lui avait rétorqué que Reg et elle avaient déjà traversé ce genre d'épreuve et qu'ils s'en étaient toujours sortis. Son père était un autre homme à présent, maussade et brisé. Jeune, il avait pu arrêter de boire parce qu'il avait la vie devant lui, mais à présent, que lui restait-il ? Leon ne voyait pas d'issue. Sa mère refusait de l'écouter. Entre deux cuites, son père était gentil, charmant même. Elle l'aimait. Elle était sûre qu'il ferait en sorte que cela n'arrive plus.

Leon ne lui avait pas caché son exaspération. Elle tendait le bâton pour se faire battre. Elle aurait dû l'avertir avant, à quoi pensait-elle ? Mais quand elle se recula en se tassant sur elle-même, il eut des remords. Sa mère avait assez souffert. Une boule de chagrin au fond de la gorge, il s'était mis en devoir de la réconforter, de la rassurer.

De retour à Hobart, son angoisse avait redoublé. Il s'était mis à lui téléphoner tout le temps, se doutant que la situation était en train de se détériorer. Il avait fini par contacter l'administration des parcs nationaux. Un poste de garde forestier était vacant à l'île Bruny. Les services du parc l'avaient accueilli à bras ouverts : une candidature d'un natif de Bruny, ce n'était pas courant. C'était ainsi qu'il était retourné sur l'île et chez ses parents. Quelqu'un devait protéger sa mère.

Ce n'était pas une mission qu'il prenait à la légère. Tous les moments de son existence étaient organisés dans ce seul but. Ce qui était épuisant, autant physiquement que mentalement et émotionnellement. En plus, son père lui en voulait d'être tout le temps à la maison. La tension ne cessait de grimper. Les sautes d'humeur de son père étaient spectaculaires. Un jour, il était gentil, charmant même, et le lendemain, il rentrait sombre, l'air renfrogné, agressif. Sa mère ne se rendait pas compte à quel point elle avait peur de lui, mais Leon était à chaque fois frappé par sa transformation quand Reg revenait mal luné. Heureusement, si jamais il devenait ouvertement menaçant, Leon était assez costaud pour parer à ses coups de poing. Enfin, pas à tous, surtout quand il devait le conduire à sa chambre et l'immobiliser quand il se débattait comme un fou furieux.

Leon était pétri de culpabilité devant les crises de rage de son père, à croire qu'il en était la cause. Pourquoi n'insistait-il pas pour que sa mère le quitte ? Ne contribuait-il pas à cet engrenage infernal ? Un jour ou l'autre, quelque incident au travail le retiendrait et il serait en retard. Et ce jour-là, sa mère serait de nouveau battue. En lui permettant de rester, il l'exposait à la violence paternelle. Tout bien considéré, sa présence à la maison empêchait peut-être le départ de sa mère. S'il n'avait pas été là, elle aurait trouvé en elle la force de s'en aller.

Il devait y avoir un moyen d'aider sa mère à s'échapper de Bruny. La nuit, il restait éveillé pour mettre au point des stratagèmes, sans résultat. Au stade où ils en étaient, sa mère évitait de lui parler – elle craignait qu'il ne fasse pression sur elle et qu'il perturbe le semblant de calme dont elle avait réussi à s'entourer.

Vivre chez ses parents était par conséquent la seule solution. Leon organisait ses journées autour de l'emploi du temps de son père. Il devait coûte que coûte être à la maison avant lui pour intercepter les coups destinés à sa mère. Une situation intenable. Un déchirement perpétuel. Il ne voulait pas haïr son père, mais ses agressions ne lui laissaient pas le choix. Et cette colère était sa compagne de tous les instants.

15

Le soir n'était pas le meilleur moment pour Mary
à Cloudy Bay. Alors qu'elle aurait dû se détendre et
trouver paisiblement le sommeil, les serres de l'angoisse étreignaient son cœur. Une autre journée venait
de se terminer et qu'avait-elle fait ? Bon, d'accord, elle
avait pu barrer de sa liste, en plus de Cloudy Corner
et la ferme, Clennett's Mill (grimper jusqu'au mont
Mangana n'était pas possible, elle devait se contenter
d'avoir pu rendre hommage à la forêt qui l'entourait).
Mais elle était encore loin du compte – il lui restait
encore à visiter East Cloudy Head et le phare, les
deux piliers de son pèlerinage... et Dieu sait quand
elle y arriverait. Y renoncer reviendrait à trahir Jack.
Et elle-même.

Le pire, c'était la lettre. Elle avait beau tourner et
retourner le problème dans sa tête, elle ne parvenait
pas à se résoudre à la détruire. Pourquoi ? Qu'est-ce
qui la retenait ? Pensait-elle devoir quelque chose
à son expéditeur ? Et que se passerait-il si elle parvenait à son destinataire ? Hélas, elle ne l'imaginait

que trop bien. Les ruptures, les brouilles, le climat de méfiance. Pas tant qu'elle était en vie ! Donner du crédit à cette lettre reviendrait à dénigrer ce qu'elle avait cherché toute sa vie. Au moins, Jack n'était plus là pour assister à ça. D'un autre côté, avait-elle le droit de changer l'avenir en éliminant la lettre ? Ne devait-elle pas plutôt se montrer forte, remettre la missive et braver les conséquences ? Non, c'était trop. Elle ne tiendrait pas le coup. Sa santé était trop fragile. Le désarroi et l'humiliation étaient insupportables. Elle voulait mourir en paix et en sécurité. Et toutes ces choses pour lesquelles elle s'était battue dans le seul but de préserver sa famille ? La lettre ferait tout voler en éclats. Elle réduirait en pièces la sphère de sérénité qu'elle avait tissée autour d'eux.

Il fallait éliminer ce danger... cette lettre qu'à présent elle avait égarée.

Elle rabattit le plaid pour se mettre péniblement debout. Elle voulait passer de nouveau la maison au peigne fin – pour la troisième fois en une demi-heure. La valise... Elle avait fouillé, la lettre n'y était pas. Elle avait soulevé tous les coussins, secoué les taies de ses oreillers, épluché les magazines, palpé ses vêtements. Peut-être l'avait-elle glissée parmi les journaux empilés à côté de la cheminée. (Quand se déciderait-elle à allumer un vrai feu ?) Non, elle s'en souviendrait. Ses genoux auraient protesté si elle avait essayé de se baisser ou de s'accroupir dans ce coin.

Elle l'avait peut-être laissée à la cuisine ou... Seigneur ! Jetée ! Prise de panique, elle souleva le couvercle de la poubelle. Quelques boîtes de conserve engluées de haricots. Une brique de lait. Leon avait sorti les ordures ce matin. Aurait-il jeté la lettre par mégarde ? Devait-elle affronter le froid pour vérifier ?

Au bord des larmes, elle entra dans la salle de bains en se disant que ce serait sa dernière ronde. La lettre était là, sur sa trousse de toilette à côté du lavabo. Elle la prit. Comment avait-elle pu oublier ? Peut-être l'avait-elle déposée machinalement avant de se laver les mains ?

Elle alla cacher l'enveloppe dans la poche latérale de sa valise. Après quoi, elle mit sa chemise de nuit, non sans mal. Le froid ne convenait pas à ses articulations. Rien que de lever les bras lui demandait un effort colossal. Dans une maison de vieux, au moins aurait-elle de l'aide. Mais, à la fin de sa vie, ils lui colleraient un tas de tuyaux partout. Ils ne lui permettraient pas de tirer sa révérence avec dignité. Jan serait contente sans doute, mais mourir ainsi, c'était horrible. Où était Jan d'ailleurs ? Elle aurait déjà dû venir la sermonner pour qu'elle rentre à Hobart.

Une fois la lettre bien cachée, elle se coucha. Elle était morte de fatigue alors qu'elle n'avait rien fait de l'après-midi. Cette nuit, elle allait bien se reposer.

Elle s'endormit vite mais fut réveillée un peu après minuit par une quinte de toux à lui lacérer les poumons. La seule solution était de rester en position assise, appuyée contre ses oreillers.

La nuit était claire. Des lueurs blanches inondaient la chambre. La lune était-elle pleine ? Elle s'éveilla tout à fait. Jack n'était peut-être pas loin. Depuis quelques nuits, elle rêvait de lui. Chaque fois qu'elle se retournait dans un demi-sommeil, il posait ses doigts bruns sur son bras comme pour l'empêcher de prononcer des mots qu'elle serait amenée à regretter.

Elle savait que c'était sa mémoire qui lui permettait de reconstruire son visage, pourtant il semblait si vivant – le nez aquilin, les paillettes bleues de ses yeux, le menton légèrement prognathe, la fossette sous sa lèvre inférieure, la barbe naissante. Ses lèvres gercées par le soleil et la morsure de l'air marin. Et son regard… son regard posait des questions qu'elle n'entendait pas, exigeant des réponses qu'elle ne pouvait pas articuler.

Si seulement elle arrivait à le toucher, peut-être sentirait-elle la texture de sa peau durcie par le vent et les embruns, le vent surtout, trop de vent.

Le clair de lune striait le plancher de bandes claires. Jack lui paraissait si proche. Elle scruta les coins d'ombre autour d'elle, presque sûre de voir sa silhouette assise dans le fauteuil. D'une immobilité effrayante. Peut-être ne voulait-il pas qu'elle le sache là. Elle respirait avec peine. Bientôt il bougerait, il lui parlerait. Cette tête de mule. Mais il ne prononça pas un mot.

Elle l'appela. Son ombre, celle d'un homme de haute taille. C'était lui, il n'y avait aucun doute. Mais, dans le noir, elle ne distinguait pas ses traits.

— Pourquoi tu ne restes pas ? dit-elle. Il faut que je te parle.

L'ombre se pencha légèrement. Elle n'était plus sûre de rien. Ces bruits, étaient-ce les pas de quelqu'un qui se déplaçait ? Ou juste les craquements de la maison ?

— Tu sors ? dit-elle en rabattant les couvertures et en faisant basculer ses jambes au bord du lit. Ne pars pas sans moi. Je viens avec toi.

Une quinte la cloua sur place, la pliant en deux. Elle parvint à se lever et à se traîner jusqu'au séjour.

— Jack, je t'en prie, attends-moi !

Le voilà. Son ombre près de la porte. Elle décrocha son manteau de la patère et eut toutes les peines du monde à l'enfiler. Elle pesta contre le manque de force de ses bras puis elle sortit dans la nuit blanche délavée par la lune. Le froid lui pinça les poumons. Une nouvelle quinte s'amorça. Pendant que tout son corps se contractait en attendant que l'accès passe, l'ombre de Jack descendit la pente pour traverser les dunes jusqu'à la plage. Pas étonnant qu'il ne l'ait pas attendue : elle ressemblait à un chien en train de mourir.

— Jack, je veux marcher avec toi.

Elle descendit la pente d'une démarche chancelante, les pieds dans l'herbe mouillée. Le froid lui mordillait les doigts. Derrière les dunes, le sable était ferme mais il se ramollit vite à mesure qu'elle se rapprochait de la mer. L'air tourbillonnait autour d'elle. Des plantes lui piquaient la plante des pieds.

Au bord de l'eau, elle vit un peu de lumière rider la surface des flots. La longue crinière blanche d'une vague s'effondra. Elle apercevait l'ombre de Jack qui voletait au pied des dunes. Si elle n'avait pas su que c'était lui, elle l'aurait pris pour un nuage passant devant la lune. Mais s'il l'avait menée jusqu'ici, c'était délibérément. C'était une nuit magique. Dans cette clarté, sur leur plage, le temps devenait indéfinissable. Cinquante années s'effaçaient en un claquement de doigts. Elle et Jack s'étaient étreints ici par des nuits exactement comme celle-là.

Serrant son manteau autour d'elle, elle marcha sur le sable dans sa direction. Quand un fragment de nuage se glissa devant la lune, elle l'aperçut tout près. Elle se rapprocha, le vent fouettant ses jambes.

— Jack, c'est moi.

Pfft ! Le voilà reparti. Il avait changé d'avis. Avait-il été aussi capricieux dans la vie ? Leur amour avait eu l'art de s'esquiver, mais qui a dit que l'amour est éternel ? Ils avaient réussi à le sauver et, au prix de quelques concessions, à jouir du plaisir d'un mariage qui dure longtemps : l'assurance d'avoir auprès de soi un compagnon sur qui on peut compter, dans une compréhension mutuelle qui n'avait pas besoin de mots.

Un gros nuage traversa le ciel. La forme fluide de l'ombre s'éploya sur les flots. Pendant cinq longues minutes, elle attendit en grelottant que le nuage obscurcisse la lune. Le son voyageait d'est en ouest le long de la plage tandis que les vagues déferlaient en se repliant sur elles-mêmes. Enfin, le nuage moucha la lumière.

Jack revenait avec les ténèbres. Elle sentait son haleine sur son oreille, sa main chaude dans la sienne. Il l'entraînait... Dans le noir, elle traîna les pieds en poussant le sable de ses orteils glacés.

Cette proximité lui donnait des frissons. Elle eut une brusque bouffée de chaleur, puis se mit à trembler d'émotion. Jack était là, avec elle. Il était revenu la guider. Son cœur débordait d'un amour aussi intense que dans leur jeunesse. Il cognait dans sa poitrine. Elle haletait, le souffle court et brûlant. Elle était comme ivre.

Une main sombre l'empoigna. Lui coupa la respiration. L'air devint grumeleux. Elle s'écroula.

Silence.

La nuit noire épanchait une nausée, une lassitude, une faiblesse qui la maintenait étalée sur le sable telle une héroïne de roman. Les pieds et les mains blanchis par le clair de lune. Elle avait la tête aussi lourde que si on lui avait asséné un coup. Son cœur cognait à la manière d'un moteur qui refuse de redémarrer. Elle tenta de reconstituer les faits. Depuis combien de temps était-elle allongée là ? Ne se promenait-elle pas avec Jack il y a encore quelques instants ?

Le nuage dont l'ombre noire avait guidé Jack vers elle avait disparu. Bon sang, qu'elle avait froid ! Elle se redressa tant bien que mal et se mit à quatre pattes. La tête lui tournait. Elle émettait d'horribles gargouillis à chaque respiration. Avait-elle eu une crise cardiaque ? Ou s'agissait-il d'un simple évanouissement ?

Lentement, en s'aidant de ses bras, elle se releva. Le vent semblait avoir forci. Il lui restait un long chemin à parcourir jusqu'au chalet. Et Jack était parti.

Elle espérait avoir encore la force de rentrer.

La voix de Leon la tira d'un demi-sommeil agité.

La fenêtre laissait entrer la lumière du jour. Elle était sur son lit, le visage enfoncé dans l'oreiller. Elle avait donc dormi au chaud. L'oreiller était mouillé – elle avait encore bavé. Elle essaya de bouger. Elle avait mal partout.

Leon l'appela de nouveau.

Elle s'aperçut qu'elle avait gardé son manteau et que son lit était plein de sable. Elle se souvenait seulement vaguement de son retour cette nuit et de s'être glissée entre les draps. Dans le noir, elle s'était traînée en s'accrochant aux herbes. Cela n'aurait pas été convenable, se disait-elle, que Leon la retrouve morte sur la plage.

Elle ne savait pas combien de temps elle avait passé à ramper sur les dunes. Elle se rappelait le moment où elle avait enfin vu le chalet ; la toux qui ponctuait ses efforts et la ralentissait alors qu'elle avait besoin d'être à l'intérieur, au chaud ; et le froid ! Jack, assis dans un coin de la chambre en train de l'observer, drapé d'ombre, silencieux.

À présent, elle avait l'impression d'avoir été renversée par un camion. De nouveau la voix de Leon :

— Mrs Mason !

Le bruit de la porte d'entrée.

— Je suis là, glapit-elle.

Il entra, l'air très inquiet.

— Qu'est-ce que vous faites là aussi tôt ? lui lança-t-elle de sa voix de vieille femme acariâtre.

Une quinte de toux lui cloua le bec et la plia en deux de douleur.

Leon se rembrunit.

— J'étais en chemin pour le camping, et mon petit doigt m'a dit que je ferais mieux de passer ici avant. Qu'est-ce qui vous est arrivé ?

Elle se redressa péniblement, la gorge engluée, et cracha dans la bassine posée sur son chevet.

— J'ai eu froid cette nuit. J'ai mis mon manteau.

— Vous êtes sortie, dit-il, impassible.

— Non. J'étais dans mon lit.

Elle ne voulait pas qu'il sache à quel point elle était tombée bas. Un peu plus et elle ne revenait pas.

— La porte était entrouverte, dit-il en la fixant avec des yeux furibonds. Et il y a du sable partout sur le sol.

— Peut-être que quelqu'un est entré ? avança-t-elle, feignant l'innocence. Ne me dites pas que les scouts sont déjà là ?

— On n'est pas encore le week-end. De toute façon, ils ne viennent pas avant la semaine prochaine.

Sur ces paroles, il sortit de la chambre.

Elle entendit le robinet de l'évier et le cliquetis de la bouilloire qu'on pose sur la cuisinière. Puis Leon se matérialisa de nouveau sur le seuil de la chambre. Il n'allait pas la laisser s'en tirer comme ça.

— Ce n'est pas la peine d'allumer le chauffage si vous laissez la porte d'entrée ouverte.

— Le vent a dû l'ouvrir.

— Il y a des empreintes de pas sur le parquet et elles mènent à votre chambre. Levez-vous et venez boire votre thé.

Elle rampa hors de son lit et, en s'appuyant sur sa canne, se rendit cahin-caha dans la salle de séjour. Il fit glisser sa tasse sur le comptoir de la cuisine.

— Qu'est-ce que je vais bien pouvoir dire à votre famille ?

Elle aurait dû le voir venir.

— Vous n'êtes pas obligé de leur dire quoi que ce soit.

— Je suis chargé de veiller sur vous.

Un accès de toux la dispensa de trouver une réplique. Alors qu'elle crachait ses poumons, il reprit :

— Regardez-vous. Si je leur apprends que vous sortez vous promener la nuit, ils vont venir vous chercher et ils vous ramèneront de force.

— Plutôt crever !

— C'est ce qui risque de se produire, justement, rétorqua-t-il en haussant le ton. Vous êtes censée être autonome. Et vos cachets ? Vous les avez pris ? Ce qu'il vous faut, c'est un garde-malade à plein-temps.

Soudain, elle se sentit mieux. Était-ce parce qu'il l'avait piquée au vif ? Elle ne se livrerait pas pieds et poings liés au bon vouloir de Jan. Elle n'échouerait pas dans l'une de ces abominables maisons de retraite.

— Ne me dictez pas ma conduite, riposta-t-elle sèchement. J'en ai déjà assez avec ma famille.

Après l'avoir rembarrée d'un grognement, il se mit à essuyer rageusement le plan de travail.

— Votre famille ? Qu'est-ce que ça peut leur faire ? Où ils sont ? Il devrait y avoir quelqu'un pour s'occuper de vous.

Elle fit de son mieux pour retenir ses larmes.

— Ils viennent demain. Ils savent que je n'ai pas envie de les avoir tout le temps sur le dos.

Il jeta la lavette dans l'évier.

— Vous avez mangé ? Bien sûr que non. Mais regardez-vous, enfin ! Depuis que vous êtes ici, vous avez perdu du poids. Et vous n'êtes à Bruny que depuis une semaine.

— C'est la toux.

— Vous tousseriez peut-être moins si vous pensiez à prendre vos cachets, objecta-t-il en réunissant les petits flacons au milieu du plan de travail. Je ne peux quand même pas rester là pour vous les enfoncer dans le gosier. Bon, je vais les organiser suivant les instructions de votre ordonnance. Je vais les poser sur une feuille de papier et écrire l'heure à laquelle il faut les prendre. Vous croyez pouvoir vous débrouiller pour les avaler quatre fois par jour ?

— Vous n'êtes pas obligé de faire ça. Je ne suis pas une enfant.

— J'essaye de vous aider.

Il jeta un coup d'œil à l'horloge, leva un flacon et le remua pour le lui montrer.

— Ne dites rien, marmonna-t-elle. Apportez-les-moi, c'est tout.

Il posa les cachets et un verre d'eau sur la table basse.

— Promettez-moi de mettre fin à vos balades nocturnes. Vous allez avoir de graves ennuis si vous continuez. Je ne peux pas être tout le temps là pour vous sauver.

Les mains de Mary se mirent à trembler. Des larmes giclèrent de ses yeux. Il lui tourna le dos et s'adossa au comptoir pour regarder par la fenêtre.

— Ça va ? interrogea-t-il d'un ton adouci.

— Oui, je crois.

Il arpenta un moment la pièce puis s'écroula dans un fauteuil. La tête renversée sur le dossier, il contempla le plafond.

— Vous devriez prendre mieux soin de vous, dit-il. Je ne voudrais pas qu'on me tienne responsable si jamais il vous arrivait quelque chose. Je ne peux pas venir plus d'une fois par jour.

— Je n'oublierai pas mes cachets.

— Et vous devez manger.

— C'est difficile. Je n'ai pas faim.

— Vous me promettez d'essayer, au moins ?

— D'accord, je vais essayer.

— Et il fait un froid de loup ici. Le matin, quand je viendrai, j'allumerai un feu dans le poêle à bois. Je fendrai des bûches et les rangerai à l'intérieur. Vous avez la force de lever la poignée de la trappe et de jeter une bûchette dans le feu ? C'est tout ce que vous aurez à faire.

Du feu. Il allait faire du feu. Elle allait pouvoir brûler la lettre.

— Et si la poignée est trop chaude ?

— Il y a des maniques accrochées au mur. Vous n'aviez pas remarqué ?

— Non, avoua-t-elle, aussi penaude qu'une collégienne que l'on réprimande. J'ai surtout regardé par la fenêtre.

— Et pas dans la glace, c'est évident, ou vous sauriez de quoi je parle.

— Vous avez vu le miroir qu'il y a ici ? dit-elle, soulagée de trouver matière à faire un peu d'humour, histoire de lui prouver qu'elle n'était pas prête à s'avouer battue. À mon âge, on n'a pas envie de voir son corps en pied à la sortie de la douche.

Leon ne rit pas.

— Ne prenez pas de douche, alors.

Il trouva un journal et en chiffonna les pages pour les fourrer dans le poêle. Il ajouta du petit bois, une bûche et y porta une allumette.

— Bon, maintenant, je m'en vais, annonça-t-il. Vous pouvez continuer sans moi ?

Continuer reviendrait à brûler la lettre. Qu'il parte donc. Qu'il la laisse tranquille.

Il remonta sa manche pour consulter l'heure. Machinalement, le regard de Mary tomba sur son bras. Là. Un nouveau bleu, juste au-dessus du poignet.

Il le couvrit de sa main et se détourna, se composant un masque imperturbable.

Quel genre d'ennui avait ce garçon ? Qui le marquait ainsi ?

— Je pense que vous auriez besoin de parler, dit-elle.

Il fit non de la tête, lentement.

— Pas aujourd'hui.

Il endossa sa veste. Quelques instants plus tard, son 4 × 4 vrombissait en dévalant les dunes, et puis plus rien.

Mary s'assit à la fenêtre et regarda la course des nuages. N'était-elle pas censée faire quelque chose ? Mais quoi ?

16

Vendredi matin. Je me réveille épuisé. Depuis l'intervention d'Emma, je dors mal. La nuit, chaque fois que je ferme les yeux, je revois des images de l'Antarctique. Des manchots Adélie, Sarah, la fin de mon mariage. Le souvenir coïncide avec une bouffée d'émotion. Je pensais avoir laissé tout ça derrière moi. La conférence a ouvert dans ma mémoire une porte dérobée.

Je sors Jess pour sa promenade matinale. La nature a toujours été pour moi une grande consolatrice et cela se confirme ce matin encore. Nous marchons sur la plage ; Jess tournicote en reniflant le sol. Je me détends. De petites déferlantes expirent sur le sable en chuintant. C'est bon de voir que le monde est normal, même si je ne le suis pas.

Après ma douche et mon petit déjeuner, je prends la clé de ma voiture quand j'entends des pas sous la véranda. On toque à ma porte. Jess se lève, au cas où, avec un aboiement qui sonne comme une question. Je la suis à la porte et j'ouvre.

Une femme se tient devant moi, elle me tourne le dos et regarde les eaux du détroit en contrebas.

— Bonjour, lui dis-je. Que puis-je pour vous ?

Elle se retourne pour me faire face. Tout chez elle est pâle : le visage, les cheveux à peine châtains, les joues, les yeux, ainsi que le sourire qui étire ses lèvres. Petite et mince. Ni belle ni laide. La trentaine.

— Je m'appelle Laura. C'est juste pour me présenter. Mon frère et moi venons d'emménager en face.

Elle se penche pour désigner des yeux la rangée d'arbres sur le côté de la maison avant de commenter :

— C'est tranquille, chez vous. Les arbres vous font de l'ombre. Un peu glauque, non ?

— Les arbres ont du bon. Ils attirent les oiseaux.

Elle jette des coups d'œil perplexes autour d'elle.

— C'est possible. J'y connais rien, en oiseaux, dit-elle en me gratifiant d'un petit sourire. Il y a beaucoup d'opossums dans le coin ? Il y en avait plein hier soir sur mon toit. Ils mangent vos roses ?

— Je n'ai pas de roses.

Ma nouvelle voisine ne s'intéresse manifestement pas aux arbres et à la faune. Autrement dit, on a moins que rien en commun. Ce qui n'est pas plus mal. Ainsi les raisons de nous parler seront réduites au minimum.

— Vous allez sûrement me voir dans le coin, reprend-elle. Peut-être aussi mon frère, mais il ne sort pas beaucoup. Il est malade. Michael, c'est son nom. Mais je l'appelle Mouse.

En tout cas, elle est bavarde. Je sors ostensiblement mes clés de ma poche et je les secoue pour en tirer un tintement impatient.

— Désolé… le travail m'appelle.

— Oh, dit-elle, l'air déçue. Vous partez.

Baissant les yeux, elle remarque enfin la présence de Jess.

— Il s'appelle comment, votre chien ?

— Jess. C'est une chienne.

— Elle est gentille ?

Jess se met à battre de la queue. Vraiment, on croirait que cette femme n'a jamais vu d'animal de sa vie.

— Oui.

Laura se baisse pour caresser la tête de Jess.

— Je n'ai pas eu de chien quand j'étais petite. Mais je les aime bien, déclare-t-elle en passant prudemment la main entre les oreilles de Jess. Mouse aime les chiens. Vous pourriez peut-être venir le rencontrer un jour avec Jess.

Je hausse les épaules.

— Peut-être.

— Ça me ferait plaisir, dit-elle avec un sourire, un vrai cette fois. Ça remonterait le moral de Mouse.

J'attends qu'elle s'en aille. Elle s'attarde. Elle observe les scintillations de la lumière sur l'eau du canal d'Entrecasteaux. Que puis-je lui dire pour la faire déguerpir ?

— Pardon, mais je vais être en retard à mon travail.

— Oui, bien sûr, opine-t-elle en tournant vers moi son visage mince au teint livide de spectre. Je peux vous demander votre nom ?

— Tom.

— Eh bien, Tom, j'étais contente de faire votre connaissance.

Elle me tend la main. Je suis bien obligé de la prendre. Elle est frêle, douce et fraîche. Elle pivote sur ses talons et s'éloigne le long de l'allée. Sa silhouette disparaît dans les buissons, puis reparaît alors qu'elle traverse la rue. Elle semble flotter, aussi légère qu'une nuée de brume. Quelle étrange créature, timide et méfiante. La vie n'a pas dû être tendre avec elle. Des manques à combler, sûrement. J'espère qu'elle ne s'attend pas à ce que je sois le voisin idéal.

Je cueille une pomme dans le compotier et je ferme la porte à clé, Laura toujours dans mes pensées. Il y a chez elle quelque chose qui m'est familier. En montant en voiture, alors que j'attends que Jess se couche sur le plancher, je me rends compte qu'en fait Laura me rappelle en effet quelqu'un : moi.

À l'heure du déjeuner, je descends dans le quartier de Salamanca afin de voir si l'*Aurora* est rentré de sa dernière mission. Je devrais fuir tout ce qui se rapporte de près ou de loin à l'Antarctique mais les photos d'Emma me hantent toujours. Je ressens une souffrance semblable à celle d'un sevrage car l'addiction n'est pas facile à guérir quand on rentre du pôle Sud. Là-bas, on éprouve une extraordinaire sensation d'euphorie et de liberté. Mon être tout entier est tendu par ce désir, même si je sais que ce n'est pas bon pour moi.

En cherchant à me garer sur le front de mer, je passe devant le wharf. L'*Aurora* est à quai, un géant amarré derrière le petit *L'Astrolabe*, le navire polaire français. Je trouve une place sur l'esplanade et vais marcher dans l'ombre projetée de l'*Aurora*.

Le navire me paraît toujours plus grand que dans mon souvenir : pas aussi énorme qu'un cargo, mais sa coque n'en est pas moins semblable à une haute muraille ; et puis il y a sa couleur : orange vif. En hélico au-dessus de la glace, on est sûr de pouvoir le repérer à des kilomètres. Des cordages épais comme mon bras le retiennent à des bittes d'amarrage le long du quai. Il penche de côté, se redresse, s'abaisse, remonte, se frotte et cogne contre les pneus qui servent de butoir. Sa coque est entaillée ici et là aux endroits où il a heurté les glaces. Même d'ici, je sens la puanteur familière du diesel. Je me dis que je pourrais y retourner. L'impatience me titille soudain. Sur la plate-forme hélicoptère, deux membres de l'équipage fument des cigarettes. Ils m'adressent de grands signes. Je les salue d'un hochement de tête et m'éloigne sans un mot, avec une sensation bizarre dans le creux de l'estomac et l'impression de ne pas être à ma place. Je devrais arrêter de rêver, m'acheter quelque chose à manger à Salamanca et retourner bosser.

Alors que j'attends devant un distributeur de billets, la conférencière de l'antdiv, Emma, passe à côté de moi en compagnie d'une autre jeune femme. C'est bien la dernière personne que je m'étais attendu à voir et je suis très surpris. Elle marque une halte devant la vitrine d'un magasin tout en continuant à bavarder avec son amie. Un type derrière moi me signifie qu'il est pressé en toussant dans mon dos. Je me dépêche de prendre mon argent et mon reçu, et je m'éclipse.

Emma ne m'a pas vu. Je glisse mon portefeuille dans ma poche et les prends en filature. Je m'arrête subitement. Qu'est-ce que je fabrique ? Ai-je perdu la tête ? Je suis des yeux les deux femmes qui déambulent sur le trottoir. Emma a une façon de bouger qui me plaît, tout en souplesse et en décontraction. Elle a les épaules basses. Le sourire que j'aperçois de profil est celui d'une personne très sûre d'elle. Elle sourit souvent et facilement. Elle est sociable. Elle est tout ce que je ne suis pas.

Les deux femmes s'arrêtent devant un café. Elles jettent un bref regard de mon côté, mais je ne crois pas qu'elles m'aient vu, debout, là, comme un imbécile, sur le trottoir. Emma ne se souvient sans doute même pas de moi. Elle ne m'a rencontré qu'une fois et je ne lui ai sûrement pas fait une forte impression. Elles disparaissent à l'intérieur du café. Je m'attarde un moment, j'hésite. Devrais-je les suivre ? Est-ce mal de vouloir mieux connaître Emma ? Je fourre mes mains dans mes poches et j'essaye de prendre l'air dégagé.

Le café est à peine éclairé. Les tables sont presque toutes prises. Tout au fond, il y a une table ronde avec une chaise libre. Emma et son amie sont au comptoir. Elles étudient la carte. Je m'empare d'un journal parmi ceux mis à la disposition de la clientèle et me dirige vers la petite table ronde. Mon cœur bat follement. Et si elles me voient ? Et si Emma me reconnaît ? Qu'est-ce que je vais faire ?

Je déploie le *Mercury* pour me cacher. Une serveuse se présente, je commande un café. Les amies ont trouvé une table près de la porte. Elles sont absorbées par leur conversation. Le soleil dessine un halo autour de la tête d'Emma, mais avec ses cheveux courts et son physique robuste, elle n'a rien d'angélique. Je suis envahi d'une agréable bouffée de plaisir, puis je panique. Pourquoi est-ce que je m'y intéresse ? Je n'ai pas regardé une femme depuis des années. Et me voilà à présent écartelé entre l'excitation et la peur.

Je suis toujours en train de surveiller Emma par-dessus mon journal quand la serveuse me demande où elle doit poser mon café. Je me rends compte que je ne l'ai même pas regardée. Très maquillée, elle a des cheveux blonds décolorés. Elle me sourit. Je me dis qu'elle a une jolie descente de reins et fixe le nœud de son tablier noir. En prenant la tasse, ma main tremble. Un peu de mousse tombe dans la soucoupe.

— Désolé, dis-je.

— C'est ma faute. Je vais nettoyer.

— Ce n'est rien, je vous assure.

Elle est partie comme une flèche. Mon attention glisse de ses hanches au rire heureux d'Emma qui se mêle au murmure des voix des autres clients.

La serveuse revient dans la seconde avec un chiffon et essuie ma soucoupe. Ses yeux sont cernés de khôl charbonneux, ses cils recouverts de mascara. Impossible de savoir à quoi elle ressemble vraiment sous l'épaisseur du fard. Elle me regarde en haussant les sourcils puis remporte son chiffon. Le regard qu'elle me lance en se retournant à moitié me trouble. Elle croit qu'elle me plaît. Comment est-ce arrivé ? Je n'ai jamais su quelle attitude adopter avec les femmes. Je m'interdis la fuite. Si je sors en trombe, Emma va me voir, c'est évident. Il vaut mieux que je me réfugie derrière le journal en espérant que la serveuse m'oubliera.

Je penche la tête et fais semblant de lire, mais en vérité mes sens sont en éveil et braqués sur Emma. Mon corps tout entier capte le son de sa voix et le bruit sec et plaisant de son rire. Même les yeux fixés sur le journal, je la vois grâce à ma vision périphérique.

— Qu'est-ce que vous lisez ?

La serveuse, encore elle, passe près de ma table chargée d'une pile d'assiettes.

— Il doit être super intéressant, cet article, ajoute-t-elle avec un clin d'œil.

Mon cœur s'agite, ma résolution flanche. Il faut vraiment que je parte, sinon je ne donne pas cher de ma peau avec cette serveuse. Elle va vouloir me donner un rencard. Je me vois déjà balbutiant de pauvres mots d'excuse pour me défiler. J'imagine le petit sourire amusé des autres clients, témoins de mon malaise. Qu'Emma soit encore là ou pas, il faut que je m'en aille. Je bois mon café d'une traite, pioche dans ma poche quatre dollars que je laisse sur la table et m'échappe en passant en catimini devant Emma et son amie.

À l'atelier, je me bats contre un vertige. Emma est avec moi sous la voiture. Son sourire attise mon courage. Impossible de me concentrer. Le pouvoir de mon imagination m'effraie. De la chambre forte où j'avais enfermé tout ce qui était relatif à l'Antarctique suinte une matière épaisse où je suis empêtré, la glu des souvenirs.

À bord du bateau à l'aller, une des filles avait laissé ses lunettes de soleil dans sa cabine ; elle voulait sentir sur son visage la brise et la lumière intense de l'Antarctique. Atteinte de cécité des neiges, elle fut condamnée pendant deux jours à l'isolement dans le noir, sans parler de la douleur. Eh bien, quand je pense à Emma, je me sens aussi imprudent et sot que cette fille, comme si je pouvais ôter les couches qui me protègent et plonger dans un élément qui surpasse mes forces.

Au cours de l'après-midi, une idée germe dans mon esprit. Je devrais peut-être téléphoner à Emma et l'inviter à dîner. Mais depuis Debbie, je n'ai plus pris ce genre d'initiative et j'hésite. Et si elle disait non ? Jess me surveille, bien sûr. De son tapis contre le mur du garage, elle me fixe de ses yeux jaunes sans ciller. Elle devine mon malaise. Elle a peur que je disparaisse si jamais elle relâche sa vigilance. J'arrête de bricoler sous la voiture et me lève pour aller me faire du café et m'équiper d'outils supplémentaires. De retour à mon poste, allongé, je serre quelques boulons en me demandant ce que je devrais faire. Finalement, je me rends dans le bureau à côté de l'atelier et compose le numéro de l'antdiv. Je prononce le nom d'Emma. La standardiste me dit qu'elle me la passe. La sonnerie retentit plusieurs fois. Je vais raccrocher quand elle répond.

— Allô ? Emma à l'appareil.

— Bonjour. C'est Tom Mason.

Silence. Elle ne se souvient pas de moi, évidemment.

— J'ai assisté à votre conférence l'autre soir. Je vous ai donné mon numéro... Au cas où il y aurait un boulot d'assistant.

— Ah, oui, dit-elle d'un ton très peu encourageant.

Je me lance quand même.

— Voudriez-vous boire un verre avec moi, ce soir ? Après le travail. Nous pourrions parler... de l'Antarctique.

Comme elle se tait, j'ajoute :

— Ce n'est pas à propos du boulot. Je voudrais juste discuter avec vous. Je voudrais savoir comment ça se passe à la base Mawson. Ça fait un bail que je n'ai pas discuté de l'Antarctique.

— Bon, d'accord, répond-elle d'une voix où je décèle une certaine réticence. Où voulez-vous qu'on se retrouve ?

— Quelque part dans Salamanca ?

— Entendu. À vous de choisir l'endroit et l'heure.

Elle est déjà au bar à mon arrivée ; je la vois dès le seuil, les coudes sur le comptoir. Elle a une expression impénétrable, une allure vaguement masculine. Pour survivre là-bas, elle a sans doute été obligée de neutraliser sa féminité. Je m'approche d'elle en prenant soin de ne pas la toucher. Le pub est plein. Elle n'a pas encore réussi à attirer l'attention du barman.

— Salut, lui dis-je.

Elle me regarde.

— Salut.

— C'est ma tournée. Qu'est-ce que vous buvez ?

Elle s'écarte du bar.

— Une Cascade. Ils la font à la pression ici. Vous pourriez aussi demander un verre d'eau ? Il faut que j'aille faire un tour aux toilettes.

Je la suis des yeux tandis qu'elle se faufile entre les tables ; ses mouvements sont indéniablement féminins, surtout ce léger déhanchement. Je souris intérieurement en me félicitant qu'elle soit venue. Après quoi, la nervosité reprend le dessus : qu'est-ce que je vais bien pouvoir lui raconter ? Je n'ai jamais été un brillant causeur.

Elle tarde à revenir. Je finis par harponner le barman et commande trois bières et un verre d'eau. Je me dépêche de boire la première bière. Je laisse le verre vide sur le comptoir. Je ne bois pas souvent, mais ce soir, j'ai besoin d'un remontant. Emma ne pourra pas savoir que c'est déjà mon deuxième verre.

J'avise une table vide près de la fenêtre et m'installe. Dehors, la nuit tombe. L'automne bascule dans l'hiver alors qu'on est seulement en mai. Je songe à maman à Cloudy Bay, à la lumière grise qui plane sur le paysage. Je me demande si elle s'en sort. Je suis pris d'affreux scrupules. Au lieu d'être dans ce pub, je devrais être là-bas en train de lui préparer à manger.

Emma me retrouve sans peine et s'assied en face de moi en me remerciant pour la bière. De la voir de si près m'émeut. Ce visage qui respire la franchise, cette expression amicale.

— Alors vous avez aimé mon intervention ? dit-elle.

Une bonne entrée en matière. J'aurais dû y penser.

— Beaucoup. Et vos photos…

Je m'en veux de mon laconisme. Elle boit une longue gorgée de bière et regarde la salle.

— Je ne suis pas encore à l'aise quand il y a du monde, dit-elle. En général, je suis tout juste en train de me réhabituer quand je dois boucler mes valises pour retourner au froid. Vous savez comment c'est.

Oui. Je sais.

— Depuis quand êtes-vous rentrée ?

— Quelques semaines seulement. Je n'ai même pas encore rangé mes vêtements dans mon armoire. Pour quoi faire ? conclut-elle en faisant tourner son verre. On se réjouit de rentrer mais dès qu'on accoste à Hobart, on ne sait plus où on en est et on n'a plus qu'une envie : repartir.

Elle me fait un petit sourire. J'approuve d'un hochement de tête.

— Quand repartez-vous ?

— Dans quatre mois. Je compte les jours, répond-elle en balayant la salle d'un regard. J'ai hâte.

Je comprends son impatience. Après un été sur une base en compagnie de cinquante personnes, un pub comme celui-ci paraît bondé.

— Comment c'était, à la base Mawson ? Je n'y suis jamais allé.

— Dommage pour vous. Où étiez-vous ?

— Davis.

— L'été ?

— L'hiver.

— Nulle part ailleurs ?

— On a fait escale une nuit à la base Casey sur le chemin du retour.

— Et ils vous ont gardé à bord, hein ? Avec le psy ? ajoute-t-elle en s'esclaffant. Je parie que certains d'entre vous en aviez drôlement besoin. L'antdiv n'en revient pas du nombre de personnes qui rentrent inadaptées au bercail.

Son visage devint plus grave avant de me poser la question :

— Comment ça s'est passé pour vous ? Votre retour, je veux dire.

— Pas terrible, dis-je avec un haussement d'épaules.

Elle vide son verre avant de répliquer :

— Comme pour tout le monde, non ?

Elle se lève pour aller commander d'autres bières au bar. Je l'attends à la table en m'efforçant de faire le point sur la soirée. Cela a l'air de se présenter pas trop mal, mais je n'en suis pas sûr. À son retour, elle se laisse tomber lourdement sur son siège et fait glisser un verre de bière vers moi.

— Bon, c'est pas toujours commode d'être une femme là-bas, déclare-t-elle en renouant d'elle-même le fil de la conversation. Je devrais m'en souvenir quelquefois quand je meurs d'envie d'y retourner. Si je n'étais pas la plupart du temps sur les sites d'étude, je ne crois pas que je tiendrais le coup.

Elle baisse les yeux sur son verre avant d'enchaîner :

— Vous savez comment c'est. Impossible de péter sans que tout le monde vous entende. Et quand on est une femme, il vous suffit d'échanger un regard avec un mec pour qu'on croie qu'il est votre amant.

— Il y a des gens qui deviennent de vraies brutes une fois là-bas.

Elle secoue la tête.

— Pire que ça. Ils engagent volontairement des brutes ! Ils se servent des tests psychotechniques de l'armée conçus pour recruter les fous.

— Je les ai réussis.

— Moi aussi, dit Emma avec un large sourire. Vous vous rappelez la première question ? Que préféreriez-vous : vivre dans une banlieue résidentielle ou seul au fond des bois ? Vous vous rendez compte !

J'aime son rire. Elle baisse ses défenses, celles qui lui sont si utiles en Antarctique.

— Alors, c'était comment... votre hiver ? dit-elle en reprenant son sérieux.

— Comme celui de tout le monde.

En fait, j'essaye d'esquiver sa question – ou plutôt ce qu'elle sous-entend. Mais son regard est insistant. Je dois trouver mieux. J'enchaîne donc :

— L'hiver est un moment étrange. Les humains ne sont pas faits pour vivre privés de lumière.

Je ne lui décris pas la façon dont le noir s'insinue dans toutes choses, ni comment on coule dans cette noirceur, lorsqu'on est lesté de quelque chagrin.

— Au moins, vous avez fait une campagne d'hiver, dit-elle. Une vraie mission. Pas comme nous autres, les estivants. Ce doit être génial quand la lumière reparaît.

Elle se contente de peu. Elle a peut-être décelé de la tristesse dans mon regard.

— Oui, c'est un instant magique. Toutes ces couleurs opalines, des roses, des mauves.

Elle fixe pensivement son verre.

— Je ne suis pas certaine de vouloir tenter l'aventure. Tous ceux qui ont hiverné là-bas sont un peu dingues.

Est-ce une insulte subtile ou simplement une observation ? Elle lève les yeux brièvement et rit.

— Je ne pensais pas à vous. Je ne vous connais même pas.

Bien. Elle vient de souligner une vérité : nous ne nous connaissons pas. J'hésite, ne sachant comment faire repartir la conversation. Emma vient à mon secours.

— Je vais vous parler de la base Mawson, dit-elle. C'est ce qui vous intéresse, non ?

J'acquiesce.

— Eh bien, c'est aussi extraordinaire qu'on le prétend. Même plus qu'il n'y paraît sur les photos. C'est inouï ! s'exclame-t-elle en contemplant à travers moi, au-delà de ma personne, ce lieu que ses paroles font surgir dans son esprit. La station n'a rien de spécial. C'est juste une poignée de préfabriqués importés de Horseshoe Bay. Mais il y a le plateau et les montagnes. C'est là que commence le vrai continent antarctique. J'adore être en altitude, dit-elle avec un sourire intérieur. Il y fait froid, on a les doigts gelés, mais quand on s'assoit sur un sommet, le plateau tout en bas n'a pas de fin. On se croirait dans *Le Seigneur des anneaux*. Et si on se retourne, on voit des îles et des icebergs éparpillés sur la mer à perte de vue.

Elle me jette un coup d'œil avant de préciser :

— J'ai escaladé plusieurs fois le mont Henderson. Et aussi Fang Peak, avec Nick Thompson, le responsable de la formation des chercheurs sur le terrain. Vous le connaissez ?

— Non.

— Il a fait plusieurs campagnes. Je pensais que vous auriez pu avoir entendu parler de lui.

Un silence s'installe, mais Emma reprend. Heureusement, elle n'a pas l'air d'avoir besoin de moi.

— J'ai aussi visité Scullin.

Le monolithe de Scullin est un monumental bloc de pierre noire qui dresse ses pentes abruptes dans la mer à cent soixante kilomètres à l'est de la base Mawson. Il abrite une gigantesque colonie de pétrels antarctiques et, à ce titre, constitue une zone protégée. Personne ne s'y rend jamais.

— C'est comment ? dis-je.

— Incroyable. Vraiment. Il y a des oiseaux partout, à vos pieds, autour de vous, au-dessus de vous.

— Il ne faut pas un permis spécial ?

— Si, tout à fait, et quand quelqu'un réussit à en obtenir un, les biologistes se précipitent tous pour proposer leur assistance. Vous savez comment c'est.

En effet, je sais. Dès qu'une aubaine pareille se présente, tout le monde voudrait en profiter. Lors de ma campagne, j'ai eu la chance de participer à la plupart des expéditions intéressantes. Comme quoi, il est parfois utile d'être serviable et de n'appartenir à aucun clan. La neutralité est appréciée dans un melting-pot de personnalités.

— Et à Auster ? Vous y êtes allée ?

La rookerie Auster est une colonie de manchots Empereur à proximité de la base Mawson. Le glacier est entouré d'icebergs sculptés par le vent.

— Évidemment. Plusieurs fois. Quel biologiste spécialiste des manchots n'y est pas allé ? Et c'est aussi fantastique qu'on le dit, affirme-t-elle en me souriant. Fermez les yeux.

— Pourquoi ?

— Faites-le.

J'obtempère volontiers.

— Bien. Imaginez : vous êtes sur la banquise et vous voyez un cercle d'icebergs. Certains sont massifs, d'autres en pente inclinée, il y a des cavernes au pied de quelques-uns d'entre eux... Vous visualisez ?

— Oui. J'y suis, bredouillé-je.

Une longue pause. Que fait-elle ? Elle m'observe ? Dois-je rouvrir les yeux ? Mon cœur s'emballe. Soudain, j'ai les mains moites. Je serre les paupières. Elle reprend la parole d'une voix dont la douceur nouvelle fait courir un agréable frisson le long de mon épine dorsale.

— Bien. Maintenant, imaginez le ciel. Bleu azur. Ou alors gris-blanc, un jour où il est couvert, mais le reste ne reflète que du blanc.

— D'accord.

— Il est comment ?

— Bleu. Le ciel est bleu.

— Parfait, dit-elle, apparemment contente de ma réponse. Je suis là, moi aussi, par une journée de grand beau. L'air est cristallin, le froid intense. Même sous mes trois paires de gants, j'ai les doigts gelés.

Je sens encore ce froid-là.

— Ensuite, les manchots. Ils sont disséminés un peu partout, encerclés par des icebergs. C'est la mi-saison. Les poussins sont regroupés pour former ce qu'on appelle des crèches. Les adultes montent la garde, exactement comme des sentinelles. Vous les voyez, debout, le bec en l'air. Ils ont l'air de tuer le temps, dit-elle en riant. Ou bien ils admirent la vue. C'est le plus beau terrain à bâtir que j'aie jamais vu.

— Un peu bruyant ?

— C'est vrai. Des chants qui ressemblent à des coups de trompette. Et je ne vous raconte pas l'odeur. Respirez à fond et vous aurez une bouffée de guano, dit-elle en appuyant ces mots d'un reniflement sonore. Ah, le parfum sublime d'une colonie de manchots. Il n'y a rien de similaire.

Un silence. Il se prolonge et je me demande si Emma est toujours là avec moi ou si son esprit s'est échappé sur les montagnes près de Mawson.

— Vous pouvez ouvrir les yeux, dit-elle finalement.

Je les lève timidement pour croiser son regard. Elle me dévisage avec attention, presque avec tendresse.

— Vous avez aimé votre voyage ? me lance-t-elle.

Les mots restent coincés dans ma gorge, je réponds par un hochement de tête.

— Une autre bière peut-être, ajoute-t-elle avec un coup d'œil vers le bar. Cette fois, je crois que je vais prendre un pichet.

Il est tard lorsque Emma me ramène chez elle. Nous y allons à pied. Nous sommes soûls, il fait froid et les rues sont vides. Elle habite à quelques pâtés de maisons sur la côte de North Hobart. Nous remontons Elizabeth Street sans nous presser. Devant les restaurants et les pubs, des grappes de gens parlent trop fort. On aurait mieux fait de prendre un taxi. D'un autre côté, marcher favorise le retour à la sobriété mais ce n'est peut-être pas vraiment une bonne chose puisque, l'ivresse s'estompant, je me sens de nouveau tendu.

Finalement, nous laissons l'animation nocturne derrière nous pour longer des maisons obscures. Sous un réverbère, Emma trébuche et pouffe de rire. Nous ne parlons plus. De temps à autre, la tranquillité est rompue par des chiens qui aboient ou les phares d'une voiture qui passe. À un moment donné, dans une rue particulièrement sombre, un nouveau faux pas sur une fissure de trottoir la jette contre moi. Un opossum bondit du pied d'un arbre pour traverser devant nous en courant. Emma en profite pour m'agripper la main et elle ne la lâche plus. Alors que nous continuons à marcher, elle frotte son pouce contre mes doigts. J'ai les jambes qui flageolent un peu. Je suis trop galvanisé pour reprendre ma main.

À mi-chemin d'une autre rue silencieuse, Emma s'arrête devant un portillon métallique qu'elle ouvre à tâtons. Les gonds grincent avec un son musical. Elle me guide autour de la maison jusqu'à un cabanon au fond du jardin. Elle entre et allume la lumière. Après avoir jeté son manteau sur une chaise, elle pivote sur ses talons pour me faire face, les mains sur les hanches. La bouche sèche, je passe la langue sur mes lèvres. Tout à coup, elle me sourit – son sourire monte lentement de sa bouche jusqu'à ses yeux. Mon cœur se met à battre plus fort et je reste planté là, les bras ballants.

Les secondes s'étirent et le temps passe. Je maudis mon apathie. Emma n'aurait pas pu me faire des avances plus claires. Elle me conduit à une minuscule salle de bains. Seul, je me regarde dans le miroir.

Dans la lumière crue du néon, je suis maigre et pâle. Mes yeux sont cernés de noir. Mes pommettes sont trop hautes, mes joues râpeuses. Je me détourne de l'effarement que je lis dans mes yeux. Comme s'il me manquait quelque chose. Quand je me regarde de nouveau, j'ai l'air d'avoir carrément peur.

J'asperge mon visage d'eau et me sèche avec une serviette, puis je sors. Le séjour, la chambre. Emma y a allumé une bougie et elle est en train de se déshabiller. Elle doit se douter que je suis incapable de le faire pour elle. La bougie projette une lueur rougeâtre sur le mur. Il y a très peu de meubles. Emma n'a pas défait sa valise ; ses chaussures s'entassent dans un coin et des tableaux sont debout contre le mur.

— Je n'ai pas encore eu le temps d'accrocher mes photos, commente-t-elle en enlevant une chaussette. Il y avait quelqu'un ici pendant mon absence.

Je fais mon maximum pour garder les yeux au-dessus de ses cuisses musclées.

— Tu veux les voir ?

En voyant la tête que je fais, elle s'esclaffe.

— Je parle des photos.

J'esquive son regard.

— Il y a des crochets au mur. On pourrait les accrocher tout de suite.

Je ramasse le premier cadre. Emma en Antarctique. Un portrait en pied devant un bâtiment rond et rouge qui évoque un vaisseau spatial sur pilotis. Autour d'elle, des rochers, la banquise et une file de manchots Adélie qui avancent en se dandinant.

— L'île de Béchervaise, dit-elle en me prenant la photo des mains.

Seulement vêtue d'une chaussette, d'un slip et d'un débardeur, elle lève les bras pour accrocher le cadre. Après quoi, elle sélectionne un cliché où figure un albatros à tête grise perché au-dessus d'un panorama romantique de l'île Macquarie. L'image baigne dans une lumière basse. Le ressac éclabousse de son écume les récifs.

— C'est un de mes amis qui l'a prise. Elle est belle, tu trouves pas ?

Elle l'accroche au-dessus du lit.

— J'adorerais aller là-bas, ajoute-t-elle. Pas toi ?

Je fixe son corps pulpeux et musclé.

— Où ça ? dis-je vaguement.

— À l'île Macquarie.

— Oui, oui.

Je me baisse vivement pour ramasser le cadre suivant, mais elle me retient doucement par le bras. La clarté de la bougie farde son visage tandis qu'elle lève les yeux. L'espace d'un instant, nos souffles restent suspendus, tel un fragment du temps. Je sais que c'est à moi d'agir, mais je me noie comme en rêve dans les lacs noirs de ses yeux. Je tressaille au plus profond de moi. Une ébauche de sourire tremble sur ses lèvres. Soudain, rien n'est plus naturel que de la prendre dans mes bras. Le désir, depuis si longtemps évanoui, m'embrase. Sa bouche est gourmande. Sa taille se cambre, elle se plaque contre moi.

Je ne m'en sentais pas capable. Mais maintenant qu'elle est tout contre moi, chaude, forte et proche, quelque chose en moi lâche prise, cette chose qui m'a empêché de vivre depuis des années. Elle s'échappe de moi à la façon d'un soupir. Lentement, très lentement, je m'autorise à dériver au fil de mes sensations. J'ai ouvert un robinet en moi, j'ai fait sauter un bouchon. Je rembobine au ralenti.

Dans mes bras, Emma est à la fois douce et énergique. Elle me tire en avant vers le lit et s'abandonne aux caresses de mes mains curieuses : la chair pulpeuse des bras, le creux dur de ses reins, la tendresse de ses hanches. C'est comme une musique, comme l'été, comme le bruissement des ailes d'oiseau. C'est brûlant comme la lumière blanche sur la glace. C'est comme si j'étais rendu à moi-même, après ces dix longues années, et que je ne savais pas qui j'étais.

17

La première fois que j'ai vu une aurore australe, j'ai été frappé d'un émerveillement mêlé d'effroi. Cela faisait quatre ou cinq jours que nous avions quitté Hobart et nous naviguions en plein océan austral. Je dormais dans ma cabine quand je fus réveillé par des bruits. Quelqu'un galopait dans la coursive en frappant à toutes les portes. « Hep, les gars, debout ! Une aurore ! Une aurore polaire. Venez ! C'est incroyable ! »

Mon compagnon de cabine alluma et nous enfilâmes tout ce que nous pouvions : Thermolactyl, chemises en laine, pantalons en polaire, veste, anorak, gants, bonnets. C'était la cavalcade dans la coursive alors qu'ils couraient tous en direction de l'écoutille. Je m'insérai dans la file et me mis à mon tour à courir. J'escaladai l'échelle et sortis sur la plate-forme hélicoptère. Là, je suivis la file qui montait au-dessus de la passerelle où des gens se mouvaient dans le noir à côté de la grille d'aération du chauffage.

— Ça s'est calmé, dit une fille. Mais ça va reprendre.

Nous attendîmes en guettant la réapparition du phénomène lumineux dans le ciel nocturne. Devant nous, les projecteurs de pont perçaient les ténèbres et faisaient scintiller l'eau. Je me demandais si nous pourrions distinguer quelque chose d'aussi éthéré et fugitif qu'une aurore avec ce flot de lumière.

Soudain, dans un coin élevé de la voûte céleste, une lueur émergea. Un battement, suivi de la douce ondulation d'une draperie jaune pâle dont les plis vaporeux s'élevaient, s'abaissaient et coulissaient sur eux-mêmes à la manière d'un voile de fumée. Brillant rideau qui se gonflait, s'étirait, se tordait, puis, aussi brusquement qu'il avait surgi, disparut.

Sidérés, nous attendîmes.

Un autre coin de ciel s'éclaira et de fins doigts de fantômes phosphorescents frémirent et tourbillonnèrent avant de s'élancer en dansant à travers le zénith en y traçant une fine ligne. Se redéployèrent alors les mêmes rideaux lumineux qui ondulèrent, se soulevant, s'étirant, jetant des étincelles, se repliant sur eux-mêmes, palpitant, explosant puis régressant. Peu à peu, avec des tressaillements, ils s'affaissèrent.

Je m'aperçus que je retenais ma respiration. Y avait-il au monde chose plus belle ?

— Tu n'as encore rien vu, grommela un ancien. Les aurores australes de la Midwinter sont plus spectaculaires, plus colorées, et elles durent des heures.

Personne ne l'écoutait. Ceux qui vont trop souvent au Pôle finissent par devenir blasés. Pour eux, les événements les plus extraordinaires sont devenus banals. Alors qu'il descendait se recoucher bien au chaud dans son lit, nous restâmes sur le pont et nous rapprochâmes de l'haleine tiède de la bouche d'aération. Dans un silence recueilli, nous attendîmes que les cieux veuillent bien de nouveau s'illuminer.

Être allongé auprès d'Emma ce matin me rappelle ma première aurore australe. Nu entre les draps, j'éprouve le même sentiment, le même éveil à un bonheur intense, la même griserie de la découverte, la même incrédulité. Auprès de moi, elle est toute chaude et incroyablement décontractée, les bras et les jambes écartés, la tête renversée en arrière sur l'oreiller. Elle a les doigts d'une main enroulés autour des miens. Même dans son sommeil, elle semble maîtresse d'elle-même, accepte les choses telles qu'elles sont, sans avoir peur de rien.

Quel plaisir de rester dans la lumière tamisée à la regarder. Son visage détendu, sa bouche légèrement entrouverte. Son nez un peu fort, la rondeur de ses pommettes hautes, l'éclat d'une dentition blanche. Des lèvres pleines et douces. Je les sens encore bouger avidement sous la pression des miennes. Cette bouche, la nuit dernière, m'a mordu avec passion. Ses paupières sont à peine relevées, mais j'ai quand même envie de les lui fermer afin de protéger ses yeux. Si j'étends le bras pour franchir les quelques centimètres qui nous séparent, je risque de la déranger, et ces délicieux et paisibles instants s'envoleront. On ne peut pas observer quelqu'un d'aussi près quand cette personne est réveillée. Ce serait trop indiscret.

Je ne sais pas encore comment nous en sommes arrivés là hier soir – si c'est dû à la bière ou à l'évocation de l'Antarctique. Maintenant que je suis sobre, ce n'est pas du regret que j'éprouve, mais une sensation désagréable de fragilité, comme si ma peau se craquelait et que je subissais un processus de métamorphose. Alors que je profite de ce moment auprès du corps chaud d'Emma, je sens grandir en moi une force qui échappera bientôt à mon contrôle.

Je décide de partir. Avec beaucoup de douceur, je défais le nœud de nos doigts. Ses yeux s'ouvrent et se rivent aux miens. Elle met un instant à sortir de son état languide, puis sa main s'abat sur mon bras, le plaquant sur le drap.

— Non. Tu ne t'en vas pas, dit-elle en me fixant intensément. Il n'y a pas de raison de fuir. Je n'ai rien d'effrayant.

— J'ai du travail.

— Ils vont te virer ?

Sa poigne de fer me retient, pourtant elle a l'air d'avoir sommeil soudain. Elle ébauche un sourire qui fait chavirer mon cœur, de peur ou de désir, que sais-je ?

— Tu devrais rester. Dis-leur que tu es malade. Dis que ta voiture est en panne.

— Je suis mécanicien.

Elle ferme les yeux.

— Alors il faut trouver une autre excuse.

Elle se tait. Je suis au bord de la panique : comment lui échapper ?

— Fais un peu marcher ton imagination, ajoute-t-elle.

— Je suis mécanicien, répétai-je comme si cela expliquait tout.

— Ça ne signifie pas que tu es une machine.

Elle ouvre les yeux, me regarde, tire ma main sur la chair moelleuse de son ventre, la couvre de la sienne et la fait glisser sur sa peau soyeuse.

— Tu ne peux pas partir, dit-elle en roulant sur le côté pour se blottir contre moi.

Mon désir s'enflamme instantanément. Son corps, sa peau, l'étreinte de ses doigts sur mon bras, la caresse de sa main qui explore mes mollets, qui pétrit mon dos, je la veux tout entière.

Plus tard, elle nous prépare du café et des toasts. J'ai pris une douche et je me suis habillé. Emma, elle, préfère rester nue. Les rideaux toujours tirés, nous évoluons dans l'obscurité d'un sanctuaire.

À chacun de ses gestes, ses seins bougent. Ils sont volumineux mais fermes et en harmonie avec son physique athlétique. Elle s'assied sur la chaise en bois en face de moi. Avec la meilleure volonté du monde, je ne pourrais pas m'empêcher d'observer ses bouts de seins semblables à des disques bruns.

Tout en mastiquant son toast, elle pose sur moi un regard d'une franchise qui m'émeut.

— Ne me juge pas, dit-elle. Je suis qui je suis. Loin d'être parfaite. Ici, pour s'en tirer, il faut se conduire en mec. Une fille féminine, elle se fait harceler. Si t'es pas sexy, tu t'en sors. Je sais que j'ai un corps pas terrible, mais ça me va.

Je déglutis. Quand je prends la parole, ma voix est rauque.

— À moi, il me plaît.

Elle ne sourit pas.

— Il marche bien et il est robuste. C'est tout ce qu'on lui demande.

Je me tais. Son corps m'enchante, au contraire. Je suis ravi de la savoir forte et sans prétention. Je m'oblige à détacher d'elle mon regard afin d'examiner la pièce.

— Ces deux maisons sont des annexes de l'Antarctique, ou plutôt des centres de réinsertion, ironise-t-elle. Les gens vont et viennent tout le temps. J'aime bien le cabanon parce que j'y suis seule, épargnée des galères de la colocation. Ils sont quatre dans la grande maison. Ici, c'est pour les oiseaux de passage tels que moi. Deux d'entre eux bossent à l'administration de l'antdiv, ils ne sont pas allés au froid depuis des lustres, dit-elle en éclatant d'un rire moqueur. On croirait qu'ils seraient remis depuis le temps, qu'ils habiteraient de vraies maisons. Mais ils aiment avoir des membres d'expédition autour d'eux. Ça leur rappelle comment c'était sur la glace.

Elle se penche pour allumer un lecteur de CD posé à même le sol au pied de sa chaise. The Verve. La musique paraît trop planante et tonitruante pour l'espace réduit de la pièce.

— Je vais prendre ma douche, annonce-t-elle.

Seul à table, je me sens bizarre, en plus cette musique m'énerve. Je sors m'asseoir sur la marche de ciment du perron. Le jardin est livré aux herbes folles. Les rideaux sont toujours tirés aux fenêtres de la grande maison. Une fenêtre n'en a pas, sans doute celle de la cuisine. Je ne vois personne à l'intérieur.

Le temps est frais et couvert. Comme j'entends toujours la musique d'Emma, je ferme la porte et me rassieds sur la marche sous l'auvent. Je devrais aller travailler. Mon patron va être furieux. J'aurais peut-être dû téléphoner et inventer une excuse, mais personne n'y croirait. Je mens mal. Je me satisfais d'une vie pas compliquée, entre le travail, Jess et l'observation des oiseaux. Pourtant, ce matin, cette situation est altérée. Une petite voix me dit que je suis allé trop loin, déjà, que j'ai laissé derrière moi ma solitude, qu'il est impossible de revenir en arrière.

Emma sort de sa douche toute propre, les cheveux mouillés. Elle porte un jean, une chemise et, aux pieds, des Blundstone. Des vêtements qui gomment ses formes ; elle n'étale pas la marchandise, mais j'achète quand même. Elle s'assied à côté de moi.

— Qu'est-ce que tu vas faire ? me demande-t-elle.

Nos regards se croisent. Je souffle :

— Il faut que j'aille à l'atelier.

Elle hoche la tête.

— Et ce soir ? Tu veux venir manger et boire du vin ?

J'hésite. Sa proposition me tente et m'effraie à la fois. Deux soirs de suite, n'est-ce pas accepter de s'engager ? Elle essaye de déchiffrer la raison de mon hésitation.

— Tu es pris ?

— Non. J'ai un chien. Une chienne, Jess. Elle n'a pas l'habitude que je la laisse seule.

— Amène-la. J'aime les chiens, dit Emma en riant. Je m'attendais à ce que tu me dises que tu avais une petite amie.

— Pas de petite amie.

Un aveu de solitude. Un signe de désespoir. Je regrette mes paroles. Emma me regarde bizarrement, comme si une question la taraudait. Je devrais peut-être l'informer que je ne suis pas adapté à la vie en société, que je ne sais pas quelle place j'y occupe.

Elle cueille une graminée et en arrache les graines une à une.

— Les odeurs manquent là-bas, dit-elle. Tu ne trouves pas ? Par exemple l'odeur de l'herbe. Et le moisi. Tout ce qu'on sent, c'est le guano de manchot et la tambouille de la base.

Elle agite la tige en l'air, la jette et me caresse le genou.

— Tu te rappelles, au retour ? L'odeur de la terre ? Les nuages ? Les odeurs de chien, d'herbe, d'arbres ? énumère-t-elle en me poussant gaiement de l'épaule. Enfin ! Tu ne vas pas me faire croire que tu as oublié.

— Je m'en souviens. Les odeurs. La pagaille. Les voitures. La folie. Les gens pressés.

Elle porte son regard au loin dans la grisaille.

— En Antarctique, on oublie ce qu'est être pressé. Dommage qu'on reprenne aussi vite nos mauvaises habitudes au retour. La lenteur, c'est tellement agréable. On savoure les paysages, la vue de l'horizon. C'est pour ça qu'on est tellement accro. Le plaisir de la contemplation. Loin de toute cette agitation. Quand on y pense là-bas, la vie d'ici est totalement... elle n'a pas de sens, dit-elle en se penchant en arrière, les yeux levés vers le ciel. Ça explique pourquoi c'est si difficile de se réinstaller. Qui a envie de vivre comme les autres ? Ils ne savent pas ce qu'ils ratent.

— Si on le veut vraiment, c'est possible de mener une vie simple ici.

— Non, rétorque-t-elle en secouant la tête. Regarde-toi. Tu te sens obligé d'aller au travail tous les matins. Là-bas, tu trouverais un moyen d'y aller plus tard.

— Pas quand il y a une tâche qui m'attend.

— Peut-être pas. Mais tu ferais quelque chose qui compte. Tu ferais des pauses pour regarder le ciel ou un pétrel des neiges voler au-dessus de toi. Ce serait un moment précieux.

Elle a raison. Au Pôle, on se sent comblé par la lumière qui glisse à l'oblique sur la glace ou illumine un iceberg. On tombe sous le charme des lointains.

Toutefois, je voudrais lui prouver que la vie à Hobart peut réserver des joies insoupçonnées. Des joies infimes, comme prendre son petit déjeuner en observant les perruches de Pennant sur la mangeoire du jardin. Le canal d'Entrecasteaux miroitant au soleil le matin, ou les éclairs orangés qui infusent les vapeurs légères de l'automne. J'ai appris à cueillir ces moments de bonheur au fil d'une existence ordinaire. Il s'agit de favoriser un certain état d'esprit imperméable à l'effervescence ambiante. Rien à voir avec l'euphorie que l'on éprouve au Pôle, mais une forme de paix est néanmoins à notre portée.

Emma, hélas, s'est repliée sur elle-même, en proie à des bouffées de souvenirs. Ce n'est même pas la peine que j'essaye de lui expliquer. Même si elle m'écoutait, elle ne comprendrait pas. En pensée, elle est toujours captive des glaces et convaincue que rien au monde n'est plus beau. Il faut des mois pour se réhabituer, pas des semaines. Ce qui ne m'empêcherait pas de sauter sur l'occasion si je pouvais repartir avec elle. Rien que pour partager cette expérience ensemble. Sentir à deux cette fabuleuse impression de liberté, d'évasion. S'enivrer de lumière. Dans un sens, elle a raison. Je compense un manque lorsque je suis enchanté par le vol d'un cormoran au ras de l'eau, alors que je pourrais être

en train d'observer des pétrels des neiges tour-
noyant dans un ciel bleu électrique.

— Je ferais bien d'y aller, dis-je en me mettant
debout.

Le sol sous mes pieds me semble instable. Emma
lève son sourire vers moi.

— Apporte le vin. Deux bouteilles, précise-t-elle.
Je t'attends.

18

Jess m'attend au portail assise sur son arrière-train lorsque je rentre du travail. Elle ne me sourit pas, ne se lève même pas. Elle me regarde avec ses yeux tristes. Je suis plein de remords. J'ouvre le portail, elle se glisse près de moi, le dos rond. Elle croit qu'elle a fait une bêtise.

Je m'assieds en tailleur dans l'allée et elle vient se rouler en boule sur mes genoux. Quand je lui tire les oreilles, elle émet un énorme soupir presque humain. Elle se sent trahie ; c'est la première fois que je l'abandonne une nuit entière depuis mon retour. J'aimerais pouvoir lui dire combien je suis heureux avec Emma, mais maintenant, avec ma chienne chagrine blottie contre moi, je me surprends à verser des larmes. D'où viennent ces larmes ? Je n'ai pas pleuré depuis des années. Je découche une nuit et me voilà en mille morceaux. Comment puis-je avoir une relation harmonieuse avec une autre personne si je rends mon chien malheureux ?

Jess et moi restons ainsi un bout de temps dans la lumière chaude de la fin d'après-midi. L'ombre de la nuit s'installant, même avec la grosse bouillotte que j'ai sur les genoux, le froid du béton s'insinue dans ma moelle.

— Viens, Jess. Rentrons.

Elle se lève d'un bond et me suit dans la maison, collée à mes talons. Je mets de la musique et lui verse ses croquettes puis je pose par terre un bol de lait. Elle lève les yeux et sa queue tambourine contre le sol. Je crois qu'elle sait que je lui demande pardon. Pour un chien, du lait, c'est une véritable friandise.

Je prends une douche, me change et fourre des vêtements propres dans un sac. Autrement dit, je m'attends à passer une deuxième nuit chez Emma. C'est peut-être présomptueux de ma part, mais si nous buvons les deux bouteilles de vin que je vais apporter, ce sera inévitable. Je roule le mince tapis de Jess et le range près de la porte. Toujours devant son écuelle, elle lève la tête et remue la queue. Elle sait que cette fois je ne vais pas l'abandonner.

Alors que les dernières lueurs de jour s'estompent, je bois mon thé à la cuisine et tente de ne pas me laisser déborder par mes émotions. J'ai le cœur qui s'emballe et les mains moites. Je renais à la vie. Depuis neuf ans, aucun espoir ne m'avait poussé vers l'avenir.

Un coup frappé à la porte. C'est Laura et son sourire timide.

— Désolée de vous déranger encore une fois… J'ai juste besoin d'allumettes, pour la cuisinière. Vous en avez, peut-être ? Je n'ai pas envie de traîner Mouse jusqu'au centre commercial. Il a mal au cœur en voiture.

Quel genre de personne peut bien attraper le mal des transports en cinq minutes ? Pourquoi ne laisse-t-elle pas son frère à la maison ? Je ravale mes questions et vais voir si j'ai une boîte supplémentaire. Le téléphone sonne. Je prends l'appel tout en promenant une main sur l'étagère du haut du placard de la cuisine. C'est Jan. Typique de sa part de téléphoner pile au mauvais moment.

— Où on en est avec maman ? me demande-t-elle.

— Je ne sais pas. Jacinta n'est pas allée la voir ? Avec Alex ?

— Si, mais je pensais que j'aurais de leurs nouvelles.

— Il n'y a pas de réseau à Cloudy Bay.

— Encore quelque chose qui ne me fait pas plaisir, dit Jan. Maman ne pourra pas appeler à l'aide.

— Tu veux m'accompagner la semaine prochaine ?

— Je suis débordée. Ma semaine est pleine à craquer. Je n'ai pas une minute à moi.

Elle n'a pas une minute à elle. Bon, alors, qu'est-ce qu'elle attend de moi ?

— Appelle-moi quand tu auras parlé avec Jacinta, ajoute-t-elle. Alex aura peut-être pu leur faire entendre raison. À elle et à maman. Je lui ai fait quelques recommandations avant leur départ et je crois qu'il comprend mon point de vue. Ce qui n'est pas le cas de vous autres.

Elle raccroche. Laura n'a pas quitté le seuil. Enfin, je trouve la boîte que je cherche tout au fond de l'étagère et je vais la lâcher au-dessus de sa paume ouverte. Affaire conclue.

— Merci, me dit-elle.

Elle ne fait pas mine de bouger. S'attend-elle à ce que je l'invite à entrer ?

— Notre installation se passe bien, précise-t-elle.

— Parfait.

En général, mon laconisme fait fuir. Elle va forcément se décourager. Elle m'adresse un drôle de petit sourire. Je ne peux m'empêcher d'établir une comparaison entre elle et Emma. Laura : frêle, timide et effacée, mince comme une brindille. Emma : audacieuse, robuste et extravertie. J'ai hâte d'en avoir terminé ici pour prendre Jess et mes affaires et retourner me réchauffer auprès d'Emma.

— Le centre n'est pas tout près, continue Laura. Mouse ne supportera pas de tourner à tous ces coins de rue.

— Il finira peut-être par s'y habituer.

Elle jette un regard à Jess, assise à mes pieds.

— Les chiens n'ont pas mal au cœur en voiture ?

— Certains, oui. Pas Jess.

— Quand j'étais petite, j'étais toujours malade en voiture. Mais plus maintenant.

Je danse d'un pied sur l'autre, je tripote la poignée de la porte. Quand va-t-elle se décider à partir ?

— Où travaillez-vous ?

— En ville.

— Dans un bureau ?

— Non, je suis mécanicien.

— Ça peut être utile.

J'espère qu'elle ne va pas me demander de réparer sa voiture.

— Je travaille beaucoup.

— Le samedi aussi ?

— Oui, je viens de rentrer.

— Vous devez être fatigué. Vous voulez venir dîner ?

— Merci, c'est très gentil à vous, mais je sors. En fait, je devrais déjà être en route.

— Oh, désolée, je ne vais pas vous retenir.

— Une autre fois, peut-être.

Elle s'éloigne enfin, la boîte d'allumettes à la main.

— Merci ! Je vous les rendrai la semaine prochaine.

— Ne prenez pas cette peine. J'en ai plein.

Elle agite la boîte.

Après son départ, je rentre chercher mon sac. Jess et moi allons chez Emma en faisant escale chez le marchand de vins.

La lampe extérieure du cabanon diffuse une lumière chaude. Jess et moi nous plantons devant la porte comme deux ombres. Je rassemble mon courage et frappe. Emma ouvre, baisse les yeux sur Jess, recule d'un pas et nous tient la porte grande ouverte.

Alors que nous entrons, Jess lève vers moi un museau inquiet, puis elle tourne la tête vers Emma. Elle a l'air de s'interroger sur nos intentions.

— Tu n'as qu'à mettre son tapis sur le plancher, là, indique Emma en désignant du doigt un coin où elle a déjà placé un bol d'eau.

Je lui tends les bouteilles et déroule le tapis.

— Jess, couchée, dis-je en pointant l'index.

Jess, obéissante, pose son arrière-train sur le tapis et me gratifie de son sourire. Elle lape poliment un peu d'eau et jette un coup d'œil à Emma. Je ne pensais pas qu'elle serait aussi calme. Emma a été maligne en lui accordant une place à elle. Elle ne cherche pas son amitié à tout prix. Peut-être comprend-elle mieux les animaux que la moyenne des biologistes.

— Elle est formidable, me dit Emma. Les chiens sont rarement aussi bien élevés.

Elle nous sert deux verres de vin, m'en passe un et se penche par-dessus le comptoir du coin cuisine pour vérifier ce qui cuit dans la casserole.

— Tu mets un peu de musique ? me lance-t-elle.

Je passe en revue la pile de CD par terre et choisis un album d'Alex Lloyd. Pendant que je cherche à comprendre comment marche son lecteur, j'entends le cliquetis des griffes de Jess sur le plancher. Elle pénètre dans le coin cuisine, s'assied à deux pas d'Emma et lève vers elle une gueule haletante.

— Tu veux un os ? dit Emma.

Jess suit Emma devant le frigo et bat joyeusement de la queue pendant qu'Emma sort un sac en plastique. Elle étale du papier journal par terre, donne à Jess son os et lui ébouriffe la tête.

— Fais attention à ne pas déborder, lui recommande-t-elle. Je ne veux pas de sang partout.

Jess est aux anges. Elle se couche en sphinx et se met au travail. Elle semble avoir compris les instructions d'Emma.

— Je crois qu'elle te trouve sympa, dis-je. Je ne m'attendais pas à ce qu'elle t'accepte aussi vite.

— C'est elle qui est sympa. Tu l'as bien dressée. J'adorerais avoir un chien, mais je suis trop souvent partie.

Elle regarde Jess puis lève les yeux vers moi.

— Qu'est-ce qu'elle deviendra si tu pars pour une campagne ?

— Je n'en sais rien. Je trouverai quelqu'un pour s'occuper d'elle, je suppose.

— Elle te manquerait.

— Dommage qu'ils n'aient plus de chiens de traîneaux à la base Mawson.

Emma s'esclaffe.

— De toute façon, tu aurais du mal à la faire passer pour un husky.

Elle traverse la pièce et s'installe à côté de moi sur le canapé. Elle porte les mêmes vêtements que ce matin, mais comme il fait chaud dans le cabanon, elle a déboutonné le haut de sa chemise. Je vois sa clavicule, l'éclat satiné de sa peau, le va-et-vient de haut en bas de ses seins en rythme avec sa respiration. C'est très sexy.

— C'était comment au boulot ?

— Je n'ai pas chômé.

— Tu n'en as pas assez ?

— Non, ça me plaît.

— Ce n'est pas trop répétitif ?

— Tous les boulots ont un côté répétitif.

— Dans une certaine mesure, tu as raison. Même le mien. Marquer les manchots, leur laver l'estomac, entrer les données dans l'ordi...

— J'aime les moteurs. Leur fonctionnement. C'est ingénieux.

— Ce doit être agréable de réparer des choses.

— J'aime bien trouver des solutions.

Emma m'applique une pichenette sur le genou.

— Dans ta vie privée aussi ?

Je réponds avec un temps de retard :

— Ça, c'est plus difficile.

Elle se lève pour servir le dîner. Je fais mine de me lever aussi.

— Reste assis, me dit-elle. La cuisine est trop petite pour deux.

Jess ronge toujours son os. Elle lève les yeux vers Emma au moment où celle-ci l'enjambe, puis me jette un coup d'œil en remuant la queue : quatre coups rapides martelés sur le plancher. Elle veut savoir si j'approuve sa sympathie pour Emma. Je lui confirme d'un signe de tête. Elle retourne à son os, satisfaite.

Emma a préparé un ragoût de bœuf accompagné de lentilles et de riz. Nous mangeons sur le canapé avec nos bols sur les genoux. Le plat se marie bien avec le vin rouge. À la fin du premier verre, je commence à me sentir plus détendu.

— Tu as de la famille à Hobart ? me demande
Emma qui boit à petites gorgées.

— Ma mère, ma sœur, mon frère, ma nièce.

— Ton père ?

— Il est mort il y a quelques années.

— Vous étiez proches ?

— Pas particulièrement.

Je revois papa au phare, ses épaules minces, son
visage long à l'expression sérieuse. Je ne me rappelle
pas avoir eu avec lui une seule conversation sur un
sujet autre que trivial. Je me souviens surtout de sa
démarche pressée et saccadée quand il remontait la
colline vers le phare, de ses silences à table, de mon
désir de lui plaire. Il extériorisait très peu ses sentiments ; je me disais qu'il avait sûrement plein de
secrets et qu'il devait exister un sésame qui m'y donnerait accès. Adolescent, j'étais frustré de ne pouvoir
communiquer avec lui. Plus tard, j'ai renoncé et je me
suis replié sur mon monde intérieur. C'est lui qui m'a
enseigné le silence.

Emma me dévisage. À mon tour de l'interroger :

— Et ta famille à toi ?

— Ils vivent tous au nord de la Nouvelle-Galles du
Sud, sur la côte. Je suis la seule à être toquée d'Antarctique, dit-elle en prenant une bouchée de ragoût et
en mastiquant pensivement. Je n'ai pas de père non
plus. Il est parti quand j'avais dix ans. Il s'est mis en
couple avec la voisine, qui était divorcée. Pratique,
une liaison avec la femme d'à côté ! Ils ont acheté une
maison dans une autre banlieue et papa nous a rayées

de sa vie. Sa nouvelle femme ne voulait pas de compétition, alors elle l'a obligé à couper les ponts avec nous. Pathétique, non ? Il n'est même pas venu au mariage de ma sœur.

Emma remplit nos verres de vin et lève le sien.

— À la famille, dit-elle avec un sourire en coin. À notre non-relation avec nos pères.

Je trinque avec elle et bois, sans la quitter des yeux.

— À quoi d'autre peut-on porter un toast ? dit-elle.

— À une nouvelle campagne en Antarctique ?

— C'est une obsession chez toi, n'est-ce pas ?

— Seulement depuis que je t'ai rencontrée.

— Je ne te crois pas.

Je baisse la tête afin d'esquiver son regard entendu.

— Ces dernières années, j'y ai pensé seulement vaguement. Je n'envisageais pas d'y retourner.

— Et maintenant, si ?

— Je ne sais pas.

Elle me fixe d'un air incrédule.

— C'est pour ça que tu es ici ?

— Non. Je suis ici parce que je t'aime bien.

Elle vide son verre.

— Tu m'aimes bien, répète-t-elle. Ça veut dire quoi ?

Que veut-elle entendre ? Que je l'aime tout court ? Que j'éprouve pour elle un désir fou ? Je suis amoureux, c'est certain. Mais je n'ai pas envie de dire « je t'aime ». Cela n'aurait pas de sens, après deux jours seulement.

— Je ne mélange pas les mecs avec mes campagnes en Antarctique.

Ses paroles sonnent à la manière d'un avertissement. Je hausse les épaules. Elle insiste :

— Tu disais que tu voulais repartir.

— Oui, ça me plairait, je crois.

— Tu crois seulement ?

— Ce n'est pas toujours commode de lever le camp du jour au lendemain.

— Pourquoi pas ?

— Les gens ont des obligations.

— Qui les retiennent.

— Qui font qu'il est difficile de partir.

Par exemple maman. La peur.

— Comme quoi ? Les remboursements de ton prêt pour ta maison ? J'avais compris que tu voulais repartir en campagne.

— Oui, mais pas forcément tout de suite.

— Et pas forcément avec moi.

Je serre mon verre dans mon poing et tente de refouler la montée d'angoisse qui étreint ma poitrine. Suis-je déjà en train de tout gâcher entre nous ?

— J'aimerais retourner là-bas avec toi, dis-je, mais seulement si cela te convient.

Je prends ses mains dans les miennes, mais elle essaye de se dérober. Un geste auquel je ne m'attendais pas. Jusqu'ici, elle avait l'air tellement sûre que nous étions bien tous les deux. Je retiens ses mains. On se plaît mutuellement. C'est évident, même si elle n'en sait plus trop rien tout à coup. À quoi s'attendait-elle ?

Elle n'est rentrée que depuis quelques semaines. Elle s'est tellement contenue en Antarctique qu'à présent elle a le cœur à vif, comme moi. Je ne parviens qu'à murmurer d'une voix éraillée :

— Emma, je t'aime beaucoup, c'est vrai. D'accord ?

Ses mains se détendent dans les miennes. Je l'embrasse en m'efforçant de lui communiquer la tendresse que j'ai pour elle. Je la comprends, je me mets à sa place. Est-ce que j'y parviens ? Rien n'est moins sûr, mais je fais du mieux que je peux.

Elle se lève, éteint la lumière et se rassied auprès de moi. Je caresse son visage dans le noir. Du bout des doigts, j'en explore le relief, je frotte mon pouce sur la douce ligne de sa bouche. Sa docilité me rend audacieux, tout comme ses doutes de tout à l'heure. Entre mes mains, son corps ondoie voluptueusement, éveillant au fond de moi un fantasme masculin. Elle est chaude, toute douce. Nous sommes proportionnés pour une étreinte parfaite. Elle se cambre sous la pression de ma cuisse entre ses jambes.

— Viens dans le lit, chuchote-t-elle à mon oreille. Je crois qu'on sera mieux nus.

À un moment donné, pendant la nuit, Jess entre et glisse son museau sous ma main posée sur la couette. Je caresse sa tête et frotte entre mes doigts le velours épais de ses oreilles.

Si seulement les femmes étaient moins compliquées.

Au matin, Emma pose sa tête au creux de mon épaule. Son sourire languide suffit à affoler mon cœur.

Je caresse son bras en contemplant l'éclat de sa peau dans la lumière beige que filtrent les rideaux. Elle est merveilleusement lisse.

— Tu as quel âge ? me demande-t-elle.

— Un âge avancé.

— Mais encore ?

— Quarante-deux.

— C'est bon. On a neuf ans d'écart. L'âge n'a pas d'importance.

Elle ferme les yeux. Je me rappelle les tourments associés à l'amour car je ressens pour elle quelque chose qui me fait trembler. Depuis le temps que mon cœur n'est qu'à moi, et à moi seul...

— Tu as connu beaucoup de femmes ?

— Trois seulement, dont toi.

Un grand sourire se dessine sur son visage aux yeux clos.

— C'est bien ce que je pensais.

Insinue-t-elle que je manque d'expérience ? Que je suis maladroit ?

— Excuse-moi.

— Pourquoi ? J'aime bien être avec toi. Les autres, on dirait qu'ils suivent une recette.

— Les autres ?

— Tu as été marié ?

— Oui.

Je m'attends à ce qu'elle se crispe, je guette chez elle un changement d'attitude ; rien ne se passe. Je précise d'une voix étranglée :

— C'était il y a longtemps.

Elle passe la main sur les quelques poils qui frisent sur ma poitrine.

— L'Antarctique ?

— Oui.

— Et ?

— Elle a rencontré un autre homme.

— Tu n'as pas pu rentrer ?

— Le dernier bateau était parti.

— Bien sûr, comme toujours, dit-elle en me caressant la joue. Pas étonnant que tu aies trouvé l'hiver rude.

— L'hiver est rude pour tout le monde.

La compassion adoucit l'expression de son visage.

— Arrête de jouer les durs. Tu as le droit d'être triste.

Elle dépose un baiser sur mon front, mon nez, mon menton.

— Voilà pourquoi je m'abstiens, continue-t-elle. Amour et Antarctique sont deux choses qui ne vont pas ensemble. Un mélange destructeur.

Dans ce cas, que faisons-nous là ? ai-je envie de lui demander. Elle se blottit contre moi. J'aime trop me repaître de sa chaleur, de toute cette voluptueuse douceur, pour poser des questions malvenues.

19

Jacinta et Alex arrivèrent le samedi matin. Leur jeunesse énergique et joyeuse remplit aussitôt le chalet dès qu'ils entrèrent, sourires radieux à la bouche, dans un bruissement de sacs en papier bourrés de victuailles. Mary eut la sensation d'être soulevée par une tornade. Et puis elle eut un moment de panique en voyant la lettre sur la table basse. Elle eut tout juste le temps de la dissimuler sous son plaid avant que Jacinta se précipite pour l'embrasser.

— Nana ! Comment vas-tu ? Oh, mais tu as encore maigri. On va s'occuper de toi.

Ils déposèrent tous leurs sacs sur le plan de travail, remplirent le frigo, mirent de l'eau à bouillir et tisonnèrent les braises dans le poêle. Rien qu'à les regarder s'affairer, Mary était éreintée. Pendant qu'elle buvait tranquillement son thé, ils passèrent l'aspirateur, la serpillière, nettoyèrent la salle de bains et mirent un rôti au four. À présent, Alex était dehors en train de fendre des bûches. Mary entendait le bruit sourd de la hache contre le bois.

— Comment va ta mère ? demanda-t-elle.

Mary se disait qu'il valait mieux régler tout de suite ce problème qui risquait d'empoisonner la soirée.

— Comme d'habitude. Elle s'inquiète pour toi. Elle voudrait que tu rentres, dit Jacinta avec un petit sourire en coin. Tu envisages de rentrer, d'ailleurs ? Si oui, je me débrouille pour que tu puisses rester à Battery Point. Je ne permettrai pas à maman de te bousculer.

Mary secoua la tête.

— Je compte rester ici.

— Tu ne te sens pas trop seule ?

— Non, le garde forestier fait un saut tous les jours. Il s'appelle Leon. Un jeune homme sympathique.

— Mais s'il arrêtait de passer ? Je frémis à la pensée que tu pourrais te retrouver toute seule.

— Je suis très bien, insista Mary.

Elle n'était jamais seule. Elle avait Jack.

— Alors, maman n'est pas venue te voir ?

— Pas encore. Ni Gary.

Jacinta fit une grimace, signe que cela ne lui plaisait pas du tout.

— Je suppose que Gary est débordé...

— Et ta mère est furieuse. Elle déteste quand les choses ne se passent pas comme elle le veut.

Jacinta tenta un sourire, mais Mary voyait qu'elle était désolée.

— Elle est têtue, dit Jacinta. Ça lui arrive de réagir de façon hystérique. Je peux t'assurer qu'elle n'est pas commode à calmer en ce moment. Mais j'aimerais qu'elle vienne ici quand même.

— Elle viendra quand elle sera prête, rétorqua Mary en pinçant les lèvres.

Elle aussi souhaitait la visite de Jan. Avant de mourir, elle aurait aimé faire la paix, mais peut-être était-ce impossible. Et si elle venait, sa fille réussirait peut-être, à force de subterfuges, à la convaincre de rentrer à Hobart. Alors, tout bien considéré, mieux valait qu'elle ne se dérange pas.

Alex rentra et Mary se renfonça dans les coussins du canapé pour mieux profiter de la compagnie de ses jeunes invités. Jacinta se repaissait de l'admiration qu'Alex avait pour elle. Ils avaient une relation de confiance. Alex était un jeune homme ouvert et aimable. Un jeune homme prometteur à tous les points de vue ; il ferait un très bon mari. Dommage qu'il ait une mère abusive, mais on ne pouvait pas tout avoir dans la vie. Mary était convaincue que Jacinta et Alex formaient déjà un couple solide. Ils connaîtraient bien entendu les inévitables remous de la vie conjugale – aucune relation ne pouvait s'épanouir sans quelques orages. Mais ils avaient les moyens d'y faire face. L'affection, la patience et une aptitude à bien communiquer, voilà trois piliers puissants. Les mariages dureraient peut-être plus longtemps s'ils tenaient sur d'aussi solides fondations.

À part le simple plaisir de se sentir entourée, Mary avait d'autres raisons de se réjouir de leur visite. Au cours des derniers jours, face à l'immensité et au silence de la mer, elle avait parfois eu l'impression de perdre la tête. Que Jack puisse se matérialiser dans un coin sombre du chalet ne lui paraissait plus si invraisemblable. Elle était convaincue qu'il avait été là ; elle avait senti sa présence. Elle lui avait parlé, l'avait encouragé à montrer son visage. Elle lui avait même proposé de s'asseoir à côté d'elle afin qu'ils puissent se remémorer ensemble les bons moments.

Elle savait qu'elle avait tort de se complaire dans ce qui n'était qu'un fantasme. Mais cela la rassurait de penser qu'il était auprès d'elle. En dépit des défaillances de leur couple, il lui avait affreusement manqué après sa mort. Elle avait mis sa propre vie sur pause lorsque celle de Jack était arrivée à sa fin, lui épargnant le supplice de terminer ses jours dans un mouroir et lui permettant de s'éteindre dignement dans son lit. Après sa disparition, elle avait ressenti un vide d'autant plus atroce que sa maladie était en quelque sorte devenue une raison de vivre. Se retrouver sans lui, c'était comme marcher dans le désert.

Peu à peu, elle s'était lancée dans de nouvelles activités. Elle avait travaillé quelques heures au magasin caritatif. Elle avait collaboré avec une association proposant des repas à domicile. Apporter sa contribution à la société, cela lui faisait du bien et lui rappelait qu'elle avait de la chance d'être encore aussi vaillante.

Oui, c'était merveilleux de les avoir tous les deux, Jacinta et Alex, avec elle pour le week-end. Après leur départ, elle reprendrait le fil de son histoire. D'abord, elle devait mettre Leon sur la sellette : comment expliquait-il ces ecchymoses ? Ensuite, le week-end prochain, il y aurait les scouts à Cloudy Corner, à proximité d'East Cloudy Head. Si seulement elle parvenait à grimper le sentier de la falaise, même si elle n'allait pas jusqu'au bout, elle réussirait à tenir sa promesse faite à Jack.

Dimanche venu, Jacinta et Alex s'en allèrent en emportant avec eux un tourbillon affectueux. Deux jours plus tard, elle reçut une visite surprise.

Mary guettait l'arrivée de Leon à la fenêtre, quand la vieille voiture de Tom avait surgi d'entre les dunes pour s'arrêter sur l'herbe. Tom avait sauté de la voiture, aussi souple, mince et léger qu'un adolescent. Comment quarante-deux ans avaient-ils pu passer aussi vite ? Hier encore, lui semblait-il, il était assis sur ses genoux et elle le serrait tendrement contre elle. Ce petit garçon toujours tellement sérieux était devenu un homme marqué par la souffrance et la crainte.

Mais, aujourd'hui, quelque chose avait changé. Il entra en coup de vent, le visage radieux, et l'embrassa de tout son cœur. Elle l'étreignit avec autant de vigueur que le permettaient ses maigres forces. Cela faisait des années qu'elle ne l'avait pas vu aussi heureux. Le bleu du ciel lui-même semblait se faire l'écho de son bonheur – sonnez hautbois, résonnez musettes ! Debbie n'avait pas allumé autant d'étoiles dans ses yeux. À vrai dire, elle ne se rappelait pas l'avoir jamais vu aussi animé, presque fou de joie.

Jess déboula avec le même entrain que son maître. Sautant d'un bond sur le canapé qu'elle arrosa d'une pluie de sable humide, elle fourra son museau sous le nez de Mary et respira fort dans sa figure. Une quinte de toux ne la découragea pas. Tom était tellement étourdi qu'il ne remarqua pas que l'état de sa mère avait empiré.

Elle attendit quelques minutes et, comme il n'avait pas l'air de vouloir lui annoncer sa grande nouvelle, elle ne fit pas mystère de sa curiosité :

— Qu'est-ce qui t'arrive ?

Il parut hésiter, puis répondit :

— Je ne voudrais pas te donner de faux espoirs.

— Dis-moi.

— J'ai rencontré quelqu'un.

— C'est merveilleux. Tu n'as pas touché terre depuis que tu es entré.

— Ça se voit tant que ça ?

— Oui.

Devant son agitation, elle comprit qu'à son bonheur était attachée une certaine dose d'appréhension. Sans doute n'osait-il pas céder complètement au désir grisant de se lancer dans une nouvelle aventure.

— Où l'as-tu rencontrée ?

— À l'antdiv, elle y a donné une conférence. Elle est biologiste, une spécialiste des manchots... Elle vient de rentrer.

Dans ses yeux passa un nuage. Un doute ? se demanda Mary. En débarquant du bateau après son hiver en Antarctique, il avait été semblable à un petit garçon perdu. Il ne lui avait pas accordé un sourire en la retrouvant sur le quai en bas de la passerelle. Mary ne se faisait pas d'illusion, ce n'était pas elle qu'il avait espéré voir là. Debbie avait refusé de venir l'accueillir. Le récent décès de Jack avait aussi sa responsabilité dans le visage fermé de son fils. Pauvre Jack, il s'était éteint quelques jours avant l'arrivée du bateau. Il n'avait pas réussi à tenir jusqu'au retour de Tom.

Mary se rappelait l'appel qu'elle avait passé ; l'étonnement et l'angoisse dans la voix de Tom convoqué sur la passerelle.

« Maman. Qu'est-ce qu'il y a ?

— Je suis désolée, Tom, de t'appeler comme ça. Pardonne-moi ce que je vais te dire... Ton père est mort ce matin... Il était à la dernière extrémité... »

Dire une chose pareille à son fils au téléphone, comment avait-elle pu ? Ne pas pouvoir l'entourer de ses bras, ne pas pouvoir le serrer contre son cœur alors qu'il avait besoin d'elle... Ensuite, elle avait immédiatement téléphoné à Debbie pour savoir si elle voulait bien accueillir Tom à sa descente de bateau. Mais Debbie était convaincue que Tom interpréterait ce geste de travers. D'après elle, il croirait à des retrouvailles.

Mary avait vu son fils balayer la foule du regard, au cas où émergerait au milieu de cette marée de visages celui de sa bien-aimée Debbie. Il titubait sur le quai tel un marin ivre – ce n'était pas seulement la terre ferme qui se dérobait sous ses pas, c'était sa vie tout entière.

Au début, Mary était persuadée que c'était le deuil – d'un père et d'un amour – qui l'avait rendu aussi morose. Mais au bout d'un certain temps, elle avait vu autre chose dans sa tristesse. S'il s'était replié sur lui-même, c'était parce qu'il ne parvenait pas à retrouver une vie normale après un séjour d'un an dans le sanctuaire de l'Antarctique. Le traumatisme du retour, aggravé par le chagrin, avait failli le détruire. Tant bien que mal, il était parvenu à reprendre ses activités, mais d'une façon détachée. Il assistait en spectateur au déroulement des événements. Depuis des années maintenant il évoluait en marge d'une vie dans laquelle il aurait dû mordre à belles dents. Jusqu'à aujourd'hui où, tout à coup, une nouvelle rencontre venait d'abattre toutes ses défenses.

— Parle-moi un peu d'elle.

— Elle s'appelle Emma. C'est une fille solide, maman.

En articulant le nom d'Emma, la voix de Tom prit une intonation d'une douceur qui fit tressaillir d'aise sa mère. Et si elle était solide en plus...

— Mais encore ?

— Elle est sûre d'elle, pas prétentieuse...

— Elle me plaît déjà. Une femme formidable, alors.

Il lui jeta un coup d'œil nerveux.

— J'hésitais à te le dire, mais j'espère que je pourrai aller en Antarctique avec elle. Étudier les manchots.

La perspective de le voir repartir la plongea soudain dans une vive inquiétude. Se croyait-il immunisé contre la souffrance ? Pourtant, devant ses yeux brillant d'excitation, elle ne put que lui prodiguer des encouragements.

Ce qu'il lui disait à propos d'Emma produisit un déclic dans l'esprit de Mary : elle venait de se rendre compte que, si elle mourait, ce serait pour lui un soulagement. Il ne serait pas obligé de moisir à Hobart en attendant l'appel fatal. Tout ce temps qu'il avait perdu à cause d'elle depuis des années. Comment ne s'en était-elle pas aperçue plus tôt ? Elle était atterrée. Un boulet. Voilà ce qu'elle était pour lui.

En le regardant remplir la bouilloire et allumer la cuisinière, elle prépara ses questions. Il avait le visage tourné vers la fenêtre, un petit sourire aux lèvres.

— Quand est-ce qu'Emma retourne en Antarctique ? finit-elle par lui demander.

— Dans quatre mois.

— C'est assez ?

— Assez pour quoi ?

— Pour savoir si elle est faite pour toi.

— Je le sais déjà.

— Et elle ?

Il haussa les épaules et fronça les sourcils.

— Elle a le tournis. Elle n'est de retour que depuis quelques semaines.

— Toi aussi, tu as le tournis, sourit Mary.

— Tu crois ?

— Je suis heureuse pour toi.

Il s'assit, manifestement en proie à un débat intérieur.

— Tu crois que c'est une bonne idée? réussit-il finalement à articuler. L'Antarctique.

Leurs yeux se rencontrèrent. Mary lut de l'espoir dans ceux de son fils. Sa mort allait le libérer. Et l'amour de cette femme lui donnerait peut-être le courage de mettre à profit cette liberté. Mary opina:

— Je suis contente pour toi. Je veux que tu sois heureux.

— Je crois que, cette fois, je n'ai rien à craindre, maman.

Mary savait qu'il avait tort. Personne n'est jamais à l'abri.

Elles avaient été difficiles, ces premières années à Hobart, avec Jack, à partir du moment où elle était tombée enceinte de Jan. Bruny lui manquait autant qu'à lui. Tous les deux avaient du mal à s'acclimater à leur nouvelle vie en ville. Pendant que Jack s'épuisait à travailler de longues heures à l'usine, elle endurait les nausées de début de grossesse. C'était la saison des pommes. Le parfum qu'elles dégageaient en cuisant remplissait la maison et lui donnait envie de vomir. Elle se traînait toute la journée en ayant l'impression d'être dégoûtée de tout. La vie pesait une tonne.

En dépit de l'humeur maussade de sa fille, la mère de Mary était ravie d'héberger le jeune couple. Pour fêter l'heureux événement, elle avait tenu à acheter du tissu pour leur coudre des nouveaux draps. Mary estimait que c'était un luxe inutile, mais elle l'avait quand même accompagnée à la mercerie. Comme elle était dans les toutes premières semaines, sa grossesse ne se voyait pas encore. Elle pouvait aller faire des courses en ville sans crainte de choquer.

Elles avaient passé vingt bonnes minutes dans le magasin, sa mère hésitant entre plusieurs coupons, palpant les étoffes entre ses doigts afin de s'assurer de leur qualité. Dans l'atmosphère confinée, Mary avait eu tout à coup violemment mal au cœur. Elle était sortie dans le jour humide de Hobart pour respirer un peu d'air frais.

Abritée sous l'auvent d'une devanture, elle suivait distraitement des yeux les silhouettes grises des piétons qui marchaient en ployant le cou, croyant sans doute pouvoir esquiver les gouttes. Certains étaient équipés de parapluies, d'autres serraient les épaules sous des manteaux foncés ou tenaient un journal au-dessus de leur tête. Soudain, elle remarqua un homme qui remontait la côte dans sa direction. Grand, mince, il avançait à grandes enjambées. À un moment donné, il leva la main pour repousser ses cheveux mouillés. Alors son cœur se pétrifia. C'était Adam. Elle reconnaissait sa démarche aussi bien que si elle l'avait vu hier. L'instant d'après, il l'avait à son tour reconnue.

Dans la foulée, sa mère avait émergé de la mercerie, l'avait prise par le bras et l'avait entraînée dans la direction opposée. Elle pressait tellement le pas que Mary s'était demandé si elle n'avait pas, elle aussi, reconnu Adam. Après toutes ces années passées à manœuvrer, ses parents n'allaient pas prendre le risque qu'elle le revoie, même si elle était mariée maintenant.

Une fois à la maison, elle avait eu un coup de faiblesse. Sans doute parce qu'elle avait gravi la colline trop vite dans le froid. Sa mère l'avait fait asseoir devant la cheminée, lui avait donné une tasse de thé et lui avait conseillé de faire une sieste. Mary avait obtempéré, rien que pour ne pas éveiller ses soupçons. Elle s'était allongée sur son lit avec une seule idée en tête : comment s'échapper pour retrouver Adam ?

Après ce qui lui avait semblé un temps de repos acceptable, Mary avait rejoint sa mère. Elle s'était efforcée de rester calme. Elle avait repassé, bu du thé et bavardé pendant plus d'une heure. La pluie avait cessé mais le ciel restait plombé. Mary était finalement parvenue à persuader sa mère qu'elle se sentait d'attaque pour une petite promenade. Avec des gestes lents, en ignorant les battements de son cœur, elle avait mis son manteau, son chapeau et son écharpe et était sortie dans le frais après-midi.

Adam était bien là où elle pensait le trouver, dans le parc, assis sur un banc, trempé, débraillé. Il leva vers elle des yeux tristes. Mary sentit sa gorge se serrer. Après toutes ces années, il était encore si proche... La forme de la mâchoire, l'angle de la pommette. Ses traits avaient durci, son expression paraissait moins spontanée que celle du garçon qu'elle avait connu autrefois. De petits vaisseaux rouges étaient visibles sur ses joues empourprées. Il semblait plus lourd, tassé.

Machinalement, ils se dirigèrent vers le fond du parc. Les années s'étaient évaporées. Ils marchaient côte à côte. Mary mourait d'envie de lui prendre la main. Mais comment aurait-elle pu ? Elle avait une alliance au doigt maintenant et dans le ventre un futur bébé. Le temps avait changé bien des choses pour elle. Impossible de faire machine arrière.

Arrivés au point le plus élevé du parc, ils s'assirent sur un banc. Mary tendue, le dos droit, mutique. Adam penché en avant, vaincu. Le silence planait entre eux à l'image des années de séparation. Lorsqu'il prit la parole, enfin, sa voix était chargée d'émotion.

— Ça fait longtemps, Mary. Combien ? Cinq ans ?

— Quelque chose comme ça.

— Je suis venu ici chaque année à la saison des pommes. J'espérais chaque fois te retrouver.

— Tu ramasses toujours des fruits ?

— Bien sûr que oui. C'est ma vie. Je suis encore sur la route.

Elle hésita et préféra attendre qu'il poursuive.

— Nous avions décidé de nous installer tous les deux, tu te rappelles ? Nous allions avoir un cottage. Notre verger. Nos pommes. Qu'est-ce qui est arrivé ?

Que pouvait-elle répliquer à cela ?

— Ce sont des rêves perdus, Mary. Ça n'a pas été facile à accepter. Où étais-tu ?

— Mes parents m'ont envoyée sur l'île Bruny. À la ferme de mon oncle. Ils ne voulaient pas que je reste ici. Ils savaient que je t'aimais.

Les épaules d'Adam s'affaissèrent d'un cran supplémentaire.

— Je n'étais pas assez bien pour toi. Je le sais. Ton père m'a ri au nez quand je lui ai dit que j'étais un saisonnier. Je lui ai promis que je m'occuperais bien de toi, mais il n'a rien voulu entendre. En cinq minutes, c'était réglé. Ça aurait pu marcher, toi et moi. Ça peut toujours.

— Je te demande pardon pour mon père. C'est un homme dur aux idées arrêtées. Je suis désolée qu'il t'ait blessé.

Mary posa sa main sur le genou d'Adam. À travers son pantalon mouillé, elle perçut la chaleur de son corps, stupéfaite par l'intensité du désir que ce simple contact ranimait en elle.

Le visage d'Adam s'adoucit, ses yeux plongeant dans les siens.

— Tu te rappelles les heures que nous avons passées dans ce parc ? Nos espoirs ? Nos projets d'avenir ?

Des larmes inattendues coulèrent sur les joues de Mary. Il prit ses mains dans les siennes. Un feu s'alluma en elle. Elle était toujours la fille qui l'aimait, la fille qui avait cueilli son premier baiser sur ses lèvres.

Penché sur ses mains, il enroulait ses doigts autour des siens, quand, soudain, il se pétrifia. L'alliance. Il avait vu l'alliance. Elle voulut reprendre ses mains mais il les retint d'une poigne de fer.

— J'arrive si en retard que ça ? avait-il dit d'une voix rauque tendue à se briser.

— Je suis mariée depuis un an.

Il se détourna. Elle comprit qu'il avait honte de pleurer devant elle.

— Je t'ai écrit des lettres. Les voici. Je suis retourné dans ma chambre les chercher.

De l'intérieur de sa veste, il sortit un petit paquet emballé dans du papier kraft attaché par une ficelle.

— Prends-les. Elles sont à toi. Tu les liras peut-être un jour.

Il lui tendit le paquet qu'elle glissa dans la poche de son manteau. Il se leva, le visage décomposé. Elle lui prit la main pour l'obliger à se rasseoir. Même après tout ce temps, elle lui appartenait encore. Il savait tout d'elle. Il lui suffisait de la toucher pour la mettre en émoi.

Enhardi, ayant lu quelque chose dans ses yeux, il s'avança d'un pas et se pencha pour l'embrasser. Elle recula et voulut protester, elle pensait à Jack. Mais il l'attira contre lui. Sa chaleur l'enveloppa. Il l'embrassa à lui faire perdre haleine et la raison. Sous ses baisers, elle revenait à la vie. Jack ne l'avait jamais émue autant. Il n'avait pas appris à connaître son corps comme Adam l'avait fait autrefois dans le parc, en seulement quelques jours.

L'espace de quelques instants, elle avait tout oublié. Puis, alors qu'Adam lâchait sa bouche pour la dévorer d'un regard brûlant de désir, elle s'arracha à son étreinte. Remettant de l'ordre dans ses vêtements, elle se leva en vacillant.

— Adam, je vais avoir un bébé.

Il devint livide et le désespoir déforma ses traits.
Il lui tendit la main en disant d'un ton fébrile :

— Viens. On peut encore...

Mais elle fit un pas en arrière.

— Je t'aime toujours. Je ne peux pas le nier. Mais
je ne suis plus la fille que tu as connue. Je t'aime,
mais nous ne pouvons pas avoir ce que nous voulons.
Je suis mariée à un autre homme. À Jack...

Il fallait lui donner un nom.

— Si seulement j'avais le pouvoir de reculer l'horloge du temps. Mais c'est impossible. Je suis mariée,
je vais avoir un enfant. C'est comme ça. Je ne peux pas
devenir ta femme.

Sur ces paroles, elle le planta là. Elle était à la
torture. Était-elle amoureuse de lui ou d'un rêve de
jeune fille ? D'une image de ce qui aurait pu être. Que
savait-elle de lui, en fait ? Elle n'avait passé que dix
jours de sa vie avec lui, dans ce parc. Était-il capable
de se tenir à son côté alors qu'elle mettrait au monde
l'enfant d'un autre ? Ou finirait-il par l'abandonner ?
Elle n'aurait alors plus rien. Non, elle ne pouvait pas
s'enfuir avec lui. C'était trop risqué.

Elle jeta le paquet de lettres dans le poêle de la
cuisine. Qu'aurait-elle gagné à les lire ? Elle était
déjà bourrelée de remords ; elle n'avait pas besoin
d'angoisser davantage. Maintenant, elle devait se
concentrer sur Jack. Elle avait pris la résolution
d'améliorer leur mariage. Depuis qu'ils étaient
à Hobart, elle avait fait peu d'efforts. Elle avait
laissé leur amour passer au second plan maintenant

qu'elle était enceinte et nauséeuse. Il fallait qu'ils revitalisent leur couple, se disait-elle, aiguillonnée par la culpabilité. Elle avait embrassé un autre homme. Un instant, elle avait même envisagé de quitter Jack. Pourtant, c'était lui qu'elle avait choisi. Elle devait absolument veiller au bonheur de leur union.

Pour commencer, il fallait trouver une location – chez ses parents, ils ne parviendraient jamais à être heureux. Ensuite, elle devait accepter de vivre avec sa mauvaise conscience. Elle ne parlerait à personne de sa rencontre avec Adam.

Jack et elle étaient restés bon gré mal gré à Hobart jusqu'au moment où s'était présenté le poste au phare du cap Bruny. L'espoir s'était rallumé alors dans le cœur de Mary. L'île personnifiait son lien avec Jack. Ils avaient besoin d'y retourner pour se retrouver. Paradoxalement, ce fut dans cet endroit porteur d'espoir qu'elle découvrit à quel point celui-ci était peu fiable.

Au phare, elle commit l'erreur d'ouvrir la porte aux fantasmes. Lorsque Jack se referma sur lui-même, elle puisa des forces dans ses rêveries où Adam avait la première place. Elle se figurait menant la vie d'une femme de saisonnier – les aventures sur la route, l'exploration de nouveaux coins du pays, les rencontres. Elle imaginait leur paisible cottage planté au milieu de son verger. Aveuglée par la solitude, elle permit à Adam de se glisser entre Jack et elle. Les dégâts furent considérables. Elle s'était cramponnée à son souvenir au lieu de l'oublier. Il y avait un prix à payer. À la fin, cela la rendit vulnérable.

Et voilà qu'elle était en train d'écouter son fils Tom lui annoncer que, cette fois, il avait trouvé l'amour véritable et qu'il n'avait rien à craindre. Comment le mettre en garde ? Cela lui avait pris des années pour mesurer l'étendue des ravages causés par sa passion secrète pour Adam. C'est vrai, elle aurait mené une existence tout autre avec lui, sans doute aussi une relation plus intense, plus intime. Mais encore une fois, peut-être pas. L'amour est plus fort que le désir. Adam n'avait pas traversé les orages de la vie avec elle comme Jack. Il ne l'avait pas soutenue lorsqu'elle était éreintée par la maternité. Il n'avait pas supporté à son côté les petits ennuis du quotidien, les problèmes financiers, les affres qui accompagnaient les grandes décisions, la préparation de l'avenir des enfants. C'était tout cela, un mariage. La ténacité. La capacité à faire face aux choses de la vie. L'accumulation de souvenirs communs.

20

Je suis chez moi en train de préparer une sauce bolognaise quand le téléphone sonne. La voix d'Emma. Mon pouls s'accélère. Je ne sais plus quoi faire de ma cuillère.

— J'ai deux choses à te dire. *Primo*, tu peux prendre ton vendredi ? Je voudrais t'emmener faire de l'escalade à Freycinet.

J'ai déjà pris un congé aujourd'hui pour rendre visite à maman, mais si je fais deux grosses journées, je pourrai peut-être prendre aussi le vendredi pour aller au parc national de Freycinet.

— *Deuzio*, continue Emma, j'ai parlé de toi à mon patron. Il voudrait savoir si tu peux passer pour un entretien à 15 heures demain.

Heureusement que Bill m'apprécie, me dis-je en songeant que cet entretien serait lui aussi pris sur mon temps de travail.

— Où veux-tu que je te retrouve ?

— Tu n'as qu'à aller à la réception, ils m'appelleront.

Elle est sur le point de raccrocher mais j'ai envie d'entendre encore un peu le son de sa voix.

— Emma...

— Oui ?

— Je me réjouis de te voir.

Son rire est mélodieux.

— Patience.

Selon Bazza, mon collègue diéséliste, le patron d'Emma, Fredricksen, est un scientifique typique : distant, un brin élitiste et ayant toutes sortes d'idées saugrenues. Il paraît qu'il se tient toujours à l'écart et ne se mêle jamais aux techniciens.

Nous buvons une tasse de café à l'atelier avant l'entretien. Je lui fais remarquer qu'il a tort de généraliser mais Bazza ne veut rien entendre. Le patron d'Emma est de la vieille école, dit-il ; il n'est pas allé au pôle Sud depuis des années et mène toutes ses recherches sans bouger de son bureau. En plus, il est terriblement désordonné. C'est à se demander comment il arrive à faire quoi que ce soit. Un effroyable fouillis qui prendrait feu tel un fétu de paille si on y craquait une allumette et dans lequel il doit y avoir des archives remontant à vingt ans. Des décennies d'observation. Et dans quel but ? Aucune publication n'en sort jamais. Toute cette science ne sert finalement qu'à affirmer notre présence en Antarctique. Par « notre », ajoute Bazza, il faut comprendre celle de l'Australie. Voilà pourquoi le rôle des techniciens est tellement important. Sans nous, les scientifiques ne parviendraient même pas à survivre au froid dans des conditions aussi difficiles. Ils dépendent de nous.

Je l'interromps pour lui annoncer que j'ai un entretien avec Fredricksen à 15 heures. Bazza me déconseille vivement de travailler avec lui. Si son bureau prenait feu, il ne pisserait même pas dessus pour l'éteindre, conclut-il.

— Je travaillerais avec Emma.

Bazza hausse les sourcils.

— Ah, celle-là, c'est quelque chose, dit-il en hochant la tête. On raconte qu'elle est aussi aventureuse que les mecs, là-bas. Mais de toute façon, il faudra que ta tête revienne à Fredricksen si tu veux y aller. Quelle que soit ta compétence, si Fredricksen ne t'aime pas, il ne t'engagera pas.

— Tu as des tuyaux à me donner ?

Bazza fait non de la tête.

— Ce type est un mystère pour moi. Tout ce que je peux dire, c'est qu'il vaut mieux pas te montrer agressif.

Je lui rappelle que je suis la personne la moins agressive qui soit. Il est d'accord.

— Quoi que tu fasses, ne fais pas les yeux doux à Emma pendant qu'il est là. C'est un garçon manqué, mais la moitié de l'antdiv voudrait bien se la faire. Une vraie bombe, cette fille. Et bien roulée, avec ça. Bon, de toute façon, là-bas, il n'y a pas de place pour la pruderie. Les filles guindées, ça n'attire que des emmerdes.

Tout en niant avoir remarqué à quel point Emma était sexy, je me sens faiblir. Vais-je réussir à ne pas me trahir devant Fredricksen ?

Bazza me serre la main et me souhaite bonne chance.

— Quand je t'ai dit que tu devrais y retourner, je ne pensais pas cette saison, dit-il. Mais t'as l'air plus costaud. Dommage que tu n'y ailles pas en qualité de diéséliste. Des gens aussi qualifiés que toi, on en a sacrément besoin.

— Je te tiens au courant. Tu peux quand même me réserver une place pour un job, au cas où.

Bazza me fait entrer dans le bâtiment en se servant de sa carte d'accès. Je parcours un long couloir. J'ai un trac terrible. Il faut que je paraisse sympathique, sans trop de personnalité et surtout pas du tout menaçant, quoique compétent. Ces différents traits de caractère me correspondent assez pour que je n'aie pas trop à m'inquiéter.

Les réceptionnistes me toisent furtivement en appelant Emma pour l'avertir de mon arrivée, et peu après elle émerge d'un couloir. Elle semble contente, enthousiaste même. Les dames de la réception continuant à nous observer, je m'efforce de rester impassible.

— Tom ! Je suis ravie de te voir !

Ses yeux brillent dans son visage brun. La tendresse de son sourire me bouleverse. Nous nous serrons la main pour la deuxième fois de la journée, très profes-sionnellement, et elle me fait un clin d'œil.

— Par ici, me dit-elle. Je vais te montrer le labo.

J'adresse un petit signe de tête aux dames curieuses et je la suis dans la galerie qui mène au bâtiment voisin.

L'antdiv tient du terrier. Autrefois, je connaissais l'endroit comme ma poche mais j'en ai précipité le plan dans une oubliette de ma mémoire. Au cours des neuf dernières années, je me suis contenté de rendre visite à Bazza à l'atelier ou à la cafétéria. La conférence d'Emma était une exception.

Emma me mène en haut de plusieurs volées de marches puis le long d'un couloir où s'ouvrent des bureaux. Elle tourne parfois vers moi son visage souriant mais ne dit pas un mot. En décelant une lueur de défi dans son regard, je me demande si je ne suis pas victime de mon imagination.

— Voici le labo, dit-elle en ouvrant une porte. Tu excuseras le désordre. Je n'ai pas fini de déballer.

En effet, la salle est sens dessus dessous. Des cartons, du matériel et des dossiers sont éparpillés sur les tables et les paillasses de laboratoire. Comment peut-elle travailler dans un foutoir pareil ?

— Ça t'embête d'attendre une minute que j'envoie un e-mail ? demande-t-elle avec un rire insouciant en indiquant son ordinateur sur un bureau. Je devrais ranger, mais je n'arrête pas d'envoyer des e-mails en Antarctique. J'ai une amie hivernante à Mawson et je voudrais savoir sur quoi elle est en ce moment.

Je m'assieds sur un tabouret et j'essaye de ne pas me laisser hypnotiser par ses doigts pianotant sur le clavier. Elle tape avec une frénésie qui me semble refléter sa hâte de se trouver ailleurs. J'ai oublié ce que l'on ressent au retour – coupé des événements en Antarctique qui vous paraissent curieusement plus réels que ce qui se passe ici à Hobart.

Emma continue à me parler tout en tapant sur son clavier.

— Ma copine sort avec un physicien là-bas. Elle n'a pas écouté mes conseils. Je lui ai dit qu'elle devait garder son indépendance, mais voilà, elle avait un peu trop bu à une soirée samedi soir et... Bon, elle prétend avoir besoin d'être avec quelqu'un... Je ne crois pas que son petit ami sera ravi. Personne ne va vendre la mèche, bien sûr, mais bon... Le pauvre.

Finalement, elle pivote sur son siège et plante son regard dans le mien.

— Tu es prêt ? On ne va pas faire attendre plus longtemps Fredricksen.

En entendant ce nom, j'ai tout de suite les paumes moites. La bouche sèche.

— Prêt ? Je ne sais pas. Ça fait des lustres que je n'ai pas passé un entretien.

Emma me sourit.

— Tu vas très bien t'en tirer.

Elle se saisit de ma main et la place sur sa joue. Un geste tout doux, mais je suis secoué. Je n'ai pas l'habitude de gérer autant d'émotions. Un rien me bouleverse.

Emma se lève et m'embrasse, ce qui ne contribue pas à me remettre d'aplomb. Nous voilà repartis dans un dédale de couloirs. Fredricksen est assis derrière des montagnes de dossiers, exactement comme me l'a décrit Bazza. Il a les mains sur le clavier d'un ordinateur. Quand Emma me pousse en avant, il se lève pour me serrer la main. Il porte la barbe, à la mode de tous les vieux briscards de l'Antarctique. Son regard me soupèse. Il me désigne un siège et fait signe à Emma qu'elle peut nous laisser. En la voyant franchir la porte, je ravale mon envie de la rappeler. Je ne vais quand même pas la supplier de rester pour me tenir la main. Il faut que je m'en sorte seul.

Fredricksen se renfonce dans son fauteuil et m'interroge sur ma précédente campagne. Il veut connaître les noms des personnes avec qui j'ai travaillé sur le terrain, quel genre de tâche on me confiait. Je réponds du mieux que je peux. Il me demande quel genre d'hiver nous avons eu, si l'un de nous a perdu ses repères, si j'envisage une nouvelle campagne d'hivernant. Je lui réponds que ça a été difficile et qu'à l'avenir je n'accepterai qu'une campagne d'été. Il hoche la tête car il comprend. Par bonheur, il a assez de tact pour ne pas s'enquérir de la raison qui m'a empêché d'y retourner.

Il veut connaître l'étendue de mes connaissances sur les manchots Adélie. Suis-je capable de distinguer les mâles des femelles ? De les marquer ? Quelle est mon opinion sur le lavage d'estomac ? Quelles sont mes qualifications en électronique ? Je n'ai aucun mal à répondre à ces questions. Je suis franc avec lui. Je ne lui cache pas qu'il y a certaines choses que je ne sais pas faire, mais déclare que je ne demande qu'à apprendre. Je lui dis que l'ornithologie est une de mes passions. Je suis capable de travailler toute la journée au milieu des oiseaux sans ressentir de fatigue. Je lui explique que la méthode qui consiste à laver l'estomac des manchots me dégoûte, mais que si cela fait partie du boulot, je m'y ferai. Comment je crois pouvoir supporter l'isolement cette fois, étant donné que j'ai trouvé l'hiver pénible ? Je réponds que j'ai grandi dans un phare et que l'isolement n'est pas un problème pour moi. La fois précédente, c'est mon couple qui a souffert. Il hoche de nouveau la tête. Je suis convaincu que lui aussi en a bavé.

Finalement, il m'interroge à propos d'Emma. Est-ce que je pense que je vais bien m'entendre avec elle ? J'avoue ne pas la connaître très bien et ajoute que je suis disposé à travailler avec toutes sortes de personnes. D'ailleurs, j'ai aidé un grand nombre de biologistes sur le terrain. Je veille tout simplement à esquiver les sujets de conflit.

Fredricksen me dévisage longuement avant de reprendre la parole.

— Emma doit avoir auprès d'elle un assistant qui sait la prendre. Elle est autoritaire, elle a besoin de tout contrôler. Il faut en avoir conscience si on travaille avec elle. Si vous parvenez à éviter ce problème, vous êtes promis tous les deux à de grandes choses. C'est une gentille fille, mais une forte tête. L'affronter ne vous mènera à rien.

Je rétorque qu'il y a moyen de suggérer sans chercher à prendre le contrôle de la situation.

Il se lève et me serre la main.

— Je vous donnerai ma décision dans quelques semaines. Je suis tenu par le protocole de recevoir plusieurs candidats. À mon avis, vous ferez l'affaire, mais je ne peux pas encore vous le garantir. Vous comprenez ?

Je le remercie et vérifie qu'il a bien mon numéro de téléphone. Je sors de son bureau et j'erre un moment dans les couloirs avant de trouver le laboratoire d'Emma. Elle m'a dit tout à l'heure qu'elle voulait savoir comment cela s'était passé. Je ne vais quand même pas m'en aller sans au moins lui en toucher un mot.

La porte du laboratoire est ouverte. Je suis sur le point d'y entrer quand je m'aperçois qu'Emma n'est pas seule. Un homme de taille moyenne, trapu, se tient à côté d'elle. Elle est assise sur un tabouret, la tête basse. Il a la main posée sur son épaule. Quelque chose dans cette scène m'arrête dans mon élan. Je tombe mal.

Ils ne m'ont pas vu. Je m'éloigne, étrangement essoufflé. À quoi est-ce que je viens d'assister ? Ai-je perçu à tort dans leur attitude l'expression d'une relation intime ? Je me ressaisis. Ce n'est sans doute rien du tout. Je ne dois pas me monter la tête. Il faut faire confiance à Emma. Elle m'a invité à passer le week-end avec elle, ce qui signifie qu'elle veut être avec moi. D'un autre côté, je connais le milieu – les aventures sans lendemain, les étreintes inopinées, quasi accidentelles. Et ceux qui sont fraîchement rentrés du froid sont encore plus affectés que les autres, déboussolés par le chaos du retour à la réalité.

Je traîne dans le couloir en étudiant des cartes au mur. Cela me donne le temps de réfléchir. J'ai envie de retourner travailler au garage, mais je ne voudrais pas m'en aller sans avoir dit au revoir à Emma. En retournant vers le labo, je vois l'homme de tout à l'heure, l'épaule appuyée contre le chambranle. Il est toujours en train de lui parler. Je me rue aux toilettes et patiente dans une cabine. Il ne va pas tarder à partir. Il a sûrement du travail qui l'attend, non ?

Au bout d'un moment, je décide qu'il est ridicule de continuer à me cacher. Cette collaboration avec Emma sera impossible si je me conduis de cette manière. Je me coule hors des toilettes, retrouve mon chemin dans le couloir jusqu'à la réception.

Contre toute attente, Emma m'attend à côté de la Subaru. Elle caresse le museau de Jess par l'ouverture de la vitre à peine baissée.

— Pourquoi t'es pas revenu au labo ?

— Je ne l'ai pas trouvé.

— Comment ça s'est passé ?

— Bien, je crois.

— Parfait, dit Emma avec un sourire radieux. Qu'est-ce que tu fais maintenant ?

— Je crois que je vais rentrer chez moi.

— Je peux venir ?

— Je ne sais pas. Tu crois que c'est une bonne idée ?

— Je crois que c'est une excellente idée. Attends une minute que j'aille chercher mon sac. Tu pourras me déposer ici demain en allant au boulot.

La présence d'Emma est semblable à un souffle qui remue l'air dans le séjour. Ai-je soupiré tout haut ? Cela me semble tellement normal de la ramener chez moi.

— C'est génial, dit-elle en promenant les yeux sur les canapés douillets et les coussins où chatoient les dernières lueurs du jour.

Je dois avouer que ma maison est merveilleuse. Située sur le flanc oriental de la colline, ce qu'elle perd en ensoleillement est largement compensé par la vue sur le détroit. Au fil des ans, je l'ai confortablement aménagée. Comme je n'ai eu à la partager avec personne d'autre que Jess, je l'ai décorée à mon goût. Je suppose que peu d'hommes ont cette « chance ».

Je remplis la bouilloire et la pose sur le feu. Emma explore le séjour puis va déposer son sac dans ma chambre. Je l'attends à la cuisine pendant que Jess trotte sur ses talons, m'ayant abandonné lâchement pour suivre sa nouvelle amie.

— Tu habites ici depuis combien de temps ? demande Emma en relevant ses manches sur le seuil de la cuisine.

— Environ huit ans.

— Cette maison me plaît. Tu as fait beaucoup de travaux ?

— Oh, j'ai rénové ici et là. Une nouvelle salle de bains. Un parquet verni. J'ai fait installer le poêle à bois.

— Si seulement j'avais l'esprit pratique.

— Tu as d'autres talents.

— Comme savoir attraper les manchots et leur vider l'estomac ?

Elle va se planter devant les fenêtres qui donnent sur le canal d'Entrecasteaux et me tourne le dos.

— J'aimerais tellement avoir une maison à moi, dit-elle. Je la remplirais de toutes mes affaires...

Avec un haussement d'épaules, elle ajoute :

— Mais ce n'est pas la peine. Je ne reste jamais assez longtemps nulle part. Je n'ai même plus de voiture à moi... Je suis obligée d'en emprunter une à des amis.

— Je pourrais t'aider à en trouver une bon marché.

— Je n'en ai pas vraiment besoin. Qu'est-ce que j'en ferais quand je suis en Antarctique ?

Je pose les deux tasses de thé sur la table du séjour. Emma se retourne vers moi et me regarde. Je me sens trop bête, debout, là, à la contempler, en dansant d'un pied sur l'autre, les mains dans les poches. Je voudrais tant que ça marche entre nous. Pourtant, je ne trouve rien à lui dire.

Elle traverse la pièce d'un air pensif et s'écroule sur un canapé, les jambes écartées, la tête en arrière. Une attitude qui ne se veut pas provocante, pourtant, rien qu'à la vue de la peau soyeuse de sa gorge la mienne se serre. Comment créer une atmosphère favorable à ce que je compte lui dire ?

Elle se redresse et me regarde droit dans les yeux. Une lueur agressive brille dans les siens.

— Que penses-tu des femmes en Antarctique ?

Ce n'était pas la conversation que j'avais en tête. Peut-être me fait-elle passer un entretien, maintenant que celui avec Fredricksen est derrière moi. Histoire de gagner du temps, je bois une gorgée de thé.

— Allez ! Dans quel camp es-tu ? Est-ce que tu trouves que la présence des femmes équilibre la communauté là-bas ? Ou est-ce que tu estimes qu'elles mettent le bazar ?

Je pose délicatement ma tasse sur la table.

— Tu es contre, dis-le !

— Pas contre, rétorqué-je prudemment, l'expression d'Emma m'indiquant qu'elle prendrait facilement la mouche. Mais je pense que les gens devraient mieux se conduire.

— Tu fais allusion à la drague.

— À la drague, oui.

En fait, je pense aux femmes qui se trémoussent pendant les soirées. À celles qui boivent trop et qui se collent aux hommes sans réfléchir aux réactions qu'elles suscitent. Quelle insolence de leur part. Et les femmes qui ont plusieurs amants. Elles ne se comportent pas toutes ainsi, mais sont toutefois assez nombreuses pour semer la zizanie et nourrir des ressentiments. Ces choses-là sont amplifiées dans une aussi petite communauté.

— Les femmes devraient avoir le droit de s'amuser comme elles veulent, déclare Emma. Qu'est-ce qu'il y a de mal à draguer un peu ? Les hommes le font aussi. Il n'y a rien d'anormal là-dedans... Tu n'as qu'à entrer dans n'importe quel bar ou night-club de Hobart.

— L'Antarctique n'est pas Hobart.

Emma passe la main dans ses cheveux. Elle a l'air songeuse.

— C'est à double tranchant, n'est-ce pas ? Les femmes ont envie d'aller en Antarctique. Elles veulent prendre part à la dernière grande exploration. C'est normal qu'elles participent, mais les hommes font de la résistance. Si tu flirtes avec quelqu'un ou que tu as une liaison, on t'accuse de faire des histoires. Si tu essayes de t'intégrer en te comportant en mec, tu as tort aussi. Il y en a qui te méprisent carrément. Il y a les femmes et les hommes, de même qu'il y a les techniciens et les scientifiques. Je ne vois pas comment on peut s'en sortir... Je suppose que c'est en partie parce qu'il est difficile de mélanger deux mondes séparés. Par exemple, combien de femmes vois-tu au quotidien dans ton garage ?

— Aucune. Elles déposent leur voiture et reviennent ensuite la chercher. La réception s'occupe de traiter avec elles.

— Tu vois. C'est ce que je te dis. Les techniciens n'ont pas l'habitude de bosser avec des femmes, tandis que celles qui vont en Antarctique sont des scientifiques accoutumées à la mixité au travail. À la fac, on les respectait. Mais, là-bas, c'est l'inverse. Les techniciens ont le pouvoir parce que ce sont eux qui font marcher la base. Pas étonnant que ce soit difficile.

J'entends encore Bazza pester contre la prétention des jeunes scientifiques « en jupon » qui s'attendaient à ce qu'il plaque tout pour satisfaire leurs quatre volontés. Pourtant, il n'est pas aussi vieux jeu que ça. Dans son esprit, il ne s'agit pas de savoir s'il faut ou non des femmes sur les bases. C'est leur conduite qu'il remet en question, ainsi que celle des hommes. D'après lui, toute la question est là. Par quel moyen peut-on parvenir à cohabiter le mieux possible ? Il dit que certaines personnes auraient intérêt à laisser tomber leur arrogance, ou du moins à la mettre en sourdine.

— J'évite les désagréments en restant sur le terrain, dit Emma.

Je me rappelle l'homme tout à l'heure dans son labo. Est-elle aussi innocente et détachée qu'elle le laisse entendre ? J'ai envie de la croire, mais je sais trop bien comment cela se passe.

Emma soulève sa tasse.

— Au fond, le problème, c'est que quelques vieux grincheux n'ont pas envie de partager l'Antarctique avec les femmes. Ils veulent que cela reste une sorte de club fermé masculin, comme autrefois. Ils refusent le changement. Je suis sûre que ce sont eux qui tiennent absolument à ce qu'il y ait partout des images porno.

— Partout ?

Je me rappelle seulement quelques pin-up à l'atelier, et ce n'était vraiment pas méchant. Comme au garage à Sand Bay où je travaille. J'ai des collègues qui aiment bien ces posters. Pour eux, c'est culturel. Et, au bout d'un moment, on ne les voit même plus.

— Les femmes normales ne ressemblent pas à ça, décrète Emma d'un ton dédaigneux.

— Personne ne les regarde.

— Moi, si. Et je préférerais ne pas les avoir sous les yeux.

Je me retiens de lui demander combien de fois elle entre à l'atelier quand elle est à la base. Quand j'y étais, nous avions rarement des visiteurs et encore moins de visiteuses.

— Je crois que ça aide certains gars à tenir.

— À tenir ?

— À supporter l'abstinence sexuelle.

— Tu ne devrais pas prendre leur défense. Ils ne peuvent pas se défouler dans la salle de gym ?

— Oh, c'est ce qu'ils font, mais pour certains, ça leur pèse.

Je me souvenais de mes camarades se moquant d'eux-mêmes et des muscles qu'ils développaient à force de soulever des haltères.

— Parce qu'ils ne peuvent pas baiser ? Les pauvres. Nous, les femmes, on n'a pas ce problème.

Comment lui expliquer que les hommes sont différents des femmes de ce point de vue ? Curieux qu'elle n'arrive pas à comprendre une chose aussi simple.

— Et toi ? Ça te pèse ?

Je commence par rougir et grommeler. Je n'ai pas envie de lui parler de Sarah et de cette liaison qui m'a permis de survivre à la fin de mon mariage. Puis je réponds :

— C'est pénible d'être séparé aussi longtemps de son partenaire.

— Les gens qui sont en couple ne devraient pas aller en Antarctique, voilà.

Soudain, Emma se fend d'un large sourire. Elle enchaîne :

— Ça limiterait les candidatures, tu ne crois pas ? Tu sais, les Anglais n'y envoient que des gens qui ne sont pas mariés, dit-elle en riant de nouveau. Je voudrais bien connaître les statistiques de ceux qui épousent quelqu'un qu'ils ont rencontré sur une base. Envoyer des couples mariés ne marche pas non plus. Ils ont essayé. Les tensions sont impossibles à apaiser. Le couple explose et la femme finit par coucher avec un autre. Je l'ai vu de mes yeux.

— C'est sûr que ce n'est pas bon pour les couples, dis-je en songeant à Debbie.

— Il ne faut pas se faire d'illusions là-dessus, approuve Emma. Le problème, c'est que les gens refusent de prendre conscience du risque.

Elle a raison, bien sûr. On s'en rend compte une fois qu'il est trop tard. Une fois que l'irréparable a été commis.

Je regarde par la fenêtre en me demandant où j'en serais maintenant si j'avais été plus avisé, si j'avais tenu tête à Debbie et refusé de partir pour le Grand Sud. Nous aurions, en travaillant dur, réussi en quelques années à rembourser le crédit immobilier.

Nous pourrions avoir aujourd'hui deux ou trois enfants. Une balançoire dans le jardin.

— Je suis désolée, ce n'était pas très intelligent de dire ça.

La voix d'Emma me ramène sur terre.

— Ça va, dis-je en parvenant à sourire. Ça fait longtemps.

Elle va dans la salle de bains. Je sors de la maison. Sous la véranda, il fait déjà presque nuit. L'air est frais. Je m'assieds sur la vieille chaise en bois. J'observe une perruche de Pennant perchée sur la mangeoire. Elle prend dans son bec une graine, la décortique adroitement et, à l'aide de son épaisse langue grise, la glisse dans son gosier avant de jeter l'écorce. Jess vient s'asseoir à côté de moi. Les oiseaux sont tellement habitués à nous voir là qu'ils ne s'envolent pas. Je regarde les eaux du détroit qui miroitent dans la lumière déclinante. Lorsque Emma vient me rejoindre, j'ai retrouvé mon calme. Elle pose ses mains sur mon visage, me caresse, suit du bout des doigts le pli de mes lèvres. Je suis incapable de lui résister.

— Viens, dit-elle en me prenant par la main.

À l'intérieur, elle m'embrasse et je lâche encore une fois la bride. Quand elle me tient entre ses bras bruns et que je sens contre moi son jeune corps souple et pulpeux, elle est à moi et je suis à elle.

21

Vendredi matin, dans la lumière pâle de l'aube, j'ai honte d'abandonner Jess. Je lui laisse une grande écuelle de croquettes et, pour la consoler, un os énorme. Puis je vais chercher Emma. Nous empilons tout un tas de choses dans ma voiture : une tente, deux sacs de couchage, deux tapis de sol, un tas de provisions, une caisse à lait avec des petites bouteilles de gaz, de la vaisselle et des casseroles. Emma se décharge d'un lourd et vieux sac à dos bourré de matériel d'escalade, d'une corde et de deux baudriers. Entre ses affaires et les miennes, nous avons l'air de partir pour six semaines de voyage alors que nous serons de retour à Hobart demain.

Nous roulons vers le nord. Au volant, je frémis de bonheur. Emma est assise à côté de moi, j'ai la main posée sur son genou. Le soleil se lève dans un ciel d'un bleu délavé. Qu'y a-t-il de plus beau ?

Le camping du parc national de Freycinet est niché sous les pics déchiquetés des Hazards, entre de vieux banksias à l'écorce aussi parcheminée que des joues de vieillard et un arc parfait de sable doré que les vagues viennent lécher avec de légers chuintements. Nous descendons de voiture tous les deux en même temps. Le bleu du ciel et la pureté de l'air nous enveloppent. J'entends le gazouillis des méliphages butinant les fleurs de banksia.

Le camping est désert, on a l'embarras du choix. Je planterais volontiers notre tente n'importe où, mais Emma est plus difficile, elle cherche un joli coin au sol bien plat. Elle finit par s'installer au pied d'un très vieux banksia noueux à souhait. En montant la tente, on joue à se pousser et on fait de l'escrime avec les piquets. Il y avait longtemps que je ne m'étais pas amusé comme un gosse.

Une fois notre bivouac dressé, on prépare du thé sur le réchaud à gaz et on casse la croûte. Après quoi, Emma tire son sac à dos de sous la tente et étale sur une bâche son matériel d'escalade. Elle me lance une paire de drôles de chaussons de caoutchouc en me disant de les essayer. Ils me paraissent avoir la taille d'une ballerine de danseuse, mais bizarrement, j'arrive à les enfiler et me mets debout. Emma éclate de rire en me priant de me tenir droit et de ne pas faire cette tête. Elle ajoute que je vais apprécier leur utilité une fois sur le granit ; pour le moment, je suis soulagé de retrouver mes baskets. Elle sort un baudrier qu'elle a emprunté à un camarade. J'ajuste la sangle – mon tour de cuisse est bien inférieur à celui de son propriétaire.

Une fois qu'elle a opéré son tri, elle remballe le reste et on repart. On roule le long de la côte sur une route gravillonnée dont les méandres coupent à travers une végétation touffue jusqu'à un parking surplombant une plage de sable blond. En contrebas, j'aperçois deux petites silhouettes qui marchent au bord de l'eau. À chaque extrémité de la plage s'élèvent des rochers tapissés de lichen rouge. Il n'y a pas de vent et, dans l'air immobile où flotte une odeur de plantes encore humides de rosée, je n'entends que le bruit régulier des vagues qui se pressent.

Emma me mène le long d'un étroit sentier qui bifurque à partir du chemin de la plage. La pente est abrupte, le sentier en lacets et les buissons sont pleins d'épines. Nous dépassons des rochers pour émerger sur un dôme granitique. La vue est d'une beauté stupéfiante. On est cerné de tous côtés par les falaises et les sommets arrondis. La mer se jette sur les rochers. Si je me tourne vers le nord, je distingue encore le couple minuscule sur la plage.

On déballe nos affaires, le moment est venu de se harnacher de nos baudriers. Emma boucle une ceinture chargée d'un attirail métallique et enfile ses chaussons d'escalade. Quand elle bouge, elle fait un agréable bruit de clochettes. Le front plissé par la concentration, elle refait l'inventaire encore une fois pour vérifier qu'elle a tout. Sûre d'elle, calme, elle sait ce qu'elle fait. C'est tout à la fois rassurant et sexy.

— Bien, dit-elle. Maintenant, à ton tour.

Elle teste les sangles de mon harnais, puis elle me montre comment réaliser un nœud en huit, mais je l'arrête et lui prouve que je sais faire au moins ça. Avant le départ pour l'Antarctique, nous avions appris les nœuds d'escalade basiques, comment s'encorder pour franchir un glacier et effectuer un mouflage simple. Ce savoir-faire me sert dans mon travail, pour sécuriser des chargements, par exemple, ou attacher une bâche. N'empêche, Emma a l'air étonnée.

— Je pensais que tu aurais oublié tout ça, dit-elle.

— Je suis fort pour les nœuds, et ce n'est pas la première fois que je porte un de ces harnais, mais j'ai un peu le vertige. Je n'ai jamais fait d'escalade.

Elle réplique par un large sourire :

— Tout va bien se passer.

Elle m'observe attentivement pendant que j'enfile mon baudrier. Après quoi, elle m'attache à un gros coinceur mécanique à cames qu'elle insère dans une fissure à nos pieds. Elle relâche la poignée et les cames s'écartent pour se loger dans le rocher.

— Je ne suis pas très lourde, dit-elle, et même sans ça, tu es tout à fait capable de supporter mon poids. Mais je préfère ne pas prendre de risque et assurer notre sécurité.

Cette idée n'est pas pour me déplaire, surtout si je me trouve loin du sol. Emma s'attache à la corde libre et me montre comment la passer dans le système d'assurage relié à mon baudrier. Si elle chute, le dispositif bloquera la corde afin que je puisse la retenir. La corde ne doit être ni trop tendue ni trop lâche.

Il lui faut assez de mou pour que je ne la gêne pas pendant son ascension mais pas trop, car si elle décroche de la paroi, elle risque de tomber de haut.

Je dois être vigilant, me dit-elle, et ne pas la quitter des yeux. Elle n'a pas l'intention de chuter, mais je dois être prêt à intervenir. Après quoi, elle m'initie au jargon. Les phrases qu'elle débite me semblent aussi incompréhensibles que risibles, mais selon elle, au bout d'un moment, je n'y penserai même plus ; l'escalade est un sport dangereux qui à ce titre exige d'être abordé de manière pédante, m'explique-t-elle, pince-sans-rire. J'ai du mal à me retenir de l'embrasser.

On est prêt. Je dois penser à tant de choses à la fois que je remarque à peine la vue. Je ne suis pas du tout tranquille. La corde file dans le dispositif d'assurage dans ma main droite, disposé à la bloquer à tout moment. Emma me signale que les vérifications sont terminées. Mes paumes transpirent.

— C'est parti ! dit-elle. Je grimpe.

Je donne de la corde et la regarde inspecter la roche à la recherche de prises pour ses doigts et ses orteils. Elle se hisse jusqu'à un point d'appui, glisse le bout du gros orteil dans une fissure et, en quelques mouvements rapides, elle se trouve à deux mètres au-dessus de ma tête. Comment a-t-elle pu monter aussi vite ? Emma place un coinceur dans une fissure au-dessus d'elle et tire dessus pour qu'il se verrouille bien. Elle y met un mousqueton et tire sur la corde.

— Du mou, souffle-t-elle.

Je suis moi-même tellement tendu que je serre la corde trop fort. En toute hâte, je la relâche et elle l'attache au mousqueton grâce à l'anneau de sangle.

— Super, dit-elle en glissant la main dans la fissure à côté du coinceur.

Elle marque une pause pour inspecter le rocher au-dessus en prévoyant les prises suivantes.

— Ce qu'il ne faut pas oublier sur le granit, continue-t-elle, c'est que les appuis pour les pieds ne sont pas évidents. Au début, ça fait peur, mais si tu mets ton poids sur ton pied, tu en augmentes l'adhérence. Cette paroi n'est pas trop à pic, alors prends ton temps et tu vas y arriver.

Pour le moment, cela me semble impossible. Je préfère la regarder. En déplaçant légèrement son pied, elle se hisse un peu plus haut et, en un clin d'œil, elle est à dix mètres au-dessus de moi. Elle s'arrête pour étudier les fissures. Sa progression a l'air incroyablement aisée. Je suis impressionné. Ses gestes paraissent si naturels. Elle pose un pied sur le rocher et s'aide de tout son corps pour gagner de la hauteur. Chacun de ses mouvements est fluide et précis. J'ai les mains moites et mes pieds sont tout collants dans mes baskets.

Finalement, je ne la vois même plus. Dans un sens, c'est plus facile. Je n'ai qu'à écouter ses instructions et lui donner de la corde quand elle en a besoin. Le cliquetis tout là-haut m'indique qu'elle progresse de nouveau.

En jetant un regard en contrebas, je vois la houle qui se gonfle et écume en se brisant sur les rochers rouges. De petits nuages joufflus ont surgi au bord de l'horizon à l'orient. Au large, un cargo fait route vers le nord. Debout sur ce dôme de granit sous le soleil, je respire l'odeur du rocher ; un parfum sec, très différent de celui de la terre. Il se mêle aux relents de ma sueur, me rappelant que j'ai peur et que c'est bientôt à mon tour de grimper.

Emma me crie qu'elle est arrivée au relais et qu'elle est auto-assurée. Je lâche la corde que je laisse libre et m'assieds par terre pour enfiler les petites ballerines serrées que je prends soin de bien lacer. J'accroche mes baskets à un anneau à l'arrière de mon baudrier. Emma est en train de tirer la corde d'en haut ; elle ne va pas tarder à la tendre. Je vais être obligé de grimper. Je vérifie pour la dixième fois la solidité de mon baudrier et des nœuds. Si je tombe, ce ne sera pas une petite chute. La corde tend les sangles du baudrier.

— Je suis là !

— Tu es là ? crie Emma. Je ne t'entends pas.

— Oui, c'est moi !

Une pause. La voix aérienne d'Emma me parvient de nouveau.

— Tu es assuré !

Alors, ça y est. J'ai le cœur dans les talons.

— OK ! C'est parti !

Emma tire un peu sur la corde, histoire de me rassurer. La paroi me semble aussi lisse qu'un miroir.

Où vais-je trouver des points d'ancrage ? J'ai l'impression qu'une éternité s'écoule et je n'ai toujours pas bougé. Mes pieds me font un mal de chien.

— Ça va en bas ?

— Je ne sais pas par quoi commencer, dis-je en épongeant mon front d'un revers de manche.

— Bon. Lève la tête. Tu vois la fissure ? Tu peux placer le bout de tes doigts dedans ?

Je cherche à tâtons. Je glisse les doigts dans la fissure en me demandant par quel miracle je vais m'y agripper.

— Cherche une aspérité.

En quelques secondes, je l'ai trouvée.

— Maintenant, regarde vers le bas à droite. Il y a un point d'appui où tu peux poser le côté de ton pied. Place ton autre main à plat sur la roche, fais porter ton poids sur le pied droit, pousse sur ton pied tout en tirant avec la main qui est dans la fissure. Ça va déjà te faire décoller et tu pourras chercher d'autres prises.

Comment fait-elle pour mémoriser tous ces détails ? Je m'efforce de suivre ses instructions, mes jambes flageolent. Je réussis mon premier mouvement, j'ai quitté la terre ferme. L'air circule autour de moi. Je tâtonne et ma main rencontre une espèce de bosse près d'une fissure.

— Tu as trouvé la poignée ? crie Emma.

— Quelle poignée ?

— Une grosse prise de main. Tu l'as trouvée ?

— Je crois que je l'ai.

— Bravo.

En progressant lentement sur la paroi, je découvre au fur et à mesure des prises solides pour les pieds et des tas de fissures. Je souffle comme un bœuf et j'essaye de ne pas regarder en bas.

— N'oublie pas de détacher la corde des dégaines et de récupérer les coinceurs, me rappelle Emma. Je n'ai pas envie de redescendre pour les ramasser.

Plus facile à dire qu'à faire. Alors que j'ai les jambes qui tremblent, je dois garder mon équilibre, rester accroché au rocher avec ma main gauche et détacher en la tortillant la corde de son anneau. Et ce n'est pas fini. Il faut décrocher le mousqueton en le saisissant entre le pouce et l'index. Après quoi, je dois décoincer le dispositif d'assurage, ce qui n'est pas une mince affaire, et l'accrocher à mon baudrier. L'effort m'a épuisé.

— Comment tu t'en tires ? me crie Emma.

— Ça va, dis-je en espérant que ma voix ne trahit pas ma détresse.

— Je te tiens, dit-elle en tirant sur la corde. Tu as besoin de te reposer ?

Je halète :

— Non. Je continue.

Toujours hors de vue, Emma me prodigue instructions et précieux conseils. Je progresse lentement. Elle semble savoir à quel moment intervenir et à quel moment me laisser me débrouiller seul. La sensation d'avoir autour de moi un espace infini ne me quitte pas. Je suis suspendu dans une immense masse d'air.

Sous mes pieds s'ouvre un abîme. J'ai un peu le tournis et je m'agrippe laborieusement à la roche.

Je finis par atteindre une saillie. Là, assise à trois
mètres au-dessus de moi, je vois Emma abaisser vers
moi un sourire radieux.

— Tu y es presque. C'est comment ?

— Génial.

— Et les jambes ? Tu n'as pas eu des impatiences ?

Je me rappelle qu'à mi-chemin ma jambe droite
avait été saisie de tremblements incontrôlables.

— Ça nous arrive à tous, dit-elle avec un sourire
entendu.

Elle m'indique du doigt des points d'appui pour les
pieds et des fissures pour les doigts. Après cet ultime
effort, je me hisse enfin sur le rocher auprès d'elle.

— Repose-toi un peu, me dit-elle. C'est magnifique
ici.

Je m'adosse à la roche. Mes yeux se perdent dans
la vaste étendue de la mer. La plage ressemble à une
minuscule crique. Je ne m'étais pas rendu compte que
nous avions grimpé si haut.

— Regarde la lumière sur les rochers, me dit
Emma. J'adore ces oranges... ces rouges. Des couleurs
tellement improbables dans la nature.

Nous restons ainsi longtemps à grignoter nos encas
et à boire de l'eau. J'ai perdu des litres de sueur.

— Je préfère quand même avoir les deux pieds
sur terre.

— Mais comment tu te sens maintenant ? insiste
Emma.

Je note une sensation de légèreté, un esprit détendu, l'agréable fraîcheur de l'air qui est en train de sécher ma transpiration.

— Euphorique.

— Voilà pourquoi c'est tellement bon. On se sent vraiment en vie. Le plus difficile, c'est d'apprendre à oublier la distance qui te sépare du sol. Il faut t'arranger pour ne plus y penser. Quand tu regardes en bas, tu ne dois pas calculer la longueur de ta chute s'il t'arrivait de tomber.

En me surprenant à hocher la tête, elle sourit en enchaînant :

— Si tu prends conscience de l'altitude, tu te colles le vertige. Et le vertige, c'est paralysant et ça empêche de grimper. Tu deviens obsédé par le danger, et c'est foutu. Tu ne pourras pas prendre ton pied. La prise de risque fait partie de la grimpe. Le truc, c'est de ne prendre que des risques calculés. Alors seulement tu progresses sans avoir peur de chuter. Ensuite, c'est seulement du plaisir.

Elle me prend la main et la serre affectueusement. J'ai le sentiment qu'elle ne me parle pas seulement de l'escalade. Elle me parle de la vie.

Ce soir-là, éreintés, indolents, courbaturés, on boit du vin rouge pendant le dîner. L'escalade, la nuit, les braises rougeoyantes et les petites flammes vacillantes du feu de camp, l'alcool, tout cela conspire à créer une ambiance de tendre intimité.

Emma avoue qu'elle a du mal à se concentrer sur le traitement des données amassées au cours de sa dernière campagne. Tout ce qui l'intéresse, ce sont les nouvelles de la base Mawson. C'est une drogue. Chaque matin, elle se précipite au labo pour regarder dans sa boîte mail afin de savoir ce qui s'est passé depuis la veille. Comme ce n'est pas la première fois qu'elle revient, elle devrait être immunisée, mais c'est plus fort qu'elle. L'Antarctique lui manque terriblement.

— C'est la liberté, dis-je. On n'est plus noyé dans la routine et les responsabilités.

— Pourtant, là-bas, j'ai des tâches routinières, je t'assure. Chaque jour, c'est la même chose. S'équiper contre le froid. Vérifier les passerelles de pesée automatique des manchots. Les attraper. Leur laver l'estomac. Entrer les données...

— Une routine, d'accord, mais pas celle de la vie ordinaire.

— Qu'est-ce que tu veux dire ?

— Tu n'as pas besoin de faire des courses. Ni d'acheter de l'essence. Ni de faire le ménage.

— Ça y contribue, oui, tu as raison. La vie là-bas n'est pas ordinaire, n'est-ce pas ? On a nos habitudes, mais chaque jour est spécial et il se passe toujours quelque chose. Un léopard de mer émerge de la banquise et sème la panique chez les manchots. Un grand labbe vient rôder autour de la baraque au cas où il parviendrait à voler le savon. Ou quelqu'un débarque à l'improviste d'une autre station pour boire un verre et dîner avec toi.

J'observe le visage d'Emma plongée dans ses souvenirs. Ses joues brillent, rougies par le feu. Elle a le regard perdu dans les flammes et un doux sourire aux lèvres. L'alcool répand dans mes veines une chaleur diffuse.

— Je te pervertis, me dit-elle. Avant de me rencontrer, tu avais une vie normale, stable...

— Normal, c'est quoi ?

— Tu pensais à l'Antarctique tout le temps ? À chaque instant ? Comme maintenant ?

Ce n'est pas à l'Antarctique que je pense tout le temps.

— Je pense à toi, dis-je.

Emma éclate de rire.

— Ça se confond dans ta tête. L'Antarctique et moi. Dans ton esprit, nous sommes inséparables. Tu ne peux pas penser à moi sans penser au continent, et inversement.

Elle fixe de nouveau le feu, les yeux brillants dans la lumière liquide.

— Tu n'es pas obligée d'y aller.

Elle tourne vers moi un visage sur lequel je lis de l'incompréhension. Je répète :

— Tu n'es pas obligée d'y retourner.

— Tout le monde veut y aller.

— Si tu as envie de te poser, tu peux trouver autre chose. Un poste à la fac. Dans la recherche, que sais-je...

— Qui dit que je veux me poser ?

— Il le faudra bien, un jour. Tu ne peux pas passer ta vie à aller et venir en Antarctique.

— Pourquoi pas ?

— Tu finiras par aspirer à une vie normale.

— Je ne veux pas d'une vie normale. Toi non plus. C'est pour ça que tu es là avec moi. Parce que tu veux retourner là-bas.

Elle refuse de comprendre. Elle est pour moi bien davantage que cela. J'aime être avec elle. J'aime quand nos corps s'étreignent. J'aime son odeur. J'aime faire des choses avec elle, même de l'escalade. L'éventualité d'une campagne en Antarctique est seulement un bonus.

— Je tiens à toi, avec ou sans Antarctique, lui dis-je.

— Non, rétorque-t-elle en hochant la tête. Tu te trompes. Tu as été séduit par la magie des glaces. Sans cela, tu ne m'aurais même pas remarquée. Tu crois vraiment que tu pourrais m'assister là-bas ?

— Oui.

— Comment tu le sais ?

J'hésite avant de répondre :

— Je ne suis pas du genre à m'imposer.

Elle s'esclaffe de nouveau.

— Je ne suis pas contre un peu de rentre-dedans.

Je fais semblant de ne pas avoir saisi l'allusion.

— Je te parle de l'organisation du travail. Je ne suis pas un bulldozer. Il y a toujours moyen de s'arranger.

Emma lève les yeux vers les ténèbres au-dessus du feu.

— Tu as raison, il y a toujours moyen de s'arranger.

Elle a l'air lointain. Je me demande à quoi elle pense. Puis elle reprend :

— La campagne a été fructueuse. On a récolté une tonne de données, précise-t-elle.

Elle tisonne le feu avec un bâton. Une bûche carbonisée se désagrège en gerbes incandescentes.

— Mon assistante, poursuit-elle, était super la plupart du temps – quand elle n'essayait pas de filer rejoindre son mec à la base. Mais, cette année, j'ai décidé qu'il me fallait un homme. Pour porter le matériel.

Je sens une boule se former au fond de mon gosier. Je déglutis et j'attends son verdict. Comme elle continue à se taire, je prends mon courage à deux mains et prononce :

— J'aimerais vraiment t'accompagner. Mais seulement si tu penses que ça peut marcher.

— Si quoi peut marcher ?

— Nous... Ensemble... Tous les deux... sur le terrain.

Emma renverse la tête en arrière et éclate de rire. Les lueurs des flammes dansent sur la peau de sa gorge.

— Tu veux quand même faire l'essai ? Même après ce qui est arrivé à ton couple ?

Je reste sans voix. Je me contente d'opiner.

— Cette fois, il n'y aura pas de problème.

— Non.

Elle me dévisage avec attention.

— Comment le sais-tu ?

Je hausse les épaules. Ses traits s'adoucissent dans la clarté chaude du feu.

— Tu l'aimais, hein ?

— Oui.

— Alors, pourquoi t'es parti ?

— Pour payer le crédit de la maison.

Emma enfonce plusieurs fois son bâton dans les braises et se lève.

— Nous pensons tous que nous sommes blindés, qu'il ne peut rien nous arriver, mais nous sommes tous vulnérables.

Elle jette le bâton dans le feu et conclut :

— Allons nous coucher.

TROISIÈME PARTIE

La désintégration

22

— Les scouts sont arrivés !

Leon venait d'entrer comme une tornade précédé par un vent froid. Son visage rayonnait d'enthousiasme.

Sur le canapé, Mary, emmitouflée dans son plaid, leva avec lenteur des yeux fatigués. Jacinta et Alex avaient passé la nuit au chalet, de nouveau, et elle leur avait cédé deux de ses oreillers. N'en ayant plus assez pour s'adosser, elle n'avait pas fermé l'œil, respirant avec la plus grande difficulté à cause de l'eau dans ses poumons. Ils étaient partis de bonne heure pour attraper le ferry de Kettering. Quel soulagement elle avait éprouvé en s'écroulant sur le canapé où elle n'avait fait que somnoler.

Elle posa sur Leon un regard vague.

— Vous êtes prête ?

Elle fit un effort pour sortir de son apathie.

— Je ne sais pas ce que je vais leur dire, répondit-elle en secouant la tête.

— Vous trouverez bien quelque chose, répliqua-t-il en balayant ses réticences d'un petit geste de la main. Ils vous attendent avec impatience. Je leur ai parlé de vous.

— Je ne peux pas. Je suis épuisée.

Il continua comme s'il n'avait pas entendu :

— Rendez-vous compte ! Vous pourriez être à l'hôpital en train de boire le thé que vous apporterait une infirmière râleuse. Alors qu'ici vous donnez encore des conférences !

Son trait d'humour manqua sa cible.

— Présenté sous cet angle, un lit d'hôpital a des allures de havre de paix.

— Tout va bien se passer, vous allez voir. Où est votre manteau ?

Pendant que Leon réunissait ses affaires, Mary se blottit sous sa couverture et tourna vers la fenêtre un regard désespéré. Les falaises se profilaient derrière des rideaux de pluie. La baie était morne et plate. Le vent gémissait sous l'auvent du chalet tandis que des vagues à longues crêtes blanches se ruaient vers le rivage. Comment pourrait-elle sortir par un temps pareil ? Mais Leon se révélant intraitable, elle décida d'en profiter pour lui demander de l'accompagner à East Cloudy Head.

Il revint avec son foulard.

— Je vois que vous avez une lettre à poster.

Elle sursauta.

— Quelle lettre ?

— Sur votre table de chevet. Vous voulez que j'achète un timbre et que je la mette à la boîte ? Je vais à la poste demain.

— Pas question, rétorqua-t-elle sèchement.

— Je voulais juste vous rendre service, dit-il en se renfrognant.

— Je dirais plutôt que vous vous mêlez de ce qui ne vous regarde pas.

Sa réaction était peut-être exagérée, mais elle devait à tout prix éviter ce genre d'incident. S'il voyait à qui elle était adressée, il risquait de l'envoyer de son propre chef. Et que se passerait-il alors ? Sa vie tout entière s'effondrerait.

En soufflant, elle entreprit de se lever et traîna des pieds jusqu'à la chambre. Comment avait-elle pu laisser l'enveloppe en évidence ? Elle l'avait sortie ce matin, se préparant à la déchirer et à la brûler. Elle l'avait posée pour faire son lit puis l'avait oubliée. Elle se retourna pour voir si Leon l'observait. Non, elle était tranquille. D'une main tremblante, elle ramassa l'enveloppe. Où la cacher maintenant ? Il ne fallait pas qu'on puisse la trouver. Mon Dieu, combien de fois l'avait-elle égarée en lui trouvant des cachettes saugrenues ? Cette fois, elle devait se rappeler où elle la mettait.

Elle la glissa dans sa chemise de nuit qu'elle plia sous son oreiller. Ce soir, au moment de se coucher, la lettre tomberait forcément. Elle ne pourrait pas disparaître.

De retour dans le séjour, elle se rassit.

— Je vous en prie, Leon, je ne suis pas en état de parler en public. Vous ne voulez pas qu'on aille juste leur dire bonjour ?

À son expression, elle comprit qu'il ne lâcherait pas.

— On a passé un marché. Ce ne sera pas long, dit-il en décrochant son manteau de la patère derrière la porte. Bon, mettez ça. Je n'ai pas envie que vous geliez sur place.

Après l'avoir aidée à enfiler son lourd manteau, il la prit sous le bras pour la mener jusqu'au 4 × 4. Une fois qu'ils furent tous les deux installés dans le véhicule, au lieu de démarrer, il tourna vers elle un visage empreint d'une expression où se lisaient inquiétude et confusion. Elle respirait bruyamment, son cœur martelant sa poitrine. Il pensait peut-être à la lettre. Il se demandait sans doute pourquoi elle avait réagi aussi violemment. Elle n'eut pas trop de mal à avoir l'air éteinte et éreintée. Qu'il se sente donc coupable de la forcer à endurer une telle épreuve ! Et surtout, qu'il ne lui pose pas de question à propos de la lettre.

Il tourna la tête vers le pare-brise et elle crut un instant qu'il allait dire quelque chose puis il démarra le moteur. Elle sut alors qu'elle n'avait rien à craindre. Une trêve tacite venait de se conclure entre eux.

Les scouts avaient essaimé à Cloudy Corner. C'était une véritable invasion. Il y avait des tentes partout. Ils avaient fait des tas de bois en prévision des nuits froides. Quelques adultes arpentaient les lieux tels les capitaines d'une armée d'enfants. Les sacs à dos empilés formaient des monticules. Deux grands feux de camp étaient déjà allumés. Des gamelles grésillaient sur les braises. Mary n'avait jamais vu autant de gens dans cet endroit. Le vacarme était stupéfiant.

Leon porta deux doigts à sa bouche et poussa un sifflement perçant. Les scouts suspendirent aussitôt leurs activités pour se tourner vers lui.

— Venez par ici, leur cria Leon. Mrs Mason est venue spécialement pour vous parler du phare.

Les scouts les encerclèrent, les plus petits se laissant tomber par terre, assis en tailleur, les plus grands traînant un peu, comme s'ils n'étaient pas vraiment intéressés. Mary se rappela Jan et Gary adolescents : ils cherchaient à se prendre pour des adultes en étouffant en eux leur spontanéité et leur enthousiasme d'enfant. Elle n'en était pas moins électrisée par la proximité de cette jeunesse débordante d'énergie et ce cercle de visages lisses.

— Il faut d'abord que je m'assoie, dit-elle.

Un fauteuil pliant en toile se matérialisa par enchantement. Leon l'aida à s'y installer. Une fois ses jambes libérées du poids de son corps, elles se mirent à tressauter, pas de nervosité mais d'excitation, l'adrénaline se mêlant à l'effet de ses médicaments.

Leon attendit que le calme revienne. Mary admira sa patience, il était tout à fait à l'aise avec son jeune auditoire. Il n'y avait aucun doute, on n'utilisait pas assez ses capacités. C'était stupide de le cantonner à l'inspection des toilettes et au ramassage des ordures sur le littoral. Pourquoi restait-il ici ? On aurait dit qu'il renonçait délibérément à toute ambition.

— Je vous présente Mrs Mason, déclara-t-il en appuyant ses paroles d'un mouvement du menton. Elle est une véritable encyclopédie pour tout ce qui touche à l'île Bruny et au phare.

Mary sourit. Elle serait plutôt une encyclopédie des maladies !

— Mrs Mason a habité le phare du cap Bruny vingt-six ans, continua Leon. Son mari en était le gardien. Ils ont eu trois enfants. Comme il n'y avait pas d'école sur l'île, ils ont fait l'école à la maison jusqu'au lycée. Vous imaginez !

Il lui fit signe qu'elle pouvait commencer. Sous les regards des scouts, elle avait l'impression d'être une pièce de musée. Quelques-uns regardaient déjà voler les mouches ou pinçaient leur voisin. Les plus vieux avaient l'air de s'ennuyer ferme. Il ne lui restait plus qu'à débiter son petit speech et à les laisser retourner à leurs jeux le plus vite possible.

Elle voulut se lever mais ses articulations étaient si raides qu'elle parvint à peine à se déplier. Ses vieux os détestaient le froid. Elle agrippa le bras du fauteuil, gênée par les battements désordonnés de son cœur. Soudain, une quinte de toux l'obligea à se rasseoir. Elle était donc diminuée à ce point... C'est par conséquent assise qu'elle commença à leur parler de la lumière.

— Le cap Bruny est un lieu où l'on embrasse le monde. Il possède une magie secrète. De loin, quand vous vous en approchez en voiture, on dirait une bosse de dromadaire qui a poussé sur la ligne d'horizon. Le phare marque de sa tour le point le plus élevé du paysage. D'une blancheur éclatante, vous ne pouvez pas le louper. Si vous grimpez sur les falaises, là-bas, à East Cloudy Head, dit-elle en désignant du doigt l'entrée du sentier, par temps clair, vous le verrez, même à cette distance. C'est pour ça que les phares sont si importants. Ils étaient très utiles surtout autrefois, bien avant mon époque, quand les bateaux n'avaient ni radar ni GPS. Les phares étaient les yeux du littoral. Le fanal indiquait aux marins l'emplacement des écueils et des récifs à éviter. Chaque phare était identifiable par un signal qui lui était propre. De mon temps, la signature du cap Bruny consistait en une séquence de deux éclats à treize secondes d'intervalle avec deux phases d'obscurité entre les deux éclairs, un court et un long. C'est comme ça que les marins déterminaient leur position, en observant les signaux lumineux des phares.

« Nous habitions un cottage en brique au toit rouge en contrebas du phare. Pour l'atteindre, il fallait gravir une allée bétonnée. Il faisait souvent mauvais temps... Un vent terrible. Il passait à travers les vêtements et faisait mal aux oreilles. En grimpant cette allée, on découvrait les falaises érodées du cap et au-delà la surface changeante de l'océan soumis au mouvement perpétuel de la houle. Et en bas de notre cottage, il y avait une très jolie plage de sable. Vers l'ouest, on voyait les ombres déchiquetées de la baie de la Recherche.

Mary, voyant qu'ils n'écoutaient qu'à moitié, tenta une nouvelle approche :

— Fermez les yeux...

Les paupières se baissèrent. Elle continua :

— Imaginez que vous êtes debout sur la falaise à côté du phare et que vous regardez vers le sud. Vers le sud, c'est très important. Pensez-y fort. Maintenant, posez votre esprit sur l'eau et filez vers le large en suivant les ondulations des vagues jusqu'à ce que vous tombiez sur la banquise. C'est là-bas qu'est la source du vent, et quand il atteint le cap Bruny, il vous souffle à la figure un peu d'air de l'Antarctique.

« À présent, retournez-vous et marchez jusqu'à la porte du phare. Elle est noire et lourde, difficile à ouvrir. Vous devez tirer le loquet et pousser fort. Tout à coup, vous êtes à l'abri du vent. Vous sentez l'immobilité du phare. Vous entendez le bruit de vos souliers sur les marches métalliques. Quand vous parlez, votre voix rebondit sur les murs.

« Vous voilà dans la lanterne. Une gigantesque lentille remplit presque toute la pièce. Elle est en forme de dôme et découpée en petites sections. On dirait un peu une ruche à l'ancienne. Un ensemble de prismes rassemblés pour mieux capter et réfracter la lumière du feu. Le verre est jauni par l'âge. Imaginez maintenant que vous regardez par les fenêtres. Tout en bas, la mer se jette en écumant sur les rochers autour de l'île Courts, mais vous ne l'entendez pas. Son gronde-ment est absorbé par l'épaisseur des murs de la tour. Le vent est semblable à un lointain écho. De tout là-haut, vous avez une vue de tous les côtés. Vers le sud, l'océan moutonne.

Elle marqua une pause avant de souffler :

— Vous pouvez rouvrir les yeux.

Un murmure et des gloussements de rire parcou-rurent le jeune auditoire.

— Nous allons maintenant redescendre et reprendre le chemin du cottage du gardien, dit-elle en espérant regagner leur attention. À l'époque, il était très austère ; des murs blancs, des plafonds hauts. Ni affiches, ni tableaux, ni rien de tout cela. Une bouilloire noire toujours en train de ronronner sur le fourneau à bois. Et sur la table, des crayons et du papier. C'est là que mes enfants faisaient leurs devoirs. Ils sont grands aujourd'hui, mais quand ils étaient petits, ils devaient apprendre comme vous les maths et la grammaire. Et j'étais bien obligée d'être leur professeur. Cela ne leur plaisait pas toujours.

Quelques rires fusèrent.

— Et quand il y avait une tempête, comment croyez-vous que nous nous occupions ?

— Vous regardiez la télé ? proposa un garçon.

Mary hocha la tête.

— Nous ne la captions pas, ou très mal.

— Alors, qu'est-ce que vous faisiez ? interrogea Leon.

— Le vent était si fort parfois qu'on ne tenait même pas debout dehors, alors on trouvait à se distraire à l'intérieur. On faisait des pompons. On dessinait des plans de pirates. On écrivait des lettres qu'on mettait dans des bouteilles pour les jeter à la mer. Quand le temps était au beau fixe, on sortait faire du cerf-volant, on construisait des feux de camp ou on jouait à sauter dans les vagues.

« Notre plage se prêtait à la chasse au trésor. On collectionnait des coquillages, des cailloux et des plumes ; des tas de trucs rejetés par la mer, des bouées cassées, des crânes de pingouins et des vieux couteaux rouillés. À partir de bouts de bois flotté, mes enfants fabriquaient toutes sortes d'objets : des lances, des arcs et des flèches, des skis avec des bâtons. Parfois, quand le soleil brillait, on descendait un sentier qui se trouve de l'autre côté du phare. Quand la marée était basse, on pouvait marcher à sec jusqu'à l'île Courts. Dans les herbes, on dénichait des terriers de puffins fuligineux et, à une certaine saison, on y trouvait des poussins, des boules de duvet aux yeux comme des boutons noirs luisants.

Elle se tut, éreintée. Les enfants, dont l'imagination avait été enflammée par son récit, la bombardèrent de questions. Avait-elle déjà vu des pirates de ses yeux ? Le vent pouvait-il vraiment vous faire tomber ? Avait-elle assisté à des naufrages ? Que se passait-il quand il y avait des éclairs ? Y avait-il un vrai trésor sur l'île Courts ? Les enfants avaient-ils le droit de grimper dans le phare ?

Mary répondit du mieux possible. Hélas, pas de pirates. Oui, le vent pouvait vous faire perdre l'équilibre. Il y avait eu plusieurs naufrages et ils avaient aidé les marins en difficulté. Aucun trésor n'avait encore été découvert sur l'île, mais peut-être y en avait-il un. Et oui, les enfants avaient aujourd'hui le droit de monter dans la tour, accompagnés par les parents dans le cadre d'une visite guidée. À l'époque, on ne le leur permettait qu'à de rares occasions.

— Le phare est encore opérationnel ? s'enquit un des plus grands.

Mary expliqua qu'il pourrait l'être, mais qu'on n'en avait plus besoin. Le vieux phare avait été remplacé en 1996 par un phare automatisé sur le promontoire voisin. Un sourire triste lui vint aux lèvres. Jack avait détesté ces systèmes automatisés. Ces nouvelles tours en béton n'avaient à ses yeux rien d'humain. Toutefois, leur entretien était plus économique et elles étaient plus efficaces que les feux d'autrefois. Aujourd'hui, les gardiens du phare de Bruny étaient chargés de veiller à ce que le bâtiment reste en bon état et de recueillir des observations météorologiques qu'ils transmettaient aux aiguilleurs du ciel de l'aéroport de Hobart.

Ces gardiens étaient par ailleurs les dépositaires des récits de leurs prédécesseurs. Ils étaient les témoins de l'histoire des phares et perpétuaient leur souvenir, aussi important que le site lui-même. Mary précisa qu'il y avait eu de nombreux gardiens avant son mari et elle.

Les garçons commençaient à manifester des signes d'impatience. Bien sûr, ils en avaient assez. Ils avaient écouté, mais l'histoire, c'était pour les vieux, pas pour des enfants débordant d'énergie. Mary décida de se lever pour les remercier, mais en essayant de se décoller du fauteuil, ses jambes se dérobèrent. La respiration coupée, elle oscilla dangereusement, saisie de l'habituel tournis, à croire que son sang descendait d'un seul coup dans ses pieds.

Soudain, Jack apparut dans les branches au-dessus d'elle, évoluant dans la lumière comme dans de l'eau. Elle sentit monter une bouffée de chaleur. Les arbres tournoyèrent. Elle entendit un halètement. L'instant d'après, ce fut la nuit et le silence.

Elle se réveilla et trouva Leon penché sur elle. Sa tête était floue mais elle reconnaissait son front plissé. Au-dessus de lui, la cime des arbres se balançait.

Quel froid il faisait. Un froid polaire, pesant, plombé. Elle ferma les yeux à l'écoute du soupir du vent dans les feuilles… À moins que ce soit le bruit de son sang s'écoulant dans ses veines ? Lorsqu'elle rouvrit les yeux, Leon était en train de lui glisser une couverture sous la nuque.

— Ça va ?

Elle essaya de se redresser, mais il posa doucement sa main sur elle.

— Ne bougez pas. Vous vous êtes évanouie.

Elle se sentait lourde, si lourde. Des mains déroulèrent des couvertures.

— Tenez, une tasse de thé, dit une voix.

— Ça va aller ? dit une autre.

Leon, assis à côté d'elle sur le sol, déclara :

— Vous vous lèverez quand vous serez prête.

Mary avait l'impression qu'elle ne le serait jamais. Gisant sous le poids des couvertures, elle respirait péniblement. Elle était oppressée par une sorte d'énorme boule quelque part dans sa poitrine. Elle se mit à tousser et se recroquevilla en position fœtale. Elle se laissa tomber sur le côté et se demanda où elle allait pouvoir cracher. Leon approcha une bassine de son visage et, Dieu merci, elle respira de nouveau.

Il l'aida à se redresser sur son séant et glissa dans ses mains une tasse de thé brûlant. Elle se sentait si faible, tétanisée par le froid et les raideurs musculaires. Elle ne pouvait bouger qu'avec une extrême lenteur. Même ses lèvres refusaient de former les mots qui restaient coincés dans sa gorge.

— N'essayez pas de parler, lui dit Leon.

Après une pause, il s'enquit :

— Je devrais peut-être aller chercher un docteur ? Je peux envoyer quelqu'un chez l'infirmière de Lunawanna.

— Non, parvint-elle à articuler d'une voix méconnaissable. Je vais me remettre dans un petit moment.

Le thé lui fit du bien. Auprès d'elle, Leon semblait malade d'inquiétude. Les scouts et leurs chefs s'étaient dispersés afin de la laisser tranquille.

— Je vais mieux...

Après un silence, elle ajouta :

— Je voudrais vous demander quelque chose.

Il la regarda en levant les sourcils, l'air étonné.

— Le sentier d'East Cloudy Head. Quand je me serai reposée, dans un petit moment, croyez-vous que l'on pourrait parcourir une partie du chemin ?

— Quoi ? s'exclama Leon en riant. C'est une blague ? Vous me charriez ?

— Non, je veux aller là-haut.

— Mais vous venez de tomber dans les pommes. Je vais plutôt vous ramener au chalet.

Le pli de sa bouche indiquait qu'il ne reviendrait pas sur sa décision. Mary était déçue. Ce n'était pas encore aujourd'hui qu'elle communierait avec Jack sur la falaise. Il ne lui restait plus beaucoup de temps. Le décompte avait commencé.

Leon annonça à la ronde qu'elle était en train de se remettre. Quand il la souleva dans ses bras pour la porter jusqu'au 4 × 4, elle avait toujours la tasse de thé entre les mains. Une fois au chalet, il la coucha dans son lit et arrangea les oreillers dans son dos. Il lui prépara une bouillotte puis s'assit au bord du lit. Lui aussi avait mauvaise mine, se dit Mary.

— Qu'est-ce qui vous est arrivé ? questionna-t-il.

— J'ai dû rester assise trop longtemps, répondit-elle avec un haussement d'épaules.

— Ne me racontez pas de salades, vous êtes toujours assise, ce n'est pas à cause de ça, dit-il en la gratifiant d'un de ses rares sourires. Je ne vous laisserai plus parler en public. Vous avez fait flipper tout le monde, à tourner de l'œil sans crier gare. Les gamins ont cru que vous étiez morte.

— Comment j'ai été... avant ?

— Géniale. Ils ont tous adoré... Jusqu'à ce que vous vous effondriez, lui dit-il alors que son sourire cédait la place à une expression grave. Qu'est-ce que je vais faire de vous ?

Que voulait-il dire ? Il voulait la renvoyer à Hobart ? Subitement effrayée, elle s'agrippa à sa main en disant :

— Je vous en supplie, ne les laissez pas me mettre dans une maison de retraite.

— Je ne peux pas m'occuper tout le temps de vous. Que va penser votre famille quand je vais les mettre au courant ?

— Ne dites rien.

Il la fixa un instant avec insistance.

— Ce serait mal de le leur cacher. Votre fille m'a téléphoné la semaine dernière. C'est quoi son prénom, déjà ? Jan ?

Mary devint sombre.

— Jan, tout à fait. Mais elle n'aurait pas dû vous appeler. Elle n'a pas le droit. Il s'agit de ma mort à moi, et celle de personne d'autre.

— C'est bien ce qui me fait peur.

S'ensuivit un long silence. Mary s'était aventurée en terrain miné : la question de sa disparition. Comme elle était secouée par une nouvelle quinte, Leon l'enveloppa d'un regard sévère et se leva en déclarant :

— Je vais vous servir une autre tasse de thé.

Après pas mal de tapage dans le coin cuisine, il revint avec un mug. Il faisait bon dans le chalet à présent que le calorifère et le poêle fonctionnaient à plein régime. Leon avait roulé ses manches.

— Si je ne peux pas le dire à votre famille, il va falloir que j'emménage ici, grommela-t-il en plaçant la tasse sur sa table de chevet.

Les yeux de Mary tombèrent sur les bleus qu'il avait à un bras. Des ecchymoses d'un rouge violacé au bord tirant sur le vert.

— Ce sera peut-être mieux, tant pour vous que pour moi, dit-elle en désignant son bras d'un signe de tête.

Il couvrit les bleus de sa main puis la retira.

— C'est pas joli, joli, hein ? dit-il en s'asseyant et en tournant un regard malheureux vers la fenêtre.

Mary attendit. Au bout d'un moment, il reprit avec lenteur :

— Qu'est-ce que vous faites quand vous voulez désespérément vous échapper alors que certaines personnes ont besoin de vous au point que vous ne pouvez pas partir ?

Il serra les mâchoires si fort qu'un petit muscle tressaillit sur sa joue.

— Peut-être est-il possible de les aider à se prendre elles-mêmes en charge ?

— Et si elles sont sans défense ? prononça-t-il d'une voix où perçait une vibrante détresse. L'alcool le rend violent et ma mère refuse de le quitter. Elle est aussi passive qu'un chien battu. Elle espère toujours recevoir une caresse. Il faut que je sois là pour la protéger à l'heure où il rentre.

Mary commençait à comprendre. Il prenait les coups destinés à sa mère. Et celle-ci, sans doute par sens du devoir, refusait de quitter sa brute de mari. Mary compatissait. Des larmes lui montèrent aux yeux. Leon était un jeune homme courageux. Beaucoup auraient laissé tomber leur mère depuis longtemps. Elle ne s'étonnait plus qu'il ne soit pas ravi de sa présence au chalet : elle représentait pour lui un double fardeau. Elle posa sa main sur la sienne. Il avait les traits déformés par la colère et il serrait les poings. Mais il ne retira pas sa main.

— Je ne peux pas partir.

— C'est votre père ?

— Je préférerais qu'il ne le soit pas.

— Peut-être, mais vous ne lui ressemblez pas. Vous êtes fort. Il faut l'être, pour être resté.

Il tourna vers elle des yeux embués de larmes.

— C'est lui qui devrait être en train de mourir, pas quelqu'un de bon comme vous.

Mary parvint à esquisser un pâle sourire.

— Je vois que j'ai réussi à vous avoir. La bonté n'est pas vraiment mon rayon.

Il se détourna pour essuyer ses joues.

— Elle pourrait être aussi en moi, cette faiblesse. Ce pourrait être génétique.

— Vous n'avez rien d'un faible, Leon.

— Comment pouvez-vous le savoir ?

— Je le sais, un point, c'est tout.

— Mais vous n'êtes pas objective, dit-il en retrouvant son petit sourire malicieux. Parce que vous me trouvez sympa.

— Ah, au début, pas du tout.

— Je vous en ai fait voir.

Elle lui serra le bras pour qu'il écoute bien ce qu'elle avait à lui dire.

— Un jour, vous partirez.

Il baissa vers elle un regard sceptique.

— Vous croyez ?

— La situation changera, vous verrez, et vous pourrez prendre la clé des champs.

Son visage se pétrifia.

— S'il l'envoie à l'hôpital, elle le quittera peut-être, mais s'il lui fait du mal, je le tuerai.

— N'ayez pas recours à la violence, Leon. Vous entreriez dans son jeu.

Il garda le silence un long moment, aux prises avec un cruel débat intérieur. Puis il tapota affectueusement la vieille main posée sur son bras.

— Ne vous en faites pas. Je ne vais pas le tuer. Si je devais le tuer, je l'aurais déjà fait il y a des mois.

Ils restèrent longtemps ainsi, sans bouger, à observer les ombres du soir glisser sur les murs. Maintenant que l'indicible avait été dit, ils se sentaient étrangement apaisés.

23

Nous rentrons en voiture de Freycinet un samedi après-midi sous un ciel bleu éblouissant. Ce quelque chose d'intime et de chaud qui s'est épanoui en nous autour du feu de camp ne nous a pas quittés. Ce matin, avant le départ, nous avons marché jusqu'à Wineglass Bay. J'ai eu l'impression de vivre un rêve – la main d'Emma dans la mienne, le plus grand des aigles, l'uraète, planant au-dessus de nos têtes tandis que les plus petits des kangourous, des pademelons, avaient l'air de nous attendre sur le sable blanc de la baie.

À présent, nous avalons les kilomètres. Je nage dans le bonheur. Je voudrais que cet instant se prolonge éternellement. Hélas, nous arrivons trop vite à Hobart. Emma m'invite à passer la nuit chez elle et j'accepte sans réfléchir, incapable de m'arracher à son emprise. Nous déchargeons ses affaires, puis je me précipite pour récupérer Jess avant de retourner en vitesse chez Emma. Je sais que c'est ridicule, mais je suis terrifié à l'idée que tout pourrait changer dès que j'ai le dos tourné. J'ai peur que son désir pour moi s'évapore. Alors que je franchis la porte du cabanon, le sourire d'Emma apaise toutes mes craintes.

Je reste allongé auprès d'elle toute la nuit, ivre d'amour.

Au matin, nous sommes en train de prendre le petit déjeuner, déjà habillés, quand la porte s'ouvre à la volée sur une silhouette râblée. Je reconnais instantanément l'homme à qui Emma parlait dans son labo à l'antdiv. Il porte un jogging en polaire noir et un sweat bordeaux qui mettent sa musculature en valeur. Les mains dans les poches, il s'appuie de l'épaule au chambranle et nous fixe sans un mot pendant quelques longues secondes. Il a un visage plat, des petits yeux écartés. Je vois bien qu'il est revenu d'Antarctique il y a peu : il a ce regard lointain, cette réserve qui dit qu'il ne se sent plus chez lui ici. Le regard qu'avait Emma lorsque je l'ai rencontrée.

— Emma, finit-il par dire, ses petits yeux lançant des éclairs. Que se passe-t-il ?

Elle se compose un visage souriant.

— Rien, Nick. On prend le petit déj'. Voilà tout.

Il me toise puis se tourne brusquement vers Emma.

— Je t'attendais hier soir à la maison pour le dîner. Je croyais qu'on avait un arrangement.

Emma se lève avant de répliquer :

— Je n'ai jamais dit que je viendrais dîner.

Alors qu'il entre dans la pièce, je débarrasse la table en le gardant à l'œil.

— Tu viens toujours dîner le samedi. Je t'attendais.

— On est restés tard à Freycinet, se défendit Emma en rougissant.

Je me demande si les chaussons et le baudrier qu'elle m'a prêtés appartiennent à cet homme. Son tour de cuisse pourrait correspondre. Je rase les murs pour aller rouler le tapis de Jess. Elle est maintenant sur mes talons et grogne doucement. Trois personnes et un chien, c'est beaucoup dans une pièce aussi petite.

— Et puis c'est qui, ce type ? lance le dénommé Nick d'un ton condescendant. Il est livré avec un chien, comme Barbie avec son sac à main ?

En soutenant son regard, je coince le tapis sous mon aisselle.

— Arrête, Nick !

Emma me lance un coup d'œil inquiet. Peut-être craint-elle que je riposte ?

— J'ignorais que tu te faisais de nouveaux amis, continua Nick en avançant d'un pas vers elle. Tu ne nous présentes pas ?

Soudain, j'étouffe dans cette minuscule pièce. Il pose la main sur le bras d'Emma et me fusille du regard :

— C'est pas l'heure de partir, pour vous ?

J'hésite et jette un coup d'œil à Emma.

— Le chien en a marre, insiste-t-il.

Jess s'est coulée de l'autre côté de la pièce et attend devant la porte, les babines retroussées. Ses oreilles sont aplaties et ses yeux plissés. Elle n'aime pas Nick et elle n'est pas la seule. Je la suis vers la sortie.

— Tom, dit Emma.

Il n'y a pas de place pour tout le monde dans le cabanon mais je ne suis pas certain qu'elle ait envie que je reste. Je la dévisage d'un air interrogateur. Je sais que c'est lâche de m'enfuir, mais je déteste les conflits. Nick est querelleur, mais pas menaçant. Emma n'a rien à craindre si je m'en vais.

— Je crois qu'il vaut mieux que j'y aille, bredouillé-je, Jess sur mes talons.

— Laisse-le y aller, grogne Nick.

— Tom ! s'écrie Emma.

Elle paraît confuse. D'un côté, elle veut que je reste ; de l'autre, elle a des choses à régler avec Nick. Je ne peux lui être d'aucun secours. Nick me fusille toujours du regard. Je franchis la porte et pose un pied devant l'autre en direction de la rue.

— Tom ! Tu n'es pas obligé !

Je réplique sans me retourner :

— Ça va ! Je vous laisse.

Pendant mon hivernage en Antarctique, nous avions été un petit groupe à explorer une crevasse pour nous amuser. Au départ, j'avais manifesté quelque réticence, me voyant mal suspendu dans le vide au-dessus d'un abîme, mais les autres avaient réussi à m'entraîner. Notre Hägglunds avait bringuebalé sur le terrain accidenté des fjords glacés puis grimpé la pente raide jusqu'au glacier. C'était par une splendide journée d'azur et de blanc éclatant. Lorsque le vrombissement du véhicule se tut, un silence se fit autour de nous, aussi infini que le paysage.

Une fois la figure tartinée de crème solaire, quel délice de boire de la soupe chaude et de manger des biscuits au chocolat en contemplant le plateau miroitant qui déroulait à nos pieds ses plages de glace resplendissante. Au sud, les Vestfold plissaient la ligne d'horizon tandis qu'au nord quelques îlots piquaient de noir la blancheur uniforme.

Les pieds chaussés de crampons, d'autant plus engoncés dans nos combinaisons polaires qu'il avait fallu se serrer chacun dans les sangles d'un baudrier, nous marchions en file indienne derrière Andy, le responsable de la formation des chercheurs sur le terrain – il avait pour mission de surveiller les activités à risque et de préparer le personnel à des situations périlleuses. Une fois notre petit cortège arrivé au bord de la crevasse idéale, nous entassâmes notre équipement et enlevâmes quelques épaisseurs de vêtements.

À quelques mètres de la lèvre de la crevasse, Andy vissa plusieurs broches dans la glace dure comme du béton afin de servir de points d'amarrage pour les mousquetons, les cordes et une échelle de corde. Nous allions nous glisser à tour de rôle dans la cavité. Lorsque la première personne descendit, la vue du haut de son casque s'enfonçant dans la glace me donna des sueurs froides. Autour de moi, les autres chahutaient, apparemment inconscients du danger. Andy, resté en relais, aussi solide qu'un roc, assurait les manœuvres. Il rigolait et lançait des vannes, mais je voyais bien qu'il était tendu : il savait que chacun de nous jouait avec sa vie.

J'attendis pour passer en dernier, en espérant que nous n'aurions pas le temps et que je serais dispensé de spéléo. Mais mes camarades me poussèrent en avant. Andy me regarda m'attacher à la corde et accrocha une longe supplémentaire à mon harnais pour plus de sécurité. Il me fit signe que je pouvais y aller. Je me dirigeai pesamment à reculons vers la crevasse.

Andy aboya des instructions. Je restai debout, retenant mon souffle, hésitant à me plonger dans le vide. D'une voix calme mais ferme, il répéta ce qu'il venait de me dire. Je me penchai en arrière, les pieds raclant le bord de la crevasse, la corde tendue entre mes mains, et je descendis par saccades.

Il neigea pendant ma descente. Je m'arrêtai après trois ou quatre mètres et, en tournant lentement sur ma corde, réussis à attraper l'échelle. Sous mes pieds s'ouvrait la bouche noire de la terre. Le silence était oppressant. Je n'entendais plus que le bruit sonore d'une respiration : la mienne. Du bord de la crevasse sciée par les cordes tombait sur moi une avalanche légère de fins cristaux de neige.

Je me trouvais dans un autre monde. Des crèmes glacées superposées à des couches meringuées formaient d'extravagantes pièces montées. Un empilement de châteaux en pâte de verre bleu pâle aux tourelles floconneuses. Maintenant que je respirais plus calmement, j'entendais mon cœur battre dans mes oreilles. J'étais pris dans un étau de silence. Entre ces murs. Au-dessus de moi, une fente de ciel bleu intense. La lumière qui se coulait par la fissure se fragmentait et étincelait dans un univers de minuscules cristaux de glace.

Le temps était suspendu. À cette beauté enchanteresse était associée la menace d'une mort par suffocation. C'était à la fois merveilleux et terrifiant.

Alors que je fuis le cabanon d'Emma, je me remémore cette expérience et mes impressions ce jour-là. Je suis toujours sous le charme d'Emma, mais l'arrivée inattendue de Nick a provoqué l'écroulement de mon pont de neige. Tout en moi est en train de s'effondrer dans les ténèbres – un lieu que je redoute entre tous, un lieu où rien ni personne ne pourra sans doute venir à mon secours.

J'aurais dû me douter qu'Emma avait quelqu'un dans sa vie.

J'ouvre la portière de la voiture. Jess saute dedans. Une fois au volant, je remonte la sangle de la ceinture de sécurité en travers de ma poitrine. Il faut que je me sauve avant qu'Emma ait le temps de sortir. Au cas où il – Nick – la suivrait. Nick et son visage pareil à un masque hargneux. Je manœuvre afin de me mettre dans le sens de la montée et, en redémarrant, je fais crier la boîte de vitesses – une faute qu'un mécanicien ne commet jamais. Je ne devrais peut-être même pas conduire. Je remarque à peine les gémissements étouffés de Jess couchée sur le plancher.

Une fois sur Mount Wellington Road, la voiture serpente sur la route mouillée en passant devant des chemins qui s'enfoncent dans la forêt humide où sont nichées des maisons. Après Jacksons Bend, je sors de Fern Tree pour aborder les virages serrés qui mènent au sommet. Du lichen blanc marbre les rochers sur les bas-côtés où des vandales ont parfois gratté leur nom. Çà et là, une éclaircie dans les taillis découvre les vallées dans la lumière brumeuse de l'automne, avec la ville qui s'étend en contrebas. Vue d'en haut, la forêt est semblable à un lac de verdure où pointent les squelettes argentés de grands arbres morts.

Je serre fort le volant en songeant aux mains de Nick sur Emma. Dans mon esprit, je les vois caressant son corps. Et puis je tressaille : non, je ne veux pas y croire.

La route forestière émerge sous un ciel gris maussade où courent de rapides nuages. Il n'y a plus que des petits arbres rabougris et des champs rocailleux. Un vent glacé se charge de maintenir la lande alpine rase. Je me gare au sommet sous le pylône blanc de l'émetteur de radio et de télévision. Il n'y a personne d'autre que moi.

Je ne bouge pas tout de suite. Au bout d'un moment, je me rends compte que mes mains tremblent sur le volant. Je ramasse mon manteau sur la banquette arrière. Il fait quelques degrés de moins qu'en bas. L'air sent la neige. Je laisse sortir Jess, même si les chiens sont interdits. Elle se blottit frileusement contre mes jambes, la queue basse, les oreilles aplaties.

Le chaos, le grand désordre de ce paysage de roches éclatées, reflète mon état d'âme. Je m'y sens à ma place. Le vent me traverse le cerveau. L'air glacé n'a pas d'odeur. Ici, il est possible d'imaginer que l'Antarctique existe.

Je suis le sentier de planches jusqu'au belvédère et j'observe la course des nuages. Tout en bas, l'arc métallique du Tasman Bridge franchit la Derwent River dont les méandres se perdent au loin vers le nord. Le tissu urbain des banlieues de Hobart est parsemé de points verts : les arbres. Des rafales de vent se jettent contre la falaise. J'ai du mal à croire qu'hier encore je me promenais avec Emma à Wineglass Bay. J'ai du mal à croire que nous avons observé un uraète tournoyer au-dessus de nous. J'ai du mal à croire qu'hier je me sentais aussi planant et triomphant que le grand aigle de Tasmanie.

Je reste debout dans le vent ascendant jusqu'à ne plus tenir. Dans la voiture, je masse les oreilles de Jess avec mes mains engourdies par le froid. Ses yeux jaunes me dévisagent. Elle me comprend mieux que n'importe quel humain.

Je tourne la clé de contact et fais démarrer la voiture. Il faut que je fasse quelque chose. Il faut que j'aille dans un endroit où je serai obligé de ne plus penser à Nick, où je cesserai de l'imaginer avec Emma.

Nous descendons rapidement de la montagne en penchant dans les virages, prenons le Tasman Bridge et continuons tout droit en tournant le dos à Hobart, jusqu'à Cambridge avant de bifurquer vers le nord, direction Richmond.

24

Richmond est un village touristique célèbre pour son pont de pierre construit par les *convicts*. On y trouve de pittoresques bâtiments en grès et une grande rue bordée d'antiquaires, de cafés, de galeries et d'un pub décoré d'un grand balcon en fer forgé ajouré comme de la dentelle. Gary et sa femme, Judy, tiennent un bed & breakfast à la périphérie du bourg. Un mode de vie qui convient à Judy : accueillir les clients avec un sourire amical qui n'engage à rien, préparer les plateaux du petit déjeuner. Les couvre-lits coquets. Encaisser l'argent. Les « au revoir » hypocrites. Gary, pour sa part, suit le mouvement.

En ouvrant la porte, il a l'air étonné de me trouver debout devant lui, Jess sur mes talons.

— Qu'est-ce que tu fiches ici ? Maman n'est pas morte au moins ?

— Je me suis dit que j'allais faire un saut pour te dire bonjour.

— Personne ne fait jamais « un saut » à Richmond.

Je hausse les épaules. Il se tourne à moitié vers l'intérieur de la maison et ajoute :

— On ne peut pas entrer. Judy passe l'aspirateur.

— Allons nous asseoir là-bas, dis-je en montrant du doigt à Gary sa ridicule rotonde.

— D'accord.

Nous traversons la pelouse et la roseraie, toujours en fleur alors qu'on est déjà en mai. Les sièges sous la rotonde sont mouillés par la rosée.

— Je vais chercher de quoi essuyer, déclare Gary en retournant dans la maison.

Jess trottine en reniflant à droite et à gauche. Elle finit par s'accroupir pour faire ses besoins et je vais chercher un sac en plastique dans la voiture. Je ne vais pas me mettre Judy dans la poche si je permets à Jess de lui laisser un souvenir sur son gazon.

Gary revient et essuie les sièges à l'aide d'un vieux torchon.

— J'ai oublié de te demander si tu voulais une tasse de thé.

Gary et moi n'avons jamais été très à l'aise en compagnie l'un de l'autre. Gary a quitté l'île pour le pensionnat peu après ma naissance. Il ne revenait à la maison que pour les vacances. Jan et lui étaient comme deux étrangers qui nous envahissaient : Gary passait le plus clair de son temps à aider papa ou à lire ; Jan à se chamailler avec maman à la cuisine. Moi, je sortais me promener et me tenais à l'écart jusqu'à leur départ après lequel je pouvais reprendre sans risque ma place habituelle. Je me rappelle l'air triste

385

de maman chaque fois que j'attrapais mon manteau pour me glisser dehors. Pourtant, je n'avais aucun regret à quitter la cuisine toute chaude pour les vents froids du cap. Il y avait trop de monde pour moi à l'intérieur.

— Une tasse de thé, oui, merci.

— Tu le prends comment ?

— Sans rien.

— Bon sang ! Dire que je dois poser cette question à mon propre frère, dit-il en me jetant un regard presque penaud. Cela signifie qu'on n'a pas bu assez de thé ensemble tous les deux.

— Je n'aime pas être dans les pattes des autres.

Il rit.

— Tu es toujours dans les pattes de tout le monde à force de chercher à ne pas l'être. Mais, tu sais, ça me ferait plaisir que tu viennes plus souvent, ajoute-t-il en se tournant vers la maison. C'est Judy, le problème. Elle n'est pas commode. Toutes les femmes sont difficiles. Je pense que c'est toi qui as raison de ne pas en avoir.

Je me tais. Gary grogne :

— Je te rapporte une tasse.

Je le suis des yeux. Plus jeune, il avait la même démarche que papa : penché en avant avec de grandes enjambées. Maintenant qu'il a pris de l'embonpoint, il avance à petits pas, le bassin légèrement basculé en arrière pour compenser le poids de son abdomen.

Il fait froid à l'ombre de la rotonde. En été, Gary passe des heures sur son mini-tracteur à tondre son gazon pour qu'il soit aussi lisse et velouté qu'un green de golf. Judy le voudrait vert même en cette saison, mais elle a la météo contre elle. Une maison parfaite, c'est toute l'ambition de Judy. Gary et elle ont décidé il y a déjà longtemps qu'ils n'auraient pas de gosses.

Gary revient avec un plateau : deux tasses et des tranches de gâteau sur une assiette. Il a l'air ridicule à marcher sur la pointe des pieds. Je m'en fiche d'avoir un peu de thé dans ma soucoupe.

— Tiens, dit-il en me passant une tasse. Judy m'a permis de prendre du gâteau au chocolat. Il est succulent.

— Merci.

— Alors, comment ça va ? dit-il en s'asseyant à côté de moi.

— Comme d'habitude. Et toi ?

— J'en ai marre du boulot. Passer sa vie devant un ordinateur, c'est barbant à la fin. Mais ça rapporte.

— Et tu te débrouilles bien.

Gary est au service informatique du gouvernement de l'État à Hobart. Judy se plaît à faire remarquer combien il a une bonne réputation. À l'entendre, il serait indispensable. Ce qu'elle veut dire en réalité, c'est que son salaire est indispensable. Sans ce revenu, elle ne pourrait pas faire de travaux de décoration et de rénovation dans sa chère maison.

— Alors t'es branché sur Foxtel[1] ? me demande-t-il.

Gary regarde les matchs le week-end à la télé.

---

1. Chaîne de télévision payante.

— Tu sais, je ne suis pas tellement amateur de sport.

Par une grimace, Gary m'indique qu'il me trouve d'un profond ennui.

— Toi, tu veux toujours sortir observer les oiseaux ou je ne sais quoi. J'ai un frère un peu fêlé.

— Merci.

— Heureusement que tu as Jess. Elle, au moins, elle est normale. Tu ne l'as pas laissée chier sur la pelouse ?

— J'ai ramassé.

— Cette pelouse inspire les chiens. Judy voudrait acheter un de ces canons dont on se sert dans les vignobles. Ces trucs qui font des détonations toutes les quelques minutes. Je crois que je vais plutôt acheter un flingue.

J'essaye de sourire.

— Quand est-ce que tu retournes voir maman ?

— Mercredi.

— Ça t'embête si je viens avec toi ?

— Pas du tout. Pourquoi pas ? Elle sera contente de te voir.

— Je prendrai un jour de congé. Il m'en reste plein à prendre. Tu pars à quelle heure ?

— On n'a qu'à attraper le ferry de 11 heures. Comme ça, tu n'auras pas à te dépêcher.

Gary se sert une deuxième part de gâteau.

— Comment va-t-elle ?

Je hausse les épaules.

— Et Jan ? Elle est allée voir maman ?

— Pas que je sache.

— Tu serais au courant si c'était le cas. Elle passe sa vie pendue au téléphone. Sacrée Jan ! Elle a un orgueil démesuré, dit-il en hochant la tête. Tu lui as parlé ?

— Une ou deux fois.

— Elle t'a soûlé avec son bavardage ? Moi, elle m'appelle tout le temps.

— Elle m'a appelé, oui.

— Si maman meurt avant que Jan la voie, on va en entendre parler jusqu'à la fin des temps. Et Jacinta ? Tu as des nouvelles ? Il paraît que, avec Alex, ils voulaient emmener maman explorer le phare. C'est n'importe quoi. Jan était comme folle.

— Je ne crois pas qu'ils y soient déjà montés. Maman n'a rien dit là-dessus.

— Peut-être qu'ils le feront le week-end prochain. Quelle idée idiote.

— Pourquoi ? Je trouve au contraire que ce serait bien qu'elle revoie le phare. J'aurais dû y penser moi-même.

— Tu ne sais pas ce qui s'est passé là-bas ?

— Comment ça ?

— Avant ta naissance, dit-il en se penchant en arrière dans un éclat de rire. Tu as sans doute été le résultat de tout ça. Le remède au mal.

— Je ne sais pas de quoi tu parles.

— Tu ferais mieux d'interroger Jan. C'est elle qui connaît le mieux l'histoire.

— Quelle histoire ?

— Comment papa et maman ont failli se séparer. C'était vers l'époque où elle s'est cassé la jambe.

Tante Rose avait été obligée de venir s'occuper de nous pendant qu'elle était à l'hôpital.

Je tombe des nues.

— Pourquoi est-ce que personne ne m'a rien dit ?

— Parce que tu es le plus jeune. Et parce que tu es différent.

Gary enfourne le reste de sa part de gâteau qu'il mâche en regardant le jardin.

— Demande à Jan, ajoute-t-il. Elle te racontera.

Après ma visite à Gary, je vais me promener sur la plage la plus déserte et la plus longue que j'aie pu trouver. Je marche jusqu'à la nuit, rien que pour retarder le moment de rentrer chez moi. J'ai peur qu'Emma me téléphone. Je ne me sens pas d'attaque pour écouter ses excuses.

En effet, le voyant de mon répondeur clignote. J'appuie sur la touche messagerie. En entendant la voix d'Emma, je m'assieds.

« Tom, je suis vraiment désolée pour ce matin. C'est la faute de Nick, comme si ma maison était un moulin... Tu me rappelles quand tu rentres ?... S'il te plaît ? »

Je regarde mon téléphone mais je n'ai pas le courage. Plutôt que de la rappeler, même s'il est déjà tard, je mets des côtelettes d'agneau à décongeler et découpe les légumes. Jess engloutit son bol de croquettes avec satisfaction. Je suis à la recherche de brocolis dans le frigo quand le téléphone sonne. Après avoir laissé passer quelques sonneries, je me dis que c'est peut-être Jacinta à propos de maman. C'est Emma. Elle débite d'une traite :

— Pourquoi tu t'es enfui ?

Et sans me donner le temps de répondre, elle enchaîne :

— En fait, je ne t'en veux pas. Nick peut être intimidant. Il croit que je lui appartiens. On s'est pas mal vus depuis que je suis rentrée – tu sais comment c'est.

Voilà. L'aveu.

— Je tiens à ce que tu saches que je ne lui appartiens pas, reprit-elle en bravant mon silence. Je fais ce que je veux.

Je ne sais pas quoi dire.

— Passe me prendre demain à la sortie du bureau. Rendez-vous devant l'entrée de l'antdiv. 17 heures.

— D'accord, dis-je, bêtement.

— Parfait. Je t'attendrai.

Un peu plus tard, alors que je suis couché, j'entends un bruit dehors, sous la véranda. Sans doute un opossum en quête d'un morceau de pomme. Mais, comme Jess se redresse et bondit de son tapis, je vais voir dans le séjour si tout va bien. Le faisceau d'une lampe de poche brille à travers la vitre. Je trouve Laura sur le seuil. Dans la pénombre, on croirait une revenante. Son visage est un masque blanc dont la joue est barrée d'un trait foncé.

— Pardon de vous avoir réveillé, chuchote-t-elle d'une voix à peine audible dans le vent.

— Je ne dormais pas.

— Mouse s'est coupé et il faut que je l'emmène à l'hôpital. Quand il est dans cet état, je ne peux pas conduire.

Elle se frotte la joue, regarde ses doigts et les essuie distraitement sur son pull. Je me rends compte que c'est du sang.

— Une ambulance ?

— Elle mettra vingt minutes à arriver. Et je ne veux pas qu'on le bouscule dans la maison. Il faut qu'il puisse y revenir sans avoir peur.

J'hésite. Mais qui pourrait l'aider à part moi ? Cette réflexion met fin à mon indécision.

— Bon, d'accord, je vais prendre mes clés.

— Merci.

Lorsque je ressors, elle dévale déjà la côte et traverse la rue, ses jambes pâles cisaillant la nuit sous la lumière des réverbères. Je gagne en toute hâte ma voiture. Jess se coule par la portière pour se coucher sur le plancher côté passager. Je n'ai pas eu le temps de l'arrêter, ni celui maintenant de la ramener à l'intérieur. Je roule jusqu'à la maison de Laura.

Des cris et des bruits s'échappent de la maison. J'attends quelques minutes, toujours hésitant, avant de descendre de voiture. La porte est ouverte, Laura est dans le vestibule. Elle retient par les poignets un homme énorme à la tignasse brune. Manifestement, il lui résiste. Il est fort et violent. Très fâché.

— Mouse ! s'exclame-t-elle d'une voix qui n'a plus rien du frêle chuchotis que je lui ai connu jusqu'ici.

Mouse ! Arrête ça tout de suite ! Baisse les mains et écoute-moi.

Quand il m'aperçoit sur le pas de la porte, l'homme se jette par terre comme un animal apeuré. Il se recroqueville contre le mur, les mains sur la figure. Du sang coule sur son avant-bras.

— Je vous en prie, retournez à votre voiture, dit Laura, le visage tendu. Il n'a pas l'habitude des gens.

Je retourne à la nuit froide et ouvre la portière arrière côté trottoir. J'allume les phares et l'éclairage intérieur. Si cet homme est aussi facilement effrayé, il refusera peut-être de monter dans une voiture plongée dans le noir. Ce sera moins intimidant s'il voit où Laura veut qu'il aille.

Cinq minutes passent. La fatigue me rattrape. Je n'arrivais pas à dormir dans mon lit, mais dans l'espace restreint et inconfortable de l'habitacle, le sommeil m'a trouvé et menace de me gagner. Finalement, les silhouettes sombres de Laura et de Mouse sortent de la maison. J'entends Laura qui le rassure en lui disant que tout ira bien s'il monte dans la voiture. Il sera en sécurité. Elle l'emmène soigner son bras. Arrêter le sang.

L'instant d'après, ils sont tous les deux assis derrière moi. Laura ferme la portière et la verrouille. Je roule avec le moins de heurts possible en prenant les virages avec douceur jusqu'à l'autoroute. Dans le rétroviseur, je vois le frère de Laura replié sur lui-même contre la portière. Elle lui caresse la tête et lui fredonne une chanson pour le calmer. De temps à autre, quand on traverse une flaque de lumière, le visage de Laura est éclairé mais il demeure sans expression, indéchiffrable. Je n'y perçois ni peur ni apitoiement sur soi.

Quand nous arrivons à Hobart, elle tient la tête de son frère contre sa poitrine et ses paupières sont closes. Il pousse de faibles gémissements. Ils ont tous les deux le visage maculé de sang. Aux feux rouges, elle met ses mains devant les yeux de son frère. Une fois que je suis arrêté devant les urgences, Laura me demande d'un ton calme :

— Pourriez-vous aller chercher de l'aide ? Je ne peux pas faire ça toute seule.

L'hôpital est éblouissant de blancheur. L'infirmière à l'accueil reste imperturbable mais elle prend son téléphone. Quelques minutes plus tard, quatre armoires à glace viennent m'interroger d'un air grave et attentif. Ils me suivent à la voiture. Sur la banquette arrière, ça s'agite et ça crie. Un hurlement de douleur de Laura est suivi d'affreux grognements. Je me recule pour permettre aux infirmiers de tirer de force de la voiture le frère de Laura. Ils l'emmènent à toute vitesse par les portes interdites au public, Laura court derrière eux. Tout à coup, je me retrouve seul dans la lumière crue des néons.

Je m'attarde un peu, histoire d'absorber le choc. Jess sort de la voiture, telle une ombre liquide, et vient s'asseoir à mes pieds. Elle est toute tremblante. Je l'avais complètement oubliée. Elle a dû être terrifiée – d'abord Mouse et ses cris de bête, puis les quatre malabars sautant dans la voiture, les hurlements, la lutte. Je me penche pour caresser sa tête frémissante. La culpabilité se mêle à présent à mon effroi. J'aurais dû la laisser à la maison. D'un autre côté, comment aurais-je pu prévoir ?

La sirène stridente d'une ambulance me fait sursauter. Je prends Jess dans mes bras et la dépose sur le siège passager. Nous allons rentrer, lentement, et nous veillerons dans le noir.

25

J'aime promener Jess de bonne heure le matin, à la fraîche, dans le silence. Après l'horreur d'hier, le retour à la vie ordinaire s'impose. Comme moi, Jess est esclave de l'habitude. Elle puise du réconfort dans ces petits rituels.

Au cours de ces expéditions aux aurores, nous ne faisons en général aucune rencontre. Aussi l'apparition de Laura traversant le bush nous surprend tous les deux. Elle semble avancer en flottant au-dessus du chemin, le regard fixé quelque part au-delà du canal d'Entrecasteaux. Je ralentis, dans l'espoir de l'éviter, mais elle entend Jess frétiller dans les hautes herbes.

— Oh ! Salut ! me lance-t-elle en se retournant, sans un sourire, les traits tirés. Désolée, je pensais qu'il n'y aurait personne.

Elle attend que j'arrive à sa hauteur pour ajouter :

— Vous descendez souvent vous promener ?

— Pratiquement tous les jours.

Elle acquiesce. Je la suis sur la plage.

— Comment va Mouse ?

— Ça va aller. Mais ça a été horrible, dit-elle en se figeant. Je n'ai presque pas fermé l'œil, soupire-t-elle.

J'hésite. Dois-je continuer seul ou l'attendre ? Jess trotte le long de la plage quand elle n'est pas en train de renifler des traces d'autres animaux dans la végétation.

— Je ne suis pas restée à l'hôpital, reprend-elle en regardant la mer. Pour quoi faire ? Une fois qu'ils lui ont administré un calmant, il s'est endormi. Ils m'ont dit qu'ils allaient le faire dormir un bon bout de temps. Alors j'ai pris un taxi pour rentrer, précise-t-elle en se tournant vers moi. Je n'aime pas le voir comme ça.

— Non.

Je fourre mes mains dans mes poches.

— Il souffre d'une schizophrénie de type para-noïaque. Je pensais qu'il prenait ses médicaments, mais je me trompais. Hier soir en rentrant, j'ai trouvé un tas de cachets dans la terre d'une plante en pot.

— Il rentrera bientôt ?

— Pas avant deux semaines. Il faut le sevrer des calmants et stabiliser son traitement avant de l'auto-riser à rentrer à la maison.

Elle lève les yeux, révélant d'énormes cernes noirs.

— Merci de nous avoir aidés hier.

— C'était tout à fait normal.

Elle jette un coup d'œil à Jess sur la berge puis se tourne de nouveau vers la mer.

— Ça vous embête si je me promène avec vous ?

Je préfère être seul, mais je hausse les épaules en émettant un :

— Non.

Nous foulons le sable, sans marcher côte à côte, mais pas tout à fait chacun de son côté non plus. Laura avance d'une démarche nonchalante, l'esprit ailleurs. Au bout de la plage, elle me suit sur le sentier de la falaise. Je me sens un peu bizarre, mais je fais comme si elle n'était pas là. Jess ne semble pas gênée par la présence de Laura. Elle trotte tranquillement devant nous.

Le bush devient plus sec au bord de la falaise. Nous apercevons des petits acanthizes de Tasmanie et des séricornes bruns. Un cassican à collier émet son gazouillement mélodieux du haut d'un eucalyptus pelé. Je continue à espérer que Laura rebroussera chemin, mais elle m'accompagne jusqu'à la plage suivante et nous rentrons par la route. Devant chez moi, je lui dis au revoir. Elle s'arrête et se tourne vers moi.

— C'était sympa. On pourra le refaire ? Demain peut-être ?

— Je ne connais pas encore mon programme pour demain.

Et si Emma était avec moi ? Laura n'a qu'à se promener seule. Elle n'a pas besoin de moi.

— Si je suis réveillée, je viendrai avec vous. C'est bon pour moi de marcher. Je me sens déjà beaucoup mieux.

Elle regarde un peu plus bas sur la pente sa maison derrière une haie de fougères arborescentes et ajoute :

— Sans Mouse, c'est tellement tranquille. Je devrais sans doute profiter de ce moment de repos.

Elle m'adresse un sourire triste qui révèle tout le poids de sa solitude.

— Il faut que j'y aille, dis-je. Je dois aller bosser.

— Merci encore pour cette nuit ! crie-t-elle dans mon dos alors que je m'éloigne.

Lorsque je quitte le garage en fin d'après-midi, la voiture est pressée d'arriver à l'antdiv. J'essaye de la ralentir, mais elle prend les coins de rue sur les chapeaux de roues puis roule trop vite sur l'autoroute. À Kingston, elle fonce vers le parking.

Comme prévu, Emma m'attend devant le bâtiment. Il y a cependant une complication : Nick. Il est presque collé à elle, sans doute pour revendiquer son droit de propriétaire. Qu'a-t-elle dit à ce propos ? Qu'elle ne lui appartenait pas ? Je me gare tout au fond du parking, à une cinquantaine de mètres. Je les observe en train de discuter. Ils ne m'ont pas encore vu. Que faire : rester ou partir ?

Nick se penche vers Emma. Même d'ici, je vois qu'il la dévore des yeux. Ils sont manifestement intimes. Leur langage corporel confirme mes soupçons. Je voudrais considérer Emma comme ma petite amie alors qu'en réalité je n'ai pas la moindre idée de ce qu'elle fait pendant la journée, au travail. Elle rentre peut-être chez elle avec Nick à la pause-déjeuner. Elles sont nombreuses, les heures de la journée où Emma a d'autres options que celle que je lui offre. J'ai été stupide de penser qu'elle pourrait être mienne. Quelques dîners et une nuit à la belle étoile lui auront suffi.

Finalement, j'avance la voiture. Je suis peut-être éclipsé par la virilité prédatrice de Nick, mais je ne vais quand même pas me contenter du rôle de spectateur. Emma m'a demandé de passer la prendre. À moi, et non à lui !

Nick repère la Subaru avant Emma. En me voyant au volant, il fronce les sourcils. Il lui murmure à l'oreille. Elle se tourne vers moi et pique un fard, soudain sur le qui-vive. Elle s'écarte de lui et l'arrête d'un geste de la main. Je l'entends lui annoncer :

— Je pars avec Tom.

— Quoi ?

— Tu m'as bien entendue.

Cueillant son sac à dos, elle bondit, ouvre la portière et se jette à côté de moi en claquant la porte. Nick frappe du plat de la main sur le toit de la voiture. Il se baisse pour fixer Emma d'un regard possessif à travers la vitre.

— On se voit pour le café du matin, dit-il. Comme d'habitude. À la cafèt'. 9 heures.

Il ajoute quelque chose, mais Emma s'est détournée de lui. Elle me regarde et ses yeux me donnent des frissons.

— Sauvée, dit-elle en riant. Il est tenace, tu trouves pas ?

Pendant le trajet, les non-dits maintiennent une distance entre nous. Je voudrais qu'Emma me rassure à propos de Nick mais elle garde ses pensées pour elle. Elle bavarde à propos de choses et d'autres, des rangements qui s'imposent dans son bureau, de la visite qu'elle doit rendre à sa famille dans le Nord. Elle aimerait les revoir avant de retourner au froid. C'est la bonne période, avant la frénésie des préparatifs de la campagne. Sa sœur a deux enfants qu'elle n'a vus que deux fois. Elle devrait peut-être leur apporter un cadeau, mais elle ne sait pas quoi acheter. Elle ne connaît rien aux enfants. En fait, elle en sait plus long sur les manchots.

Je lui dis que nous avons au moins ça en commun : j'en sais plus sur les oiseaux que sur les gens en général. Dans le regard qu'elle me jette, je décèle une pointe d'irritation. Elle blaguait, m'informe-t-elle. Bien sûr qu'elle connaît mieux les humains que les manchots. C'était seulement une façon de parler.

Après ça, je ne trouve plus rien à lui dire. Je pense à Nick mais je n'ai pas le courage de prononcer son nom tout haut et n'ose pas lui demander ce qu'il y a entre eux. J'ai peur qu'elle déballe tout et me prie de la ramener sur-le-champ à l'antdiv. Ce serait plus que je n'en saurais supporter. La nuit dernière, après l'hôpital, alors que le sommeil me fuyait, je ne pensais qu'à elle. Le souvenir de sa peau contre la mienne. Je tentais de me rappeler le parfum de sa chevelure et le pli de son sourire. Je tentais de me convaincre que Nick n'avait aucune importance pour elle.

Une fois chez moi, j'allume le poêle et je mets la bouilloire sur le feu.

Emma ne me laisse pas le temps de servir le thé. Elle fond sur moi d'un air de féroce détermination. Moi qui souhaitais susciter une discussion, je suis soudain couvert de caresses. Ses mains sur moi, ses yeux sur moi, impossible de résister. Je me soumets avec volupté. Après tout, c'était ce que je voulais – les lèvres d'Emma sur les miennes, son corps contre le mien, arc-bouté par le désir, ses mains qui m'enlacent et me serrent.

Nous faisons l'amour comme si notre vie en dépendait. Toutes mes questions basculent dans le néant, renversées comme des vases de fleurs qui tomberaient sur notre passage. Nous nous embrassons dans la cuisine, trouvons en titubant le chemin du séjour et avec lenteur progressons vers la chambre, nous dépouillant de nos vêtements, nous glissant frileusement sous la couette, nous réchauffant par nos étreintes.

Après un dîner improvisé, Emma sort une bouteille de whisky de son sac à dos d'un geste faussement furtif. Elle a un petit sourire provocateur.

— Un reliquat du duty free, dit-elle. Je l'ai rapporté d'Antarctique.

Je hoche la tête.

— Le whisky et moi, on n'est pas copains.

Elle passe un doigt sur le goulot.

— Voyons si on peut changer ça.

Elle trouve des glaçons au fond de mon congélateur, en laisse tomber quelques-uns dans deux verres et nous verse à chacun un shot généreux. Elle me tend le verre.

— Santé ! Dis, on fait une fête samedi soir. Ça commence à 20 heures. Tu viendras ?

— Les fêtes et moi, c'est comme le whisky, ça fait deux.

— Tu seras super, tu verras. Apporte à boire ce que tu veux.

Nous sommes assis dans le séjour. Dans le poêle, le feu brûle gentiment, les flammes lèchent le verre qui étouffe les crépitements du bois. Jess est couchée en boule dans un coin de son tapis. Dehors, il fait noir mais ici, dans le cercle que nous formons autour du feu, il fait chaud.

— Bois, insiste Emma.

À contrecœur, je bois une gorgée. La brûlure se propage dans mon œsophage jusque dans la poitrine. Je retiens une grimace.

— C'est bon, hein ? sourit Emma. Encore un peu.

Elle remue les glaçons et boit longuement avec un soupir d'aise.

Cette fois, poule mouillée que je suis, je bois une toute petite gorgée et me prépare à prendre feu.

— Pas comme ça, me dit Emma. C'est trop ringard.

Elle se met à quatre pattes sur le canapé pour me prendre le verre des mains.

— Renverse la tête en arrière. Je vais t'apprendre.

Après m'avoir versé une bonne dose dans la bouche, elle m'embrasse, ce qui me force à avaler. Je laisse échapper un son rauque au moment où l'alcool embrase mes entrailles. Une douce chaleur ne tarde pas à m'envahir. Emma répète l'opération, m'embrasse de nouveau, me taquine avec sa langue et avec ses mains, puis elle fait passer le whisky de sa bouche à la mienne et me force de nouveau à avaler. Elle se rassied en riant. Il fait si bon dans la pièce. Je suis bien. De plus en plus détendu.

— Il te faut bien ça, dit-elle avec un sourire persuasif. Tu es tellement coincé. Tiens.

Elle remplit mon verre.

— On n'a plus de glaçons, annonce-t-elle en se levant.

Je sirote le whisky. Elle revient avec le bac à glaçons et en lâche une poignée dans mon verre. Elle remplit le sien à ras bord, éteint la lumière et se rassied. Nous serions dans un noir total sans la veilleuse et les lueurs rosées du poêle.

— Voilà qui est mieux.

Emma ôte sa polaire et étend les jambes sur le canapé.

— Tu te sens comment maintenant ? me demande-t-elle. Ça te plaît ?

— Pas sûr.

— Prends-en plus, alors.

Je bois encore une bonne lampée. Une merveilleuse chaleur continue à répandre son baume dans mes veines. Je sens un sourire dilater mes lèvres molles.

— Tiens ton verre devant le feu et regarde, dit Emma.

J'obtempère et reste comme hypnotisé par les remous rougeoyants du liquide ambré. Un spiritueux magnifique : belle complexité, belle structure aromatique, belle couleur.

— J'aime ta peau, dis-je.

— Quoi ?

— Ça me rappelle ta peau.

Emma rit.

— Tu veux humer ma peau ?

— Toujours.

Elle éclate de rire et vient m'embrasser. Elle se coule entre mes bras, aussi légère qu'une eau printanière. Avec mes paumes, je suis la courbe de ses pommettes, de ses lèvres, de ses sourcils, je me perds dans les contours de son visage, dans la texture de sa peau ; mon être tout entier a soif d'elle, de l'étreinte de ses bras, de cette sensuelle intimité. Mes mains explorent les secrets de son corps et vont de découverte en découverte, nouveaux trésors de ma mémoire.

Elle se détache de moi trop vite et remplit une nouvelle fois mon verre.

— Je suis cuit, dis-je tout à trac avec la curieuse sensation que ma langue a grossi.

— Mais pas du tout, répond-elle en riant. Tu n'as rien à te reprocher.

En me comprenant délibérément de travers, elle me taquine. Je bois et cherche un moyen de surmonter ma timidité. Je voudrais tellement savoir ce que Nick représente pour elle.

Chaque gorgée rend la suivante plus attrayante. Mon désir moins ardent est délicieusement diffus. Sa main sur moi, c'est le paradis. Un puits sans fond. Mille sensations m'emportent dans un va-et-vient houleux, des tournoiements, des virevoltes. Soudain la pièce penche, les rideaux se balancent, le canapé tangue.

— Tu as besoin de parler, dit Emma en me caressant la tête du bout des doigts. Il faut que tu laisses tout ça sortir. Tu dois lâcher prise.

Sa voix est pâteuse, ses paroles indistinctes. Je me demande si elle surfe sur la même vague que moi. Je vide mon verre, me saisis du sien et le bois d'un trait. Un frisson de plaisir me parcourt. Le whisky resserre sur moi son emprise. Emma me dévisage intensément. Ses yeux ont une expression de douceur qui me persuade qu'elle comprend qui je suis. Son empathie rend les mots inutiles. Elle perçoit mon chagrin, mes manques, ma solitude.

Je me vautre sur le canapé et me mets à parler sans la regarder.

— Emma, il y a tant de choses qu'il faut que je te dise…

Au début, les phrases sont décousues. C'est plus facile si je fixe le feu.

— J'ai vécu quelque chose de très dur en Antarctique... L'hiver a été terrible. Noir, si noir. Et l'isolement... J'étais tout juste arrivé quand ma femme m'a quitté... Debbie, c'est son nom... Ma femme... Mon ex-femme, je veux dire... Le dernier bateau était parti, je n'ai pas pu rentrer...

Quelque part dans mon esprit, je marche en trébuchant sur des pierres et des troncs d'arbres morts. Je n'arrive pas à trouver mon équilibre. Pourtant, je persévère. Emma a raison. J'ai besoin de cette ivresse. L'alcool est bon pour moi. Petit à petit, je gagne en aisance. La lueur sautillante des flammes derrière la vitre m'apaise. Je parle, je parle. Tel un torrent secret, les mots cascadent dans ma tête et glissent entre mes lèvres.

— L'Antarctique, c'était dur, et j'ai détesté tout autant que j'ai adoré...

En neuf ans, je n'ai jamais admis ce qui est pourtant la pure vérité. Il m'a fallu tout ce temps pour être honnête avec moi-même.

— J'ai pensé que, si j'avais perdu Debbie, c'était à cause de l'Antarctique. Je me suis reproché d'être parti. Avant ce départ, nous nous entendions bien. Notre couple était solide. L'Antarctique était le vecteur de notre ambition. La campagne allait nous permettre de nous renflouer... J'avais eu la sensation que c'était une erreur. Mais je n'ai pas écouté la voix de la raison. J'ai choisi de partir. Une décision mûrement réfléchie. Je savais qu'il y avait un risque, mais j'ai préféré le juger négligeable. La promesse de l'Antarctique faisait miroiter trop d'avantages.

Les souvenirs ont un pouvoir narcotique aussi puissant que le whisky. Je suis dans ma bulle. Je continue à parler de l'Antarctique, des effets dévastateurs du naufrage de mon mariage, de Sarah qui m'avait elle aussi plaqué, de la mort de mon père qui avait couronné le tout. Comme si une vanne venait de s'ouvrir, un flot de paroles s'écoule de moi.

— Je repense souvent à ces moments où, enfant, je le regardais sortir de la maison. J'aurais bien voulu qu'il me demande si je voulais venir avec lui. J'aurais dû tout simplement le suivre ; je suis sûr qu'il ne m'en aurait pas empêché. Mais j'avais peur de lui. Maman était adorable. Toujours affectueuse et gentille. Auprès d'elle, je me sentais en sécurité. Mais, entre papa et moi, ça n'a jamais collé. Et je n'ai pas su comment le prendre. Ce regret me poursuit encore aujourd'hui. Et maintenant, c'est maman qui va mourir...

C'était le bouquet final.

— Cette fois, je suis là pour lui tenir la main. Si cela ne tenait qu'à moi, je serais avec elle à cet instant même. Mais elle ne veut rien entendre. Elle loue un chalet sur l'île Bruny. Je me console en me disant que je serai là quand le moment se présentera. C'est ce que je me dis. Je veux l'accompagner jusqu'au bout.

Plus je parle, plus je me libère d'un poids immense. Emma m'écoute en silence. Je parle jusqu'à n'en plus pouvoir, jusqu'à ce qu'il ne me reste plus de mots.

Je me tais et, sans la regarder, j'observe les flammes qui dévorent lentement les bûches. Finalement, je trouve la force de le lui dire.

— Je ne m'attendais pas à te rencontrer, Emma. Tu m'as changé. Tu m'as rendu une partie de moi-même que je croyais perdue. Ton audace. Ta façon de croquer la vie à belles dents. Grâce à toi, j'ai retrouvé le goût de vivre. Tu m'as donné envie d'aller de l'avant. De me battre. Comme toi. Je t'aime.

Soudain, je suis prêt à l'interroger à propos de Nick. Ayant tout déposé à ses pieds, je suis enfin capable de prononcer le nom de cet homme.

— Emma... Il se passe quelque chose avec Nick ? Ou tu es avec moi ?

Je me tourne alors pour plonger mon regard dans le sien et y lire une réponse. Ce que je vois, c'est une femme endormie sur le canapé, la tête posée sur son bras replié, la bouche légèrement entrouverte, le corps abandonné.

De ma confession, je ne sais pas ce qu'elle a entendu, ni même si elle a entendu quoi que ce soit. L'espace d'un instant, je trouve ça presque drôle. Un sourire ironique me vient aux lèvres : j'ai bien choisi mon moment pour décharger mon cœur. Mais en me rendant compte qu'elle n'avait sûrement pas entendu ma question au sujet de Nick, je déchante.

Je me verse un autre whisky que je bois en vitesse, avec un mépris mêlé de plaisir à l'égard du liquide brûlant qui me brûle le gosier.

La lumière se fait alors dans mon esprit. Le commencement de la guérison. En dépit de mon ivresse, je suis assez conscient pour comprendre qu'il importe peu qu'Emma se souvienne ou pas de ce que je lui ai dit ; sa présence a été un catalyseur qui m'a soulagé. C'est peut-être la seule chose qu'elle pouvait m'apporter.

Je dois lui en être reconnaissant.

26

Par cette matinée pluvieuse et triste, alors qu'elle s'était couchée la veille à 20 heures, Mary était fatiguée. Ses nuits avaient cessé d'être un temps de repos. Elle avait beau avoir empilé dans son dos tous les oreillers et coussins du chalet, elle n'arrivait pas à respirer. S'allonger était hors de question : ce serait comme mourir noyée.

Réveillée depuis l'aube, elle écoutait le bruit des intempéries. Les averses tambourinaient sur le toit et éclaboussaient les fenêtres. Les nuages étaient bas et sombres. Elle serait volontiers restée au lit si la toux ne l'avait pas empêchée de dormir. Et si Jack ne revenait pas déambuler toute la nuit dans sa chambre. Il la tenait à l'œil. Il ne lui permettait pas d'oublier.

Depuis l'épisode du camp scout, elle avait perdu la notion du temps. Leon venait chaque jour et désormais s'attardait un peu plus – elle avait en tout cas l'impression que ses visites étaient plus longues. Il se montrait aussi plus prévenant et affichait une expression de patience infinie. Ils passaient parfois des heures ensemble. Quelquefois, Leon venait à plusieurs reprises au cours de la journée. Elle souffrait de pertes de mémoire, les jours se confondaient si bien qu'elle n'était jamais sûre d'avoir été au lit, d'avoir dormi, d'avoir mangé. Les jours devenaient aussi indistincts que les hautes herbes des dunes que le vent remuait.

Cette semaine, ses deux fils étaient venus la voir, Gary et Tom. Était-ce mercredi ou jeudi ? Peu importait. Au moins, elle se rappelait leur visite. Il fallait que son état s'aggrave pour qu'ils se présentent tous les deux – dans ses moments de lucidité, elle se rendait compte de son déclin. Mais Jan n'étant pas encore apparue, la fin n'était pas encore pour tout de suite.

Elle était désolée de voir que Gary avait pris autant de poids – il emplissait le chalet de sa corpulence, ses muscles disparaissant sous la masse graisseuse. Elle devait fixer intensément ses traits épaissis pour revoir le garçon mince d'autrefois – tout en bras et en jambes, avec le sourire de Jack. Bien sûr, Gary n'avait jamais été aussi réservé que Jack. Si Tom ne parlait jamais pour ne rien dire, Gary voulait à tout prix combler les silences de paroles creuses. Pendant que Tom mettait la bouilloire sur le feu et sortait les tasses et les biscuits, Gary, affalé dans le fauteuil, s'était lancé dans un monologue où il était question de son travail, de Judy, du B & B et de ce que Jan pensait de la santé de Mary. L'écoutant par intermittence, Mary, le visage tourné vers la fenêtre, tendait l'oreille au grondement du vent et des crépitations de la pluie sur les carreaux.

412

Tom était d'une humeur étrange, tout à fait différente de la dernière fois. Mary se rappelait vaguement qu'il avait fait allusion à une femme et à l'éventualité d'une nouvelle campagne en Antarctique – impossible de se remémorer les détails. Celle-ci avait peut-être déjà réussi à entamer son moral. Tom manquait de souplesse dans ses relations avec les femmes. En fait, il ne savait pas s'y prendre avec elles. Pauvre Tom.

Pendant qu'il attendait que l'eau veuille bien bouillir, elle avait perçu qu'il était contrarié. Sans doute, avait-elle conclu, était-ce dû à la présence envahissante de Gary. Autrefois, elle regrettait que ses fils ne fussent pas plus proches. Évidemment, il y avait entre eux trop d'années d'écart. Ils avaient passé trop peu de temps ensemble enfants, outre qu'ils étaient très différents de caractère.

Si elle avait pu deviner où Tom voulait en venir, elle se serait préparée. Mais elle n'avait eu aucune idée de ce qu'il avait en tête, elle ne se doutait pas qu'il allait la prendre au dépourvu. Engourdie par le papotage de Gary, lorsque la question de Tom était tombée, elle avait eu l'impression de recevoir un coup.

— Maman, qu'est-ce qui s'est passé pendant la tempête sur le cap avant ma naissance ?

Gary s'était éclaboussé de thé et étranglé avec un biscuit. Mary, le souffle coupé, était restée sans voix.

— Tu t'es cassé la jambe ? Gary m'en a parlé l'autre jour. Quelque chose à propos de tante Rose.

Gary, d'un ton glacial, avait tenté de l'arrêter.

— Je t'ai dit de demander à Jan. Pas à maman.

413

Une lueur d'espoir brillait dans le regard que Tom posait sur elle, sans s'apercevoir qu'elle avait cessé de respirer et qu'elle se noyait dans le liquide accumulé dans ses poumons ; qu'elle se noyait dans un passé qui ne voulait pas la laisser en paix.

L'instant d'après, ses fils s'affairaient autour d'elle, blêmes et inquiets. Ils lui frictionnaient le dos, lui tendaient ses médicaments, levaient un verre à ses lèvres. Elle était faible. Tom était tellement horrifié qu'il n'avait pas insisté. Cependant, Mary savait qu'elle devait lui fournir une réponse. Lorsqu'elle avait retrouvé sa voix, elle leur avait livré une version tronquée de l'histoire. Une version dépouillée des veines, des muscles, de la chair de la vérité – elle comptait l'emporter dans la tombe. Il leur faudrait se satisfaire de petits bouts.

— Ce fut une tempête énorme. Un poney s'était échappé. Je le reconduisais tant bien que mal à l'écurie quand je suis tombée d'une falaise. Je me suis en effet cassé la jambe. Avant cette tempête, le torchon brûlait entre votre père et moi. L'accident nous a sauvés, dans un sens. On était sur le cap depuis tellement longtemps qu'on ne savait plus l'apprécier. À force, on ne le voyait même plus. Cet endroit magnifique où nous avions la chance de vivre. Et notre couple s'essoufflait. Ce sont des choses qui arrivent. On est très occupés, on oublie de regarder l'autre. Puis il y a eu mon accident. Votre tante Rose est venue donner un coup de main pendant que j'étais à l'hôpital. Pendant cette séparation, votre père et moi avons pris conscience du gouffre qui s'était creusé entre nous. À mon retour, nous avons fait de gros efforts pour sauver notre couple. Ça a pris du temps, mais tout le monde n'est pas capable de faire ce qu'on a fait. Nous avions pour nous le courage de ton père et ma persévérance. Et puis la vie nous a souri. Tu as été notre espoir, Tom. Je suis tombée enceinte. Tu n'étais pas prévu, c'est vrai, mais tu as été un cadeau merveilleux et une formidable motivation.

Mary avait poursuivi son histoire en observant les visages attentifs de ses fils. Elle avait décrit l'égoïsme de Rose. Cette paresseuse qui n'avait pratiquement pas levé le petit doigt pour aider Jack pendant l'hospitalisation de sa femme. En fait, elle avait plutôt été une gêne qu'autre chose. C'était la vérité, mais la vérité arrangée.

La vérité arrangée, c'était un péché moindre que le mensonge.

Ils avaient reçu un avis de tempête de l'île Maatsuyker située au sud-ouest du cap Bruny. Les communications radio entre les trois phares du Sud-Est – des îles Bruny, Maatsuyker et Tasman – faisaient partie de la routine quotidienne. Cela dit, ils n'avaient pas eu besoin de l'alerte pour voir arriver le mauvais temps. Des nuages violets s'étaient accumulés toute la matinée vers le sud et les montagnes sur le continent avaient disparu dans des vapeurs noires qui indiquaient des pluies abondantes. En début d'après-midi, il faisait aussi sombre qu'à la tombée de la nuit et le vent se mit à hurler.

Dès qu'ils eurent reçu le message de Maatsuyker, Jack et son chef firent le tour du cap afin de vérifier si tout était solidement arrimé. Le domaine était parfaitement tenu, mais ils voulaient limiter les dégâts au cas où la tempête serait d'une force peu commune. Pendant que les hommes étaient ainsi occupés, Mary réquisitionna Jan et Gary pour rentrer les jouets et les vélos sous la véranda. La vache était contente de rentrer à l'étable, mais ils ne réussirent pas à attraper le poney. Le vent le rendait nerveux. Chaque fois qu'elle tentait de l'approcher, il partait au grand galop. Le vent soufflant de plus en plus fort, Mary se réfugia dans le cottage.

Jack fit une pause pour le déjeuner. Il mangea à toute allure un tas de sandwichs qu'il faisait descendre à coups de thé, les yeux fixés sur la fenêtre et les nuages emballés. Peu de paroles furent échangées. Des bourrasques de pluie cinglaient la maison. Il ressortit pour terminer son travail. À l'intérieur du cottage, Mary savait qu'ils n'avaient rien à craindre ; il était construit pour supporter des intempéries extrêmes. De même que le phare, bâti pour tenir jusqu'à la fin des temps. Jack était en sécurité là-haut.

Assise dans le séjour en compagnie des enfants, elle essaya de tricoter. Gary, assis en tailleur par terre, sculptait le même bout de bois depuis des semaines. Jan, pelotonnée sur une chaise, lisait. Dehors, le bord du toit vibrait sous les assauts rugissants du vent qui sifflait aux coins de la maison et s'arc-boutait contre la porte. Finalement, Mary mit de côté son tricot et alla regarder le phare par la fenêtre de la cuisine. Jack était quelque part là-dedans. Comme elle, il guettait le tour que prenait la tempête.

Elle aurait aimé que cette pensée la réconforte, mais ces derniers temps, rien n'allait plus entre eux. Elle ne se rappelait même plus depuis quand ils ne s'étaient pas tournés l'un vers l'autre dans l'intimité – Jack avait fermé à clé cette partie de lui-même. Cela faisait des mois qu'ils ne s'étaient pas parlé. À table, le soir, ils entretenaient les apparences au bénéfice des enfants, mais la flamme de l'amour était presque éteinte. Pourtant, son attachement était intact car, en cas de danger, elle avait peur qu'il lui arrive malheur. Il était son mari. Bien que leurs relations fussent exsangues, elle lui était loyale.

Les rafales de pluie projetaient de grosses gouttes contre la vitre. À travers les traînées d'eau, la vue de la falaise était floue, la tour du phare penchée et toute de guingois. Le temps passait lentement. Les nuages descendaient plus bas encore, les gouttes de pluie devenaient plus grosses. Un peu plus bas dans le paddock, le poney présentait son arrière-train aux bourrasques. Pauvre cheval, seul dans la tourmente alors qu'il aurait pu être au sec à l'écurie. Il se laisserait peut-être attraper, maintenant. Elle posa la bouilloire sur la plaque chauffante de la cuisinière à bois, enfila son manteau et son bonnet et cria à Jan et Gary de ne pas mettre le nez dehors. Sur le perron,

417

elle marqua une pause, sidérée par le fracas de la tempête : le rugissement du vent, les claquements en provenance des dépendances malmenées, le bruit de la pluie sur les toits en tôle ondulée. Elle courut sans s'arrêter jusqu'au paddock. Autant le rentrer le plus vite possible et retourner au chaud à l'intérieur.

Le poney était toujours à la même place. Elle s'avança, les pans de son manteau soulevés par le vent. Debout près de la clôture, il la regarda approcher, les yeux fous et les naseaux palpitants. Elle parvint à attacher une longe à son licol et l'encouragea à pivoter sur lui-même pour se mettre face à la pente et au vent. Il résista.

Au début, elle tira doucement sur la longe, mais comme il refusait de bouger et qu'elle y voyait de moins en moins avec l'eau glacée qui lui fouettait le visage, elle se mit à tirer de toutes ses forces. Peine perdue. Exaspérée, elle s'appuya contre son épaule et tenta de le persuader de reculer. Il fit un pas en arrière, puis un deuxième et ainsi de suite jusqu'à la sortie. C'est à ce moment-là que les ennuis commencèrent.

Privé de l'enclos rassurant de son paddock, le poney se mit à piétiner et à hennir. Il marcha sur les pieds de Mary. Les rafales redoublaient de violence. Mary, cramponnée à la longe, tentait d'utiliser le cheval à la façon d'un bouclier alors qu'ils descendaient tant bien que mal la pente en direction de l'écurie. La porte s'était ouverte en grand et battait contre le mur. Effrayé par le bruit, le poney leva brusquement la tête en soufflant et arracha la longe des mains de Mary. L'instant d'après, il s'élançait au galop vers la falaise. Elle courut après lui en pestant.

Sur le versant occidental du cap, la pente raide couverte de hautes herbes et de broussailles se terminait par un à-pic sur la mer. Mary craignait que le poney, dans sa panique, ne puisse pas s'arrêter à temps. Elle le voyait déjà essayant de se retenir au bord du vide. Dévalant la lande en courant, elle se jeta à corps perdu dans la tempête et brava les impitoyables rafales de pluie. Soudain, elle aperçut le poney vers l'ouest, juste avant qu'il disparaisse dans un nuage. Elle ralentit le pas en se disant qu'il était peut-être trop tard pour éviter l'accident.

Le poney reparut, cette fois traversant au trot le terrain en pente vers le nord en zigzaguant entre les broussailles, tête basse. Elle le suivit péniblement en s'accrochant aux buissons. Il s'arrêta à un endroit élevé où le couvert végétal devenait plus dense. Elle s'élança sur le sol pierreux pour le rattraper. Son pied dérapa sur des cailloux. Elle retrouva son équilibre, puis dérapa de nouveau. Elle tendit la main vers une touffe d'herbe, mais ses doigts lâchèrent prise et elle glissa vers le bord de la falaise.

Elle enfonça ses doigts dans la terre boueuse mais ses ongles raclèrent contre la roche. Un cri se forma dans sa gorge. Elle continua à glisser. Soudain, elle sentit l'espace s'ouvrir autour d'elle. De l'air, seulement de l'air. Elle heurta de la terre. De la pierre.

Quand elle reprit ses esprits, de l'eau dégoulinait sur elle, à l'intérieur de son manteau. Il fallait qu'elle se relève et remonte sur la falaise. Il lui fallut une éternité pour ramper, ou plutôt rouler, jusqu'à la paroi rocheuse. Elle réussit à se mettre sur son séant, sa jambe blessée allongée devant elle. Adossée à la roche, elle s'enveloppa dans son manteau. L'eau ruisselait sur elle. Elle se fondit dans les ténèbres.

Des heures s'écoulèrent avant que Jack et son équipier la découvrent sur la corniche et parviennent à l'atteindre. Ils la transportèrent au cottage, à moitié inconsciente, terrassée par la douleur. La présence de Jack sur le cap était indispensable ; il ne pouvait pas le quitter. Son frère, Sam, vint de la ferme pour la conduire à l'hôpital de Hobart. Un mauvais souvenir, ce voyage : sa jambe la mettait à la torture, et malgré les couvertures et la bouillotte, elle n'arrivait pas à se réchauffer.

À l'hôpital, ils lui mirent la jambe en traction le temps qu'elle se redresse. Après quoi, ils la plâtrèrent et l'envoyèrent chez ses parents. Elle était à la fois furieuse et désarmée. Le poney avait retrouvé son paddock, mais elle était ici, séparée de sa famille. Sa mère lui tapotait affectueusement le bras avec un sourire protecteur. « Tout va bien se passer, ma chérie. Ils vont très bien se débrouiller sans toi. » Elle avait tort. Jack n'avait jamais touché une casserole et Jan était trop jeune pour prendre quoi que ce soit en charge. La femme du gardien en chef étant souffrante, on ne pouvait pas lui demander de s'occuper des enfants.

Aussi ne fut-elle pas étonnée de recevoir de Jack la lettre suivante :

Chère Mary,

Je te souhaite un prompt rétablissement. C'est très difficile de m'occuper à la fois du phare et des enfants. J'ai décidé d'appeler Rose à la rescousse. Pendant ton absence, elle pourra se charger de la cuisine et du reste. Avec cette tempête, nous avons beaucoup de travail.
Guéris vite ! Tu manques aux enfants.

Jack

La nouvelle ne fit pas plaisir à Mary. Rose avait un tel poil dans la main qu'elle n'était bonne à rien. Mais, bien sûr, Jack était aveugle : il croyait vraiment qu'elle allait s'occuper d'eux.

Clouée au coin du feu chez ses parents, Mary avait du temps pour réfléchir. La lettre de Jack devint un sujet de méditation. Elle la lisait et la relisait, y cherchant quelque chose qui n'y était sans doute pas. Elle était encore sous l'effet du choc après la chute et la fracture, et avait l'impression que Jack devait lui offrir un gage lui prouvant qu'il tenait à elle. Elle aurait voulu savoir ce qu'il avait éprouvé en s'apercevant qu'elle avait disparu, comment ils l'avaient retrouvée et secourue, et ce que cela lui avait fait, enfin, de se rendre compte qu'elle était blessée – avait-il ressenti un retour d'amour et de tendresse ? Hélas, la lettre demeurait muette.

Elle se demanda ce qui se serait passé si elle était morte. Les enfants l'auraient pleurée quelque temps, mais Jack ? Combien de temps l'aurait-il pleurée ? Au fil des ans, ils étaient devenus l'un pour l'autre guère plus que des fantômes, des ombres qui ne faisaient que se frôler, des êtres dépourvus de substance et de réalité. Jack pensait certainement davantage à elle en son absence. Sa place dans le lit. Plus d'assiette toute prête qui l'attend au chaud. La cuisine vide. Personne pour faire la classe aux enfants. La vache attendant à la barrière qu'on veuille bien lui tirer son lait.

Leurs conversations, voilà une chose qui ne lui manquerait pas. Remplies de considérations matérielles, elles ne comportaient aucun sujet qui leur tînt à cœur. C'étaient des échanges dénués de chaleur qui ne livraient rien d'eux-mêmes. Ces dernières années, leurs regards se fermaient lorsqu'ils se parlaient. Chacun avait tiré la porte sur sa vie intérieure. Leurs activités étaient devenues leur raison de vivre. Pour Jack, le phare. Pour Mary, son rôle de mère.

Si elle était morte, Mary se doutait que Jack se serait taillé un nouvel avenir, débarrassé du fardeau qu'elle représentait. Il aurait mis Jan et Gary en pension. Il aurait embrassé la vie qu'il voulait, celle d'un ermite amoureux du vent, et se serait drapé dans sa chère solitude. Aurait-il été plus heureux ainsi ?

Au bout de dix semaines, dès qu'elle avait pu mettre son poids sur sa jambe, elle était rentrée au phare, consciente du chemin à parcourir pour sauver son mariage. À son arrivée, elle s'était dit que c'était déjà trop tard. Le Jack qu'elle retrouvait était semblable à un inconnu, distant et froid, indifférent à son retour. Choquée par son attitude et se sentant encore fragile, elle était retournée chez ses parents avec les enfants. Elle avait besoin de prendre du recul et de se sortir des griffes du désespoir avant d'essayer de sauver son couple. Deux mois plus tard, elle prit le ferry pour le cap Bruny, et cette fois, elle était prête.

Au début, Jack et elle se tournaient autour comme deux crabes, sans savoir par où commencer. Par moments, elle était prête à lever le camp pour de bon. Toutefois, dans sa famille, le divorce était hors de question; quand on s'engageait, c'était pour la vie. Aujourd'hui, peut-être l'aurait-elle envisagé, mais à l'époque, les gens le voyaient d'un mauvais œil. De plus, elle n'avait déjà plus trente ans et avait deux enfants. Jan et Gary entraient eux aussi en ligne de compte. Jack était leur père, ils avaient besoin de lui.

Et puis elle traînait un autre boulet : sa culpabilité. À mesure que Jack se détachait d'elle, au lieu de se replier sur ses fantasmes de vie avec Adam, elle aurait pu fournir les efforts nécessaires pour maintenir l'harmonie. Jack n'était peut-être pas aussi passionné qu'Adam, mais il était robuste et fiable, doté d'une force intérieure aussi puissante que ce lieu où ils avaient élu domicile... L'île Bruny. Oui, l'île contribuait malgré tout au maintien d'une relation.

Quelle chance ils avaient d'aimer tous les deux cet endroit. C'était une bonne base, solide.

Au bout du compte, il incombait à Mary la tâche de reconstruire la famille. Elle s'efforça d'éviter les conflits, laissant passer tous les sujets épineux. Elle organisait chaque semaine un pique-nique sur leur plage tranquille où ils apercevaient parfois des phoques ou des dauphins. Elle souffla sur les braises de leur désir. En dépit de la réticence première de Jack, elle voyait bien que c'était important pour lui. L'amour charnel le réconciliait avec son corps et rétablissait entre eux le lien sensuel. L'intimité des caresses. Elle fit aussi en sorte qu'ils prennent des jours de congé en dehors de la ferme, où Jack passait son temps à pêcher, à se promener et à rire avec Max et Faye.

Jack y mit également du sien. Au lieu de se cacher derrière un livre ou de se coucher de bonne heure, il s'attardait à présent avec sa femme et ses enfants. Il discutait avec Jan de ses lectures et passait du temps avec Gary : la pêche, les randonnées, les cours de menuiserie dans la cabane. Et, quand les enfants étaient au lit, Mary et Jack jouaient à la Canasta, au 500 ou au Scrabble. Ils se remémoraient le passé et évoquaient leurs bons souvenirs. Au début, c'était laborieux, cela demandait des efforts. Mais peu à peu, ces nouvelles habitudes devinrent naturelles.

C'est alors que Tom s'annonça. Un don du ciel. Une grâce. La chance de faire renaître une relation. Mary n'avait pas annoncé sa grossesse à Jack avant que les choses aillent mieux entre eux. Quand elle le lui avait dit, il avait pleuré. Jack aimait les tout-petits. S'il n'avait pas été aussi anéanti par la vie à Hobart, il se serait davantage occupé de Jan et de Gary. En fait, il avait été un très bon père. Il les avait bercés pour les endormir, avait poussé leurs landaus, les avait ramenés à l'heure des repas. Pour Tom, il avait été encore plus présent. S'il criait la nuit, Jack se levait, le prenait dans ses bras et arpentait le couloir, ou il s'asseyait sur le canapé et caressait la petite tête duveteuse du bébé d'une main déjà déformée par l'arthrite.

On ne se refait pas, et Jack n'était pas une exception à la règle. Pourtant, son caractère s'adoucit. Mary l'aimait pour ce qu'il avait été et pour ce qu'il était toujours : un homme de parole. Il n'avait jamais été proche des enfants une fois qu'ils avaient grandi. Jack était un personnage indéchiffrable, si étrange. Il ne se remit jamais vraiment de son séjour au cap, cet espace infini, ce bout du monde. Toutefois, Mary et lui avaient fini par se sentir bien tous les deux. Se dire qu'on a construit un mariage durable procure une certaine satisfaction. En restant ensemble, ils avaient accompli une chose précieuse et intangible – un acte de confiance mutuelle et de solidarité révélateur : ils étaient passés par une rude épreuve sans être détruits.

Il y avait de quoi se réjouir.

27

J'ai eu tort, je crois, d'accepter d'aller à la fête d'Emma. Cela fait des années que je n'ai pas mis les pieds dans ce genre de soirée. Je supporte mal les mondanités. Et je ne veux pas revoir Nick. Si Emma s'avise de nous aligner en public, je sais qui des deux aura l'air d'un minable. Ce sera moi, moi qui suis si gauche, incapable même de visser un sourire aimable sur mon visage.

De toute façon, je ne sais pas pourquoi j'y vais. Je devrais être à Bruny auprès de maman. Elle avait une mine affreuse mercredi dernier quand j'y suis allé avec Gary. Faible et vague. Cette toux est en train de la tuer. Gary disait que cela avait été pareil pour papa.

Je mets un jean, une chemise verte et un gilet en polaire grise. Ce n'est pas la peine que je me regarde dans la glace : tout ce que j'y verrai, c'est la preuve de ma nullité. Je prends mes clés sur le plan de travail et j'hésite de nouveau.

Jess m'attend devant la porte. Dois-je l'emmener ? Je n'ai pas envie de la laisser dans la voiture trois ou quatre heures d'affilée. D'un autre côté, j'aurai une bonne raison pour m'échapper, puisqu'il faudra que je sorte vérifier si elle va bien. J'ouvre la porte et je suis Jess jusqu'à la voiture. Elle est toute contente de sortir. J'aimerais pouvoir partager une fraction de sa joie. Tout ce que j'éprouve, c'est une terrible appréhension.

Devant la grande maison dont Emma occupe l'annexe au fond du jardin, je reste dans la voiture sans couper la radio. Il n'est pas encore 20 heures. Les trompettes annonçant le journal d'ABC ne me décident pas à bouger. J'écoute les informations et le bulletin météo. Après quoi, je descends de la voiture et la verrouille. Je m'attarde un moment dans la rue. La maison est illuminée comme pour un anniversaire, des lampions pendent un peu partout. Je fais tinter mes clés dans ma poche, pousse la barrière et gravis d'un pas lourd les marches du perron. À mon coup de sonnette, un bruit de pas accompagne l'apparition d'une ombre sur la vitre. Finalement, le battant s'ouvre en grand. C'est Nick.

— Oh, c'est vous, dit-il, imperturbable. Emma a invité la Terre entière.

Emma surgit derrière lui et le prend par le bras pour l'écarter du passage.

— C'est ça, une fête, non ? dit-elle en souriant à Nick, puis à moi. Plus on est de fous, plus on rit. Viens, on va commencer par la cuisine.

Nick s'éloigne d'une démarche courroucée. Je suis Emma. Elle porte un jean et un bustier violet à paillettes.

— J'aime bien ton haut, dis-je alors que nous entrons dans la cuisine.

— Une amie me l'a prêté. Je n'ai rien de ce style dans ma garde-robe. C'est un peu trop voyant pour moi.

— Je trouve que ça te va très bien.

J'ai l'impression que mon compliment manque de naturel. Emma jette un coup d'œil à mes mains et ouvre le frigo.

— Qu'est-ce que tu veux boire ?

Tout à coup, ça me revient. Quel con ! La bouteille ! Je marmonne :

— Désolé... J'ai oublié de m'arrêter au pub.

— C'est pas grave, répond-elle, évasive. C'est pas la bière qui manque.

— Non, non, dis-je d'une voix étranglée. Je vais faire un saut au coin de la rue. J'en ai pour une minute.

Je me dépêche de battre en retraite. Pas étonnant qu'elle me regarde d'une drôle de façon. Je viens de faire un *faux pas*[1]. En plus, je suis arrivé trop tôt. Il n'y a encore personne. Seuls les imbéciles débarquent à l'heure à une fête. Je ne sais décidément plus me conduire en société.

— Tom ! s'écrie Emma. T'inquiète pas pour ça !

La main sur la poignée de la porte, je me retourne pour la regarder sur le seuil de la cuisine. Elle a les joues rouges et le sourire aux lèvres. Rien dans

---

1. En français dans le texte.

son expression ne m'adresse le moindre reproche. C'est moi seul qui me fustige.

— Puisque je te dis qu'on ne manque de rien.

Elle pose sa main sur la mienne sur la poignée.

— Reste, ajoute-t-elle.

— Je suis gêné.

Mon cœur se met à battre plus fort. Elle est si près de moi. Cela lui est peut-être égal que je sois arrivé tôt.

— Laisse-le faire ce qu'il veut, dit la voix de Nick qui s'avance dans le vestibule en boutonnant les manches de sa chemise blanche.

Son visage bronzé respire la santé et la virilité.

— La nuit va être longue, poursuit-il. Ce ne serait pas plus mal d'avoir du rab.

— Alors je viens avec toi, décrète Emma.

— On n'a pas encore allumé les bougies et mis les plats sur la table, proteste Nick.

Une autre voix appelle de la cuisine :

— Emma ! Où est le houmous ?

— Ça va, dis-je. Je reviens tout de suite.

Je sors à reculons de la maison. Emma me lâche la main. Nick la prend aussitôt par la taille et l'entraîne à la cuisine. Elle a beau avoir affirmé qu'elle ne lui appartenait pas, il n'a pas l'air d'être au courant.

Dehors, je respire de nouveau. Je ferais mieux de rentrer chez moi. Mais Emma va m'attendre. Je ne voudrais pas la décevoir. Les mains dans les poches, je descends la côte. Dans la rue, il n'y a qu'un véhicule garé : ma Subaru. Comment ce détail a-t-il pu m'échapper ? Je suis décidément nul sur toute la ligne.

Pathétique. Si la fête avait commencé, il y aurait eu des voitures partout !

Je me débrouille pour mettre plus d'une heure pour acheter un pack de bières et une bouteille de vin. En remontant la côte, je remarque que des voitures sont garées des deux côtés de la rue. Cette fois, je suis en retard comme il faut. Je coupe le moteur de la Subaru et j'ouvre la portière pour permettre à Jess de se dégourdir les pattes. Non sans m'avoir lancé préalablement un regard gêné, elle s'accroupit sur l'herbe pour uriner avant de revenir au galop et de bondir dans la voiture. Elle se roule en boule sur mon siège. Elle est contente de voir que je ne l'ai pas abandonnée. Sans doute me tient-elle à l'œil, au cas où.

En pianotant sur le toit de la voiture, j'observe les gens qui débarquent un peu plus haut. Ils rient et parlent avec animation. Combien ce doit être agréable de se joindre à une fête en compagnie d'un ou d'une amie. Mais maintenant, plus question de reculer. Le moment est venu de faire face. Quand je descends du toit le sac en plastique, les bouteilles à l'intérieur cliquettent. Pour la deuxième fois de la soirée, je gravis les marches du perron.

Par la fenêtre, je vois que la lumière a été baissée. La musique est à fond. Je cogne du poing contre la porte. Rien. Je cogne de nouveau. Je pousse le battant. La musique me saute à la figure. La musique et un nuage de fumée. J'entends rire dans la cuisine. Je referme la porte derrière moi et me dirige vers la source de tout ce tapage. Quelqu'un me frôle dans la pénombre. Pour entrer dans la cuisine, je dois bousculer des gens qui en bloquent l'entrée. Toutes les pièces sont éclairées uniquement à la bougie. Les visages sont adoucis par les lueurs sautillantes des flammes et le voile de fumée. Le brouhaha des voix qui semblent tenir cette masse humaine dans ses filets enfle à mesure que je me rapproche du frigo.

— Y a plus de place là-dedans ! crie quelqu'un. Va dans la buanderie. L'évier est rempli de glaçons.

Je me fraye un chemin vers l'autre porte. Un doigt me désigne la pièce en question où une bougie frissonne sur le rebord de la fenêtre. Pendant que je sors les bières de leur emballage pour les mettre à rafraîchir, un type s'appuie contre moi et me prend deux bières des mains. Il est en sueur. Ses cheveux bruns lui tombent à moitié sur la figure. Son haleine empeste le tabac. La soirée a commencé depuis une heure à peine et ce gars-là est déjà soûl.

— Vas-y, sers-toi, me dit-il. Super fête ! dit-il avant de sortir.

Je m'attarde dans l'obscurité de la buanderie avec ma bière avant de trouver le courage de me lancer à la recherche d'Emma. Comme je préfère éviter la cuisine, je suis quelqu'un dans le salon où des guirlandes sont suspendues autour des rideaux, des appliques et de la cheminée où est encastré un poêle à gaz. J'aperçois dans un coin l'éclat blanc de la chemise de Nick ; il discute avec une bande d'amis. Emma n'est pas parmi eux. Dans un autre coin, des types rient bruyamment en trinquant avec leurs bouteilles de bière.

Debout contre le mur, je bois la mienne à petites gorgées. Sur le canapé, un couple semble absorbé par une conversation. Le type drague la fille, manifestement – il tripote ses cheveux. Elle a sa main sur sa cuisse. Même moi, je sais interpréter les signaux.

Nick se détache du groupe et s'avance vers la porte. Bien entendu, il me voit en train de faire tapisserie.

— Tiens, te revoilà, dit-il d'un ton neutre, toujours impassible. Tu n'aurais pas vu Emma, par hasard ?

Je fais non de la tête.

— Elle est furax contre moi. Parce que je t'ai soi-disant fichu dehors.

— C'est moi qui suis parti.

— Tu lui diras, alors ? me lance-t-il en posant sa bouteille vide sur la cheminée. T'en es où ?

— C'est ma première.

— Bois vite. Je t'en apporte une autre.

Il disparaît. J'espère qu'il ne reviendra pas. Mais, presque aussitôt, il ressurgit avec deux bouteilles. Celle qu'il me tend dégoutte d'eau. Elle sort directement de l'évier.

— Où as-tu rencontré Emma ? me demande-t-il.

Il décapsule sa bière et boit une gorgée au goulot sans me quitter des yeux.

— Elle a donné une conférence à l'antdiv.

Décidément, je n'ai aucune envie d'engager une conversation avec ce type !

— Tu l'as su comment ? Pour la conférence, je veux dire.

— Par un ami.

— T'as des amis à l'antdiv ? s'étonne Nick.

— Quelques-uns.

— Qui ça ?

— Des diésélistes.

— Alors, comme ça, t'es un « bouchon gras ».

— Un mécano.

— Même chose.

Ce type a le chic pour me donner l'impression d'être un moins-que-rien. Je devrais lui dire que c'est inutile, je me sens déjà nul.

— Emma semble bien t'aimer, grogne Nick. Elle se toque toujours de toutes sortes de gens.

— Elle est sympa.

— Tu sais qu'elle retourne bientôt au Pôle ? Elle ne traînera pas longtemps ici. Alors te monte pas la tête.

Pile à cet instant, Emma entre dans la pièce, le visage fendu d'un large sourire, manifestement un peu ivre.

— Ah, je vois que vous avez fini par vous entendre, bravo ! dit-elle.

Nick me regarde droit dans les yeux puis se tourne vers Emma et lui caresse le dos.

— Alors, on s'amuse, chérie ?

Elle l'embrasse sur la bouche. De toute évidence, elle lui a pardonné pour tout à l'heure.

— C'est une super fête, tu trouves pas ? réplique-t-elle.

— La plus belle, dit Nick en l'examinant de la tête aux pieds avec une moue d'approbation.

Je suis écœuré.

— Tu m'embrasses ? dit-elle en me souriant.

Je vois le sourire de Nick s'évanouir puis ne le vois plus du tout parce qu'Emma a interposé sa tête entre lui et moi. Elle pose ses lèvres sur les miennes.

— Tu as un goût délicieux, glousse-t-elle. Dis donc, Nick, tu as présenté Tom aux autres ?

— Non, répond-il. On bavardait gentiment.

— Gentiment ? répète-t-elle en le fixant d'un air soupçonneux. Et si tu allais causer gentiment ailleurs ?

Nick s'éloigne et va rejoindre deux types devant la fenêtre. Emma glisse son bras sous le mien.

— Tu es parti longtemps, me dit-elle. Je t'attendais.

— Je n'ai pas trouvé le pub tout de suite. Et je ne voulais pas encombrer pendant la mise en place.

Elle glousse de nouveau et enfouit son visage au creux de mon épaule.

— Je crois que je n'ai pas assez mangé. Tu peux me remplir une assiette ?

J'aurais préféré m'asseoir avec elle sur le canapé où il n'y a plus personne – le couple qui flirtait a sans doute migré dans un coin discret. Sur le canapé, elle pourrait se lover contre moi comme une chatte. Je ne demande qu'à lui faire des câlins. Elle n'aurait pas à me parler.

— C'est à la cuisine que ça se passe, me rappelle-t-elle.

Au moment où nous sortons, du coin de l'œil, je vois Nick qui se tourne vers nous.

À la cuisine, c'est toujours la cohue. J'entraîne Emma dans la bousculade. Je finis par dégoter un bol de houmous et des crackers sur le plan de travail.

— Tu me sers ? dit-elle. Tu n'as qu'à me donner la becquée. Oh, je crois que j'ai trop bu.

Elle fourre les crackers dans sa bouche et les mâche à toute vitesse. Puis elle réclame :

— De l'eau !

Je n'arriverai jamais à atteindre l'évier avec tous ces gens. Elle a dû lire dans mes pensées, car soudain elle s'écrie :

— Écartez-vous ! Je vais vomir !

La foule s'écarte à la manière de la mer Rouge.

— Et voilà, c'est magique, me dit-elle.

Elle ramasse un verre sale au bord de l'évier, le rince et le remplit maladroitement au robinet.

— Je suis toujours ivre, constate-t-elle. Ramène-moi dans le séjour.

Je la prends par la main. Je porte le houmous et les crackers. La foule ne s'est pas encore refermée. J'ai l'impression d'escorter une célébrité lors d'une soirée de gala. Je lui murmure à l'oreille :

— Tu leur fais peur.

Elle sourit.

Sur le canapé, elle continue à engloutir les crackers au houmous histoire de se caler l'estomac après tout cet alcool. Nick est revenu avec sa bande. Le manteau de la cheminée est hérissé de bouteilles vides.

J'avais oublié que c'est la norme en Antarctique. Les gens boivent comme des trous. C'est tout ce qu'ils peuvent espérer de leur vie sociale – leur quota de bières.

Je demande à Emma si Nick est son petit ami, mais étant donné qu'elle est en train de mastiquer un cracker, elle ne m'a pas entendu. Ensuite, le moment est passé. Mon courage a fondu comme une bouteille en plastique dans les flammes d'un feu de camp. De toute façon, si elle avait répondu oui, qu'est-ce que j'aurais fait ? Je me serais levé pour partir ? J'aurais terminé la soirée telle une âme en peine ? Mieux vaut vivre dans le doute. Emma semble s'arranger du silence. Elle tire mon bras sur ses épaules à la manière d'un châle et se blottit contre moi. C'est très agréable. Si seulement je pouvais faire disparaître tous les autres, ce serait même très romantique.

Plusieurs minutes s'écoulent pendant lesquelles nous observons ceux qui sont autour de nous. Je baisse les yeux pour lui faire part d'une impression quand je m'aperçois qu'elle dodeline de la tête. Je ne m'étais pas rendu compte qu'elle était à ce point ailleurs. Je pensais que le houmous serait suffisant mais peut-être a-t-elle besoin d'un autre verre d'eau.

Je l'installe confortablement et reprends le chemin de la cuisine. Quelqu'un a allumé la lumière. Comme Nick est devant l'évier, je cueille au passage un gobelet en plastique et cherche la salle de bains. Dans le couloir, je passe devant ce qui doit être la chambre de Nick. Une montagne d'équipement d'escalade est surmontée par le baudrier dont je me suis servi à Freycinet il y a une semaine. Je m'interdis d'imaginer Emma avec lui dans cette pièce ; Nick en train de la peloter, de la caresser, de l'embrasser. En vain. À la pensée de ses mains sur elle, mon esprit se brouille.

Comment se fait-il qu'elle n'ait pas compris ? Même moi, je vois que Nick est un séducteur. S'il sait si bien s'y prendre et quoi dire, c'est pour une bonne raison : il a beaucoup d'expérience.

Je retourne dans le salon pour trouver Emma en train de danser avec d'autres filles. Elle boit d'une traite le verre d'eau, me caresse la joue et se remet à se trémousser. Je m'appuie de l'épaule au chambranle de la porte avec à la main une bière fraîche. J'aime la regarder bouger. La musique de la soirée est très bonne. Un grand brun à la chevelure hirsute de faction à côté de la chaîne hi-fi étudie les CD entre deux gorgées de bière. Je l'observe. Il glisse prestement les disques dans le lecteur et pousse quelques touches pour trouver le morceau adéquat. Ce doit être agréable de s'y connaître à ce point. J'aimerais pouvoir faire danser les gens et les distraire par un flot constant de musique.

Un peu après minuit, je sors voir comment va Jess. Il fait froid et le ciel est clouté d'étoiles. Jess lève la tête du plancher où elle est couchée. Je m'assieds dans la voiture pour lui tenir compagnie. Je suis fatigué et j'ai bu assez de bière comme ça. Je suis tenté de rentrer à la maison, mais Emma aura peut-être besoin de moi.

Des gens entrent et sortent sans cesse ; surtout des couples, à la recherche d'un coin sombre où s'embrasser. De temps à autre, de petites bandes s'entassent dans des voitures et descendent la colline, sans doute en route pour une autre fête. À un moment donné, un taxi arrive et emporte un chargement de fêtards. Quand j'y retourne, la soirée ne bat déjà plus son plein. Emma est toujours en train de danser. Je me poste de nouveau à la porte pour la regarder. Nick est vautré sur le canapé, à moitié dans les vapes, complètement soûl. S'amuser, pour lui, c'est peut-être ça. Les pans de sa chemise sont sortis et maculés de taches de vin.

Je me surprends à surveiller les bougies presque consumées et leurs ombres vacillantes qui balayent paresseusement les murs. Finalement, Emma traverse le séjour et me prend par la main.

— Viens, dit-elle avec des yeux qui brillent dans la faible clarté. Allons nous coucher.

Elle me conduit vers la porte de derrière, s'arrêtant au pied de l'escalier pour m'embrasser. Elle est brûlante et en nage. Son odeur m'excite.

— Je peux aller chercher Jess ? dis-je entre deux baisers.

— Toi et ton cabot, répond-elle avec un petit geste, comme si elle me chassait. N'oublie pas de fermer la porte en entrant.

En contournant la voiture, je maudis ma bêtise qui m'a encore fait rater ma chance. Le temps de revenir avec une couverture que je plie dans un coin du cabanon pour Jess, Emma s'est endormie. Tout habillée, allongée jambes et bras écartés au milieu du lit. Je la pousse doucement et, avec beaucoup de délicatesse, tire la couette pour l'en recouvrir. Je m'assieds au bord du lit et la regarde dormir. Elle ronfle légèrement, ce qui me fait sourire. Je me déshabille, j'éteins la lampe et je me glisse à côté d'elle.

Emma bouge à peine au cours de la nuit, alors que je suis réveillé à plusieurs reprises par le bruit de bouteilles tombant dans le jardin et des éclats de voix en provenance de la grande maison. À un moment donné, je me sépare à regret du corps douillet d'Emma pour fermer la porte à clé. Je n'ai pas envie de voir demain matin un Nick furieux débouler avec la gueule de bois, même si je pense qu'il sera K-O jusqu'à midi, heure à laquelle je serai en principe parti depuis longtemps.

Lorsque le jour ruisselle par la fenêtre, j'ouvre les rideaux et je laisse Emma dormir. Pendant que je prépare du thé, Jess me tourne autour, ses griffes cliquetant sur le parquet. Elle fourre son museau au creux de ma paume pour me rappeler qu'elle est là. Elle n'est pas tranquille ; peut-être à cause de ce qui s'est passé avec Nick la dernière fois. Je m'assieds à table et parcours le journal de la veille, y compris les offres d'emploi et les petites annonces immobilières. Je suis vite à court de lecture.

Il y a un carnet noir sous le journal. Je l'ouvre sans réfléchir. Les pages sont couvertes d'une écriture penchée, rapide, spontanée, sans doute celle d'Emma. Je me penche sur ses pleins et ses déliés afin de voir s'ils me révèlent quelque chose sur son caractère. Mais ma curiosité est piquée, je ne résiste pas à l'envie de lire.

Grosse journée avec les Adélie. La balance fait des siennes. Elle fonctionne pendant quelques jours et puis clac, il y a un faux contact quelque part, et on ne sait plus où on en est. Je ne comprends pas ce qui ne va pas. Il me faut l'aide d'un génie de l'électronique, mais ils ne sont pas nombreux et loin sur d'autres bases.

Sophie est rentrée à la base hier soir pour voir son mec. Bon sang, j'en suis malade. Le samedi soir, elle se sent obligée d'aller faire la fête. C'est la même chanson tous les week-ends, la même chanson à boire ! Comme le chef de la station n'aime pas me savoir seule ici, il m'a envoyé Nick pour me tenir compagnie. Sans commentaire. Nous avons pourtant fait de notre mieux pour rester discrets. Si tout le monde est au courant, c'est que nos gestes et nos regards nous ont trahis malgré nous. Je n'ai rien à me reprocher. Je n'y peux rien si mes hormones s'affolent, et, bon sang, Nick me fait cet effet-là.

Je pose le carnet. Je n'ai pas à lire le journal intime d'Emma. C'est trop indiscret, j'ai honte. Je suis en outre effondré. Mes pires craintes viennent de m'être confirmées.

Nick remplace souvent Sophie depuis quelque temps, et elle ne s'en plaint pas. Je crois qu'elle en a par-dessus la tête de laver l'estomac des manchots. Il faut avouer que c'est un boulot de merde. Surtout quand on ne peut pas prendre de douche après. À son crédit, Nick ne bronche pas. Chaque fin de journée, nous faisons bouillir une grande casserole d'eau et nous lavons sommairement. Ensuite la soirée est à nous. C'est romantique. Je suis agréablement surprise par la gentillesse de Nick. Et puis il est super au pieu.

En colère contre moi-même, je glisse d'un geste décidé le carnet sous le journal. Qu'est-ce que penserait Emma si elle me voyait ? Je reste encore trente minutes assis là, à regarder l'horloge en espérant qu'elle va se réveiller avant l'arrivée de Nick. Finalement, j'entends un grognement. J'entre dans la chambre et je m'approche du lit.

— Oh, Tom, dit-elle, toute groggy. Tu es toujours là. C'est bien.

Je m'assieds au bord du lit.

— Tu m'as bordée ? continue-t-elle en fermant les yeux.

— Oui. Tu dormais quand je suis revenu.

— Oh, et moi qui pensais que nous allions passer une folle nuit de passion.

Moi aussi.

— Je suis trop crevée ce matin. Tu peux me faire du café ?

Je vais dans le coin cuisine, toujours en proie aux remords. En retournant dans la chambre avec une tasse de café que je pose sur la table de chevet en écartant sa boîte de pilules et un verre d'eau, je lâche :

— Je ne sais pas si tu vas me pardonner, mais j'ai ouvert ton journal intime sans faire exprès.

— Ouh, marmonne-t-elle, le visage à moitié sous l'oreiller. C'est plein de conneries sur Nick. Incroyable ce qu'on peut écrire comme âneries quelquefois.

— Tu m'en veux ?

— Oui, bien sûr, dit-elle d'une voix ensommeillée. Mais ça n'a pas d'importance.

Je suis sidéré. Moi, je veux que ça en ait, de l'importance ! Lire le journal intime de quelqu'un va à l'encontre de tous mes principes. Elle est peut-être encore ivre et ne se rend pas compte de ce que j'ai fait ?

— Tu crois que ça ferait un bon bouquin ? me demande-t-elle soudain en roulant sur elle-même pour me regarder.

— Quoi ?

— Ma vie en Antarctique ? Un titre envisageable... Bon sang, je suis encore soûle !

— Tu veux manger quelque chose ?

Elle me tourne de nouveau le dos.

— Juste un toast beurré. Ensuite, je m'habille et on va chez toi. Je ne suis pas prête à affronter les autres, aujourd'hui. J'ai besoin de vacances.

Je retourne à la cuisine pour faire griller du pain.

— Ça t'est égal si je viens chez toi ? crie-t-elle de la chambre.

— Oui, bien sûr.

En fait, je suis ravi. Lorsque je retourne la voir avec son toast beurré, elle s'est rendormie.

J'attends encore une heure assis à table avant de partir. C'est, à mon avis, ce que j'ai de mieux à faire.

28

Le dimanche matin, Mary était debout devant le miroir de la salle de bains quand elle entendit des portes de placard claquer à la cuisine. Soudain sur ses gardes, elle tendit l'oreille pour voir si elle reconnaissait une voix.

C'est alors que la mémoire lui revint. Bien sûr ! Jacinta ! Jacinta et Alex. Ils étaient arrivés de bonne heure, pleins d'enthousiasme. Elle s'essuya la commissure des lèvres avec un mouchoir en papier. Elle avait oublié qu'ils devaient monter au phare. Ils en avaient discuté le week-end précédent. Elle en avait peut-être parlé à Leon. Elle ne se rappelait plus très bien.

Ce projet aurait dû lui faire plaisir. Voilà des jours et des jours qu'elle manœuvrait pour qu'on l'emmène là-haut. Avec cette excursion, tous les objectifs qu'elle s'était fixés seraient accomplis. Elle aurait l'impression d'avoir expié ses fautes et fait son devoir. Si seulement elle n'avait pas été aussi fatiguée.

Elle retourna dans la chambre en traînant des pieds et contempla sa valise sans la voir. Sa mémoire lui jouait des tours. Elle se retrouvait de plus en plus souvent au milieu d'une pièce en se demandant ce qu'elle était venue y faire. Maintenant, par exemple. Ah, oui, elle devait s'habiller chaudement. Elle se retrouva devant un méli-mélo de sous-vêtements, chaussettes orphelines, chemisiers et pantalons chiffonnés. Ranger un tiroir était désormais une tâche au-dessus de ses forces. Elle fouilla dans le tas et finit par trouver ce dont elle avait besoin. Mais n'y avait-il pas autre chose à ne pas oublier ? Une chose qu'elle devait faire ?

Oui. Une lettre... Cachée dans la pochette intérieure de la valise. Elle la délogea non sans mal, tant il y avait de raideur dans ses vieux doigts, et la tourna trois fois avant de la remettre à sa place. N'avait-elle pas décidé de la détruire il y a longtemps déjà ? Ou était-ce hier ? Le temps semblait éclaté, elle ne s'y retrouvait plus dans tous ces fragments. Ce soir, après le départ d'Alex et Jacinta, elle allait brûler la lettre, et qu'on n'en parle plus.

— Nana ? Tu es prête ?

C'était Jacinta. Elle était à la porte.

— Oui, oui, répondit Mary en levant la tête, un peu branlante.

Alors qu'elle entrait avec son tas de vêtements dans les bras, Alex lui lança en souriant :

— On va en Antarctique ?

— Il souffle un vent du Sud-Ouest, répondit-elle. À te glacer les os.

Ce matin, avant leur arrivée, elle l'avait vu par la fenêtre ployer les hautes herbes des dunes et ébouriffer les broussailles, arracher des panaches d'écume aux crêtes des vagues. Ce vent, c'était l'haleine de la banquise.

Mary se dirigeait vers la sortie, quand Jacinta la retint par le bras.

— Ce n'est peut-être pas une bonne idée, Nana. Tu as l'air fatiguée. Si tu attrapes froid, tu pourrais mourir d'une pneumonie. Je ne me le pardonnerais jamais.

Pour Mary, il n'était pas question de reculer. C'était aujourd'hui ou jamais.

— Je suis bien couverte, dit-elle avec un sourire persuasif. C'est juste que je n'ai pas très bien dormi.

— Mais le phare est vraiment l'endroit le plus exposé de l'île. Je ne veux pas que tu sortes par ce froid.

— C'est moi qui le veux, Jacinta. Pour moi, c'est très important.

Comme elle voyait bien que Jacinta fléchissait, elle utilisa un argument diplomatique :

— Si j'ai une quinte de toux trop terrible, je te permettrai de me ramener ici.

— Tu me promets que tu me diras si ça ne va pas ?

— Promis.

— Bon, alors, d'accord.

Alex lui prit les vêtements des bras et les mit dans la voiture. Une fois le véhicule chargé, il l'aida à s'installer sur le siège passager.

Après avoir dévalé les dunes, ils filèrent le long de la plage comme sur le revêtement lisse d'une autoroute.

— On roule à quelle vitesse ? s'enquit Mary d'une voix étranglée.

Elle n'avait pas quitté le chalet depuis sa sortie au camp scout le week-end précédent. À chaque accélération, elle avait des palpitations.

— Pas à plus de soixante-cinq à l'heure, l'informa Alex. Ça va trop vite pour toi ?

— Non, mentit-elle. C'est très bien.

Elle se dit qu'elle devait prendre sur elle et profiter de cette journée magnifique, de ce ciel pommelé de nuages, de la vision des goélands austraux décollant devant la voiture puis planant au-dessus d'eux.

Au milieu de la plage, ils dépassèrent un homme et une femme à pied. Ils étaient jeunes et regardèrent Mary sans un sourire. Il est vrai que l'intrusion d'une voiture dans une nature sauvage aussi belle, c'était scandaleux. Autrefois, elle aurait été horrifiée. Jack, pour sa part, aurait crié à l'abomination. Jack avait toujours été un conservateur.

Elle se retourna et quelle ne fut pas sa stupéfaction de se voir elle-même foulant le sable avec Jack – c'était bien lui ; cette minceur, cette haute taille, et elle aussi, marchant à grandes enjambées énergiques. Oui, c'était bien eux, se dépêchant d'atteindre le bout de la plage. Cloudy Corner. Sur le terrain de camping, ils déposeraient leurs sacs avant d'escalader le promontoire pour observer le vol des aigles de mer et respirer l'air froid. Là-haut, ils s'embrasseraient. Étreintes, caresses et baisers. Leurs jeunes corps enlacés.

Alex à côté d'elle lui dit quelque chose. En se tournant vers lui, elle fut un instant déconcertée par son regard interrogateur. Il lui sourit et fit monter la voiture sur la route.

— Alors, qu'est-ce que tu en penses ?

— À propos de quoi ? demanda Mary qui tombait des nues.

— Tom a rencontré une femme.

— Il a rencontré une femme ?

— Oui, confirma Jacinta à l'arrière. Il m'a dit qu'il t'avait mise au courant.

Mary se creusa la tête, sa mémoire était aussi glissante qu'une savonnette. Tom avait parlé d'une femme ?

— Comment ça se passe ? dit-elle tout haut.

— Bien, je crois, répondit Jacinta. Il me paraît heureux.

Tant mieux. Il était grand temps que Tom ait sa part de bonheur. Mary détourna son visage afin de cacher son embarras. Pourquoi n'avait-elle pas remarqué que Tom était plus heureux ? Elle aurait dû s'en apercevoir pourtant.

— Il dit qu'il va peut-être retourner en Antarctique, ajouta Jacinta, et que cette nouvelle t'a fait plaisir. Il dit que tu l'as encouragé.

Était-ce une si bonne idée que ça ? Retourner en Antarctique...

— Il espère travailler avec elle, continua Jacinta. Emma.

Emma. Elle se rappelait vaguement ce nom.

— Et Jess ? demanda Mary.

— S'il part, je m'occuperai d'elle.

Ils bifurquèrent vers la vieille ferme. Mary reconnaissait les grands arbres blancs au bord du ruisseau. Autrefois, elle adorait se tenir sous leurs frondaisons quand le vent soufflait. Elle écoutait le claquement de leurs longues lames d'écorce contre les troncs. Un sourire lui vint aux lèvres et elle ferma les yeux. Elle se revoyait adolescente en train de traire les vaches dans la vieille grange qui n'existait plus ; en haut d'une échelle en train de cueillir des pommes ; dans le paddock en train de ratisser de l'ensilage ; debout dans la même grange le jour où elle avait vu Jack pour la première fois, Jack dont elle avait eu du mal à distinguer les traits dans la pénombre.

À Lunawanna, Jacinta proposa de boire un café, mais comme Mary préférait continuer, ils passèrent sans s'arrêter devant le magasin au bord de la Lighthouse Road. Aujourd'hui, la route nivelée et damée presque sans nids-de-poule sinuait entre des maisons et des cabanons avec vue sur les eaux calmes du détroit. Au-delà s'étendaient des champs rustiques envahis de fougères et de chiendent. Ils traversèrent une forêt d'eucalyptus. De temps à autre, les arbres reculaient devant des clôtures, des barrières et des pancartes *Propriété privée*. L'air était moins humide qu'à Cloudy Bay. Ils ne tardèrent pas à longer le lagon cerné de grands bancs de vase. Cloudy Lagoon. Une petite risée ridait les eaux miroitantes.

Lorsqu'ils parvinrent enfin au parc national, Mary était déjà épuisée. Après une halte à la station de péage pour déposer leur écot, ils poursuivirent à travers la forêt et les fougères arborescentes. Puis, soudain, à la sortie d'un virage, la vue se dégagea et ils aperçurent le phare au-dessus de la lande. Alex arrêta la voiture et coupa le moteur. Ils contemplèrent en silence le paysage où couraient les ombres des nuages. Le phare possédait toujours la même blancheur éclatante. En contrebas, sur le flanc de la colline, relativement à l'abri du vent du large, on distinguait côte à côte les deux cottages des gardiens, chacun entouré de plusieurs dépendances. Plus bas encore, les vagues se ruaient vers la baie et le ressac moussait sur les rochers.

Cette vue du phare depuis les profondeurs caverneuses de la forêt lui donnait le sentiment de se retourner sur sa vie, songea Mary. Aujourd'hui aurait tout aussi bien pu être hier, ou un jour vingt, trente, quarante ans plus tôt. Ils pourraient être accueillis au cottage par une version plus jeune d'elle-même. Jack émergeant de la remise, un outil à la main. Rose, sortant sur le pas de la porte avec son sourire sournois et son regard froid, tendrait la main comme si elle était une amie. Tom serait peut-être là, lui aussi – un petit garçon sauvage remontant en courant le sentier de la plage.

Après avoir roulé au milieu d'un bouquet de banksias aux troncs noueux et d'eucalyptus à l'écorce rugueuse, Alex s'arrêta de nouveau, cette fois dans le parking du bas à l'entrée du domaine du phare. Ils restèrent un moment dans la voiture à regarder vers le haut de la colline. Le portail était ouvert.

— On peut entrer, je crois, dit Alex en passant la première. D'après la pancarte, c'est ouvert jusqu'à 16 h 30.

— Attends une minute ! s'exclama Jacinta en ouvrant sa portière. Je vais courir poser la question au gardien.

Elle mit plus d'une minute. Mary en profita pour fermer les yeux. Tout un monde visuel et sonore surgi du passé s'anima sur l'écran de ses paupières closes. Elle, toute jeune, dans le cottage du cap. Le grondement du vent, les bourrasques de pluie fouettant les vitres. Si elle se concentrait, elle entendait même Jack donner des coups de marteau dans la remise ; Tom siffloter quelque part sur la falaise ; le poney s'ébrouer dans le paddock.

Jacinta revint. Avec un énorme sourire, elle leur annonça en agitant en l'air un trousseau de clés :

— Les clés du phare ! Ne sortez pas de la voiture. Ils nous autorisent à monter jusqu'au parking du haut.

Devant l'un des cottages, une femme les attendait – la quarantaine, brune, les traits marqués. Alex baissa sa vitre et la femme se pencha pour serrer la main de Mary par la fenêtre.

— Bonjour, Mrs Mason. Je m'appelle Diane, dit-elle avec un sourire chaleureux. Vous voulez entrer prendre une tasse de thé ? La bouilloire est sur le feu.

Mary, émue, hésita. Cette femme, ç'aurait pu être elle quarante ans plus tôt.

— Merci, c'est très gentil. Mais pour l'instant ça va... Peut-être plus tard.

— Je serais tellement contente de parler avec vous, continua Diane sans lui lâcher la main. Quel dommage que vous ne soyez pas montée avant. Vous êtes toujours la bienvenue ici.

Mary reprit sa main pour la mettre devant sa bouche alors qu'une nouvelle quinte menaçait. Tous ces regards fixés sur elle...

— C'est difficile de revenir après tout ce temps, répondit-elle en adressant à Diane un sourire las. C'est comme si c'était un autre endroit.

— Une autre fois, peut-être...

Mary se voyait dans l'attitude douce et résignée de cette femme au regard lointain.

— Vos enfants ? demanda Mary.

— Tous envolés. Jusqu'au lycée, ils ont suivi des cours par correspondance. Comme les vôtres.

— Oui, acquiesça Mary, de nouveau saisie par ses souvenirs.

Les enfants et leurs manuels scolaires. La lumière basse dans le cottage, même en pleine journée. Puis leur départ pour la pension. Le silence. Le vent dévorant les murs.

— Le phare n'a pas changé, dit Diane. C'est mon mari, Tony, qui s'occupe de son entretien. Cela fait des années maintenant que la lanterne n'a pas été allumée. N'empêche, le travail ne manque pas. Tony se charge du phare et moi du cottage. C'est différent de nos jours, avec tous les visiteurs, mais j'adore quand même vivre ici.

Mary sentit les larmes lui monter aux yeux. Il avait suffi de quelques gentilles paroles, d'une gerbe de souvenirs, et la voilà sur le point de pleurer. Elle remercia Diane d'une poignée de main puis fit un signe de tête à Alex. Ils continuèrent leur ascension en passant devant deux nouvelles dépendances jusqu'au large virage qui marquait l'arrivée au sommet.

Jacinta aida Mary à sortir dans le vent glacial. Elles firent le tour du phare. Il n'y avait plus de moteurs au rez-de-chaussée, seule restait la dalle de béton lézardée. Mais la vue, elle, toujours aussi splendide, n'avait subi aucune altération. C'était la même que la dernière fois où Mary s'était tenue sur ce promontoire. L'île Courts était invisible – pour l'apercevoir, il fallait descendre la piste, un exploit dont elle ne se sentait plus capable. Impossible de distinguer les aiguilles de pierre au sud, visibles seulement par temps très clair. La houle, elle, la miraculeuse houle, était éternelle. La couleur de la mer, les remous à sa surface, la direction des rouleaux aux crêtes blanches d'écume, tout cela pouvait changer, mais pas le mouvement perpétuel, le déferlement sans fin des vagues. Cela la rassurait de penser à l'océan à travers les âges : la prévisibilité des marées, le renouvellement incessant. Lorsqu'elle ne serait plus là, la mer resterait telle qu'elle était et la terre continuerait à s'avancer dans ses flots.

Lorsqu'elle commença à être parcourue de frissons, Jacinta la prit par le coude et la conduisit de l'autre côté du phare. Alex, qui avait la clé, leur tint la porte ouverte pour les laisser entrer. Ils pénétrèrent tous les trois dans la quiétude de la tour où le bruit de leurs pas leur revenait en écho. Alex ferma la porte. Le silence les enveloppa.

Au-dessus, l'escalier en colimaçon s'élevait dans une semi-obscurité. Les rideaux devaient être tirés dans la lanterne. En d'autres temps, Jack les ouvrait tous les jours à la nuit tombée avant d'allumer le feu ; à l'aube, il l'éteignait et refermait les rideaux. Et, à moins qu'il y eût une tempête, il sortait sur le balcon laver les vitres toujours salies par les embruns.

Comme elle aimait contempler le cap du haut de cette plate-forme quand le fanal envoyait ses signaux aux marins ! Mais il n'était pas nécessaire qu'elle y monte à présent. L'intérieur du phare ravivait déjà tant de souvenirs... Elle n'avait pas besoin de la vue pour se rappeler tout ce qui s'était passé ici ; elle voyait encore l'ombre de Jack dans la lanterne à côté de l'optique ; elle entendait l'écho de sa voix se réverbérer sur la pierre des murs. Elle prit une inspiration dans l'intention d'expliquer tout cela à Jacinta et Alex mais, alors qu'elle levait les yeux vers le haut des marches, elle sentit l'émotion la terrasser. Elle fut saisie d'un vertige. Elle tournoyait au ralenti, à la limite de l'évanouissement.

Des bras solides s'emparèrent d'elle. Elle sombra dans un trou noir.

Elle gisait sur la dalle de béton. Gelée. À bout de souffle. Le corps léger puis lourd. Le cœur chamboulé. La joue contre le sol glacial. Elle repoussait les ténèbres de toutes ses forces.

Des mains caressèrent son visage. Des mains chaudes et douces. Les doigts de Jacinta comme des papillons. Le visage de sa petite-fille glissait de l'ombre à la lumière, de la lumière à l'ombre.

Il faisait froid dans le phare. Un froid polaire. Elle voyait les dernières marches de l'escalier. Une image floue, très proche de ses yeux. Elle regarda vers le haut en cillant. Une spirale rappelant la coquille d'un escargot paresseux. La lumière clignotait. Ombre et lumière. Lumière et ombre. Nuit. Un bourdonnement. Un bruit de toux.

— Qu'est-ce qui s'est passé ?

La voix était faible.

— Je ne sais pas. Il faut la transporter dans la voiture.

Quelqu'un pleurait. Les voix paraissaient lointaines, mêlées de bourdonnements, d'éclairs lumineux. Rappelant le phare la nuit. Il faudra bien que ça s'arrête, se dit-elle.

Elle reconnaissait la voix de Jack à peine déformée. Il prenait soin d'elle. Il était là, tout près. Il la soulevait dans ses bras et pressait son visage contre sa poitrine. Il sentait bon l'homme. Elle ne craignait plus rien. De l'air bruissa quelque part. Il y eut un gargouillis.

— Elle a les poumons encombrés.

Ces paroles sonnèrent comme un coup de tonnerre. On lui tenait la tête. Éclairs verts, rouges, d'un blanc immaculé. Jack était là pour elle. Elle allait mourir dans ses bras.

L'instant d'après, elle eut la sensation d'avancer le visage inondé d'une lumière aveuglante. Un vent froid la frôla. Jack se tenait penché sur elle. Il pliait son dos droit pour se mettre à sa hauteur, avec sur les lèvres un sourire qui lui pardonnait tout. Ces yeux bleus. Et puis l'ombre grignota son visage. Elle ne voyait déjà plus ses yeux. Il redevenait de la brume. Un être de brouillard.

Un toit coulissa au-dessus d'elle, un siège accueillit son poids. Elle était assise à l'arrière d'une voiture. Alex, penché sur elle, fronçait les sourcils.

— On peut appeler une ambulance ? disait-il. Un médecin ? Il y a un hôpital pas loin ? Il n'y a rien sur cette île ?

Jacinta lui répondit :

— J'en sais rien. On n'a qu'à demander à la femme du gardien.

— Elle devrait être hospitalisée.

Mary parvint tant bien que mal à articuler :

— Non, pas d'hôpital. Ramenez-moi au chalet.

Jacinta s'assit à côté d'elle. Elle était toute pâle et avait des traces de larmes sur les joues.

— Qu'est-ce que tu as dit, Nana ? Tu m'entends ?

— Oui, je t'entends, répondit-elle.

Sa vue se stabilisait. Les éclairs avaient cessé. Le bourdonnement avait disparu.

— Qu'est-ce que tu as ? Ça va ?

— J'ai eu un malaise, expliqua-t-elle à sa petite-fille d'une voix chevrotante. Mais ça va aller. Ramenez-moi à Cloudy Bay.

— On devrait aller à l'hôpital, dit Jacinta. Ce serait le mieux.

— Je refuse de mourir à l'hôpital.

Jacinta, déchirée, se tourna vers Alex. Ce dernier haussa les épaules.

— Moi, je pense qu'on devrait rentrer à Hobart.

— Non. Pas Hobart, protesta Mary en agrippant Jacinta. Je sais ce que je fais.

Alex la regarda et déclara d'un ton accablé :

— Bon, dans ce cas... retournons à Cloudy Bay.

Il démarra et la voiture descendit lentement la colline, avec un arrêt aux cottages afin que Jacinta puisse rendre les clés. À son retour, elle se pencha sur son siège pour parler à Alex.

— Il n'y a pas de médecin sur l'île, dit-elle calmement. Il faudrait aller jusqu'à Hobart, ou la faire évacuer par hélicoptère.

— Pas d'hôpital, décréta de nouveau Mary.

Elle tremblait encore.

Jacinta lui prit la main et la caressa.

— Ça va aller, Nana. On te ramène à Cloudy Bay. Je te promets qu'on fera ce que tu veux. Maintenant, repose-toi. Alex et moi, on va bien s'occuper de toi.

Mary, épuisée, s'affala contre sa petite-fille. À la sortie du domaine du phare, ils retrouvèrent la route. Le crissement du gravier sous les pneus était d'autant plus soporifique qu'elle était bercée par les virages. Elle s'efforça de garder les yeux ouverts alors qu'ils traversaient la lande. Après quoi, ils gravirent la côte. Ils ne tarderaient pas à passer devant un endroit dégagé. Elle allait pouvoir entrevoir le cap Bruny. Ce serait la dernière fois qu'elle verrait le phare. Mais la fatigue l'emporta, ses paupières étaient lourdes, trop lourdes. La marée se retira et elle vogua vers un ailleurs enfoui dans les replis de sa mémoire, un lieu où elle retrouvait Jack.

C'était la nuit, elle ne voyait rien. Elle était sur le cap et tout était noir, même le phare. Pourquoi le fanal était-il éteint ? Jack ne l'oubliait jamais. La mer rugissait. Elle l'entendait distinctement. La falaise devait être plus proche qu'elle ne le croyait. Ou était-ce le bruit de la pluie sur le toit ? Ou une tempête qui arrivait ? Ici, les orages accouraient sans prévenir du fond de l'océan, de tout là-bas, de l'Antarctique. Si le phare n'avait pas été une tour de pierre enracinée dans la roche, il aurait été balayé de son promontoire et réduit en pièces tant les vents qui battaient le cap étaient terribles. Les enfants avaient peur. Le fracas du tonnerre, les lueurs livides de la foudre. Mary espérait pouvoir rentrer le poney dans la grange avant que les éléments se déchaînent. Elle ne voulait pas revivre le cauchemar de la dernière fois.

Finalement, Rose était là, elle aussi. Oui. Mary avait su tout du long qu'elle viendrait.

Elle l'attendait sur le seuil du cottage, à croire qu'elle avait pris possession du territoire de Mary. Devant son air satisfait, Mary réprima un mouvement de colère. Maintenant qu'elle était sortie de l'hôpital, Rose serait bien obligée de faire ses valises. Elle retournerait à la ferme et à sa vie égoïste et inactive.

Un sourire s'étala sur le visage de Rose. Oh, combien Mary avait envie de le lui faire ravaler, ce sourire suffisant et narquois. En dépit des efforts de Mary pour le cacher, Rose avait vu qu'elle boitait. Dix semaines de maladie, de convalescence et de rééducation pour être accueillie par ça ? Le sourire de Rose devint carrément triomphant : elle était sûre de pouvoir prolonger son séjour.

— Jack est au phare, lui annonça de but en blanc Rose d'une voix mielleuse. Nous ne savions pas à quelle heure tu rentrais.

« Nous », comme si elle était la maîtresse de maison.

Mary sentit une douleur sourde au niveau de sa fracture. Sa jambe n'avait pas encore oublié la contention du plâtre. Quand ils le lui avaient ôté, elle pensait retrouver sa jambe telle quelle. Mais ils lui avaient rendu une pauvre chose rabougrie, dont elle ne pouvait se servir qu'avec l'aide d'une béquille. Elle pensait rentrer tout de suite chez elle, mais elle avait dû patienter encore quatre semaines avant qu'ils la laissent sortir.

— Où sont mes enfants ?

Les murs nus du vestibule vide répercutèrent sa voix. Elle baissa les yeux sur le vieux lino du cottage. Sa maison.

— Ils font leurs devoirs, répondit Rose avec une grimace railleuse. C'est important qu'ils apprennent leurs leçons.

Rose fixait la jambe de Mary comme si elle était en mesure de voir à travers le tissu de son pantalon la peau jaunâtre, les rougeurs squameuses, les muscles flasques.

— Tu boites, dit Rose dont les yeux étaient semblables à des trous noirs. J'espère que tu n'es pas rentrée trop tôt. Nous n'avons pas le temps de nous occuper de toi en plus.

De nouveau ce « nous » ! Mary voulut la bousculer pour passer, mais ses mains rencontrèrent de l'air. Le vent se leva. Lorsque Mary se retourna, Rose était partie.

Elle boitilla en direction de la cuisine. Des bruits de chaise raclant le sol. Une cavalcade. Les enfants. Mais des enfants spectraux, aussi transparents que des fantômes, qui la frôlèrent avant de sortir en passant à travers le battant de la porte.

Elle était à présent à la cuisine. Les vitres inondées de buée. La bouilloire sifflant sur la cuisinière. Dehors, la brume enveloppait le cap. Le vent sifflait sous la fenêtre.

Elle entendit la porte du cottage s'ouvrir. Les pas de Jack, fermes et lourds, dans le vestibule. Il surgit et son sourire forcé se changea en sourire en coin. Il était plus grand que dans son souvenir. Plus maigre.

Il se posta devant la fenêtre et leva les yeux. Mary suivit la direction de son regard. Rose était debout à côté du phare, son manteau battait dans le vent.

— Elle peut venir prendre le thé avec nous, dit Mary.

— Elle ne voulait pas s'imposer alors que tu viens de rentrer, répliqua Jack d'une voix étranglée, étrange.

— Et toi ?

Il lui jeta un coup d'œil glacial.

— Je suis heureux que tu sois de retour, Mary.

Elle servit le thé – un liquide noir et fumant qui dégoulina de la théière comme de la mélasse. Il tint sa tasse entre ses grandes mains. Des mains qui avaient caressé sa peau. Ces longs doigts bruns durcis par le travail et le vent.

Elle posa une main sur son bras. Des muscles aussi durs que du bois. Elle devait l'empêcher de rester devant la fenêtre, elle devait le soustraire à la fascination qu'exerçait sur lui la silhouette de Rose auprès du phare.

Dans le séjour, des flammes sautillantes, vertes et orange, léchaient les briquettes. Il s'appuya à la cheminée, le regard vide, les yeux fous.

— Rose va rester jusqu'à ce que tu puisses monter l'escalier, énonça-t-il d'un ton sec et dur.

Sur ces paroles, il traversa le mur ; son corps se fondit dans la pierre.

Au sommet de la colline, Rose se tenait toujours à côté de la tour, sa silhouette à présent aussi imprécise et ondoyante que les flammes.

Mary courut à la cuisine et jeta sa tasse dans l'évier. S'emparant de deux torchons, elle les fourra dans sa poche. Dans le vestibule, elle enfila en toute hâte son manteau. Son cœur cognait dans sa poitrine.

Dehors, les nuages d'orage s'effaçaient devant l'azur d'un ciel très pur. L'air était un souffle froid. Une risée d'argent sur le paysage. L'odeur de l'herbe rase. Vers l'ouest, de l'autre côté du canal d'Entrecasteaux, les montagnes se profilaient dans un halo bleu violacé. Devant elle surgirent soudain les falaises du cap Bruny, noyées d'ombres. Son cœur s'affola alors qu'elle tournait la poignée de la porte du phare et poussait le battant.

À l'intérieur, tout était immobile et figé. Les soixante-dix-huit marches s'élevaient en spirale. Elle entendait des murmures. Ils étaient là-haut. Jack et Rose. Que faisaient-ils ? Ils parlaient. L'accès au phare était interdit en dehors des gardiens en service. Jack connaissait les règles. Rose aussi. Mary ne montait là-haut que si Jack était malade.

Elle noua les torchons autour de ses chaussures. Son manteau était étalé par terre, on aurait dit un gros ours endormi. Elle commença à gravir l'escalier, une marche par respiration. Inspiration. Expiration. Ça raclait dans ses poumons. Elle respira plus lentement. Quel effort, rien que pour inhaler un tout petit peu d'air !

La cage d'escalier s'obscurcit. Des nuages reprenaient leur course au-dessus de la verrière. Un frisson dans l'air. Déjà la tombée de la nuit ? Ou un nouvel orage ? Le vent râpait, bruissait, glougloutait. C'était trop difficile de gravir ces marches. Elle n'arrivait plus à respirer.

Le visage de Rose traversa son champ de vision. Elle s'arma de tout son courage pour terminer l'ascension. Pour respirer. Elle progressait au ralenti. Le palier ne devait pas être loin.

Une lente rotation de la coquille. Deux.

La spirale ascendante semblait sans fin. Elle fit de son mieux pour étouffer le bruit de sa respiration afin de ne pas donner l'alerte. Ils avaient sous-estimé ses capacités. Elle allait les prendre en flagrant délit. Rose serait obligée de rentrer chez elle.

La spirale se terminait.

Au-dessus, une voûte piquée d'étoiles – la broderie d'argent de la Voie lactée. Le phare se dressait au milieu d'une nuit noire. Soudain, le feu s'alluma et un fanal de lumière blanche fendit les ténèbres.

Sur le palier, deux silhouettes. Effilées. Enlacées.

Le faisceau tourna et clignota. Jack et Rose dans une étreinte passionnée.

L'instant d'après, un rideau noir tombait. La lumière s'était éteinte. Tout s'effondra. Son échafaudage disparut. Un cri, une bouffée d'air qui s'échappe.

Elle était de nouveau tombée de la falaise. Et cette fois il n'y avait pas de corniche pour la sauver.

29

À midi, Emma arrive chez moi. En lui ouvrant, j'entends le vrombissement d'un moteur mal réglé et je vois une vieille Commodore descendre la côte.

Emma est débraillée, elle a l'œil rouge et le teint pâle. Sans doute ne s'est-elle pas encore remise de ces festivités nocturnes.

— Tu es parti, me dit-elle sans préambule.

— Oui. J'ai attendu, mais tu avais besoin de te reposer.

— Alors, tu ne t'es pas bien occupé de moi hier soir, hein ?

Je hausse les épaules.

— Je peux entrer ?

Je m'écarte. Elle s'écroule sur le canapé. Jess s'empresse de sauter à côté d'elle et de poser sa tête sur ses genoux. Elles restent toutes les deux dans cette position pendant que je remplis la bouilloire. Le silence se prolonge.

— Tu disais que tu as lu mon journal intime, finit par dire Emma.

— Je te demande pardon, dis-je en posant la théière et deux tasses sur la table basse. Je n'ai pas fait exprès.

— Alors pourquoi tu l'as fait ?

Elle est de mauvaise humeur, sans doute la faute à la gueule de bois.

— J'en sais rien. Je m'ennuyais, il était sous mon nez, je l'ai ouvert. Sans réfléchir, je t'assure.

— Tu n'avais pas le droit. C'est indiscret.

— Oui, et j'en suis désolé. Dès que je m'en suis rendu compte, je l'ai fermé.

— Quelle partie t'as lue ?

— Il y avait quelques allusions à Nick.

— Quelques allusions ? Je croyais que tu l'avais fermé tout de suite.

— C'est ce que j'ai fait.

— Bon, mais de toute façon, dit-elle d'un ton soudain désinvolte, il ne faut pas croire tout ce que tu as lu.

Que veut-elle dire par là exactement ? Je suis perplexe.

— Tout le monde en Antarctique déraille à un moment ou un autre, continue-t-elle en caressant les oreilles de Jess. Alors, ma fête t'a plu ?

— Les fêtes, c'est pas tellement mon truc.

Elle rit. Elle ne me croit pas.

— Je me demande comment tu as survécu sur une base.

Je sers le thé.

— Nick n'était pas ravi de me déposer chez toi, dit-elle. Mais tu sais que je n'ai pas de voiture.

Ainsi, la Commodore était à Nick. Je réplique diplomatiquement :

— Tu sais que je t'ai proposé de t'en trouver une.

Elle fait celle qui n'a rien entendu.

— En fait, il a râlé comme un pou. Je crois qu'il ne te porte pas dans son cœur. En fait, je pense qu'il est jaloux.

Je lui tends sa tasse. Elle la pose devant elle, noue ses bras autour de mon cou et m'embrasse. Nous faisons l'amour sur le canapé. Sa bouche a un goût de bière. Après, je suis à bout de souffle et j'ai les idées confuses.

— Désolée de ne pas avoir été en forme hier soir, dit-elle en s'essuyant distraitement la bouche sur le dos de sa main.

Je roule sur le dos dans les coussins et regarde le plafond. Qu'est-ce que cette femme attend de moi ? Sans un mot, elle se lève et se rhabille. Son humeur a encore changé.

— Tu peux me ramener à la maison ? me demande-t-elle.

Je me penche pour caresser son genou. Elle repousse ma main en déclarant :

— Je veux rentrer tout de suite.

Elle sort sous la véranda pendant que je m'habille. En la rejoignant, mes clés à la main, je l'interroge :

— Tu peux me dire ce qui ne va pas ?

— Tu devrais le savoir, me rétorque-t-elle d'un ton sec.

Je la suis à la voiture et lui tiens la portière ouverte. Je la sens agressive. Elle garde son visage détourné du mien.

— J'aimerais que tu m'expliques, lui dis-je. Je ne suis pas fort en devinettes.

Elle s'installe et claque la portière. Nous roulons vers Hobart en silence. Elle regarde par la fenêtre de son côté, le visage fermé, hermétique.

En me garant devant chez elle, je tente de nouveau ma chance :

— Ça va ?

J'avance la main vers sa jambe mais elle la repousse encore une fois. Je m'aperçois alors qu'elle pleure. Elle sanglote, des larmes ruissellent sur ses joues.

— Je suis désolé, dis-je bêtement sans savoir de quoi ni quelle faute j'ai commise.

Elle se précipite hors de la voiture et vient hurler à ma fenêtre :

— Tu piges rien à rien, n'est-ce pas ?

Je baisse ma vitre.

— Tu es incapable de me fixer des limites, pas vrai ? Tu ne peux pas m'ordonner de ne plus voir Nick ? J'ai besoin d'un homme capable de se battre pour me garder.

Elle se remet à pleurer et, un bras replié sur ses yeux, court en titubant vers la maison.

Je reste dans la voiture, le front contre le volant, en proie à un maelström d'émotions.

Que dois-je faire ? Dois-je courir après elle ? La retrouver ? Lui parler ? Je tergiverse longtemps. La voiture de Nick est stationnée devant la mienne. Et si elle était allée se jeter dans ses bras ?

Je mets le contact mais je laisse le moteur tourner au point mort. Je le coupe de nouveau et reste assis là encore un bon bout de temps. Finalement, je descends de la voiture et vais frapper à la porte du cabanon. Pas de réponse. Elle est peut-être dans la grande maison.

Je frappe une deuxième fois. J'entends un bruit. Prudemment, j'entre et je me dirige vers la chambre. Emma est recroquevillée sur le lit. Elle me tourne le dos et est toujours en train de sangloter. J'hésite sur le pas de la porte puis je vais m'asseoir au bord du lit et je lui caresse la tête. Elle ne se retourne pas.

— Pardon, dis-je. Pardon.

Si seulement je pouvais trouver autre chose à lui dire. Tout n'est pas ma faute. Elle a la gueule de bois, elle est malheureuse et ne sait plus où elle en est. Quoi que je fasse, je n'arriverai pas à la consoler.

Elle finit par se retourner, le visage baigné de larmes.

— J'ai tout gâché, renifle-t-elle. J'ai gâché tout ce qu'il y a entre nous.

Au moins, elle admet qu'elle tient une part de responsabilité dans la suite malencontreuse des événements. Je l'aide à s'asseoir et elle s'appuie lourdement contre moi. Elle enfouit son visage contre ma poitrine. Ses joues mouillent ma chemise.

468

— Ça va ?

Elle fait non de la tête.

— Je suis complètement flippée. C'est tellement difficile de rentrer. J'oublie chaque fois combien c'est un enfer.

— Tu vas t'en sortir.

— J'espère bien. Je ne supporterai pas ça longtemps.

Levant la tête, elle sort un mouchoir de sous son oreiller et se mouche.

— On peut se donner une seconde chance ?

J'opine, désemparé.

Elle m'embrasse sur la bouche et va à la salle de bains, me laissant assis au bord du lit. Je jette un coup d'œil à la photo d'elle sur l'île de Béchervaise, debout devant le refuge sur le site de la colonie de manchots Adélie. Elle a l'air tellement animée sur ce cliché – une femme libre et ouverte à toutes les aventures. Emmitouflée dans plusieurs couches de vêtements chauds et un coupe-vent, elle présente à l'objectif un visage radieux. Voilà l'Emma de mes pensées. La jeune femme qui croque la vie à belles dents, oui, c'est elle que j'aime. Pas celle qui a peur de s'engager et voit des complications là où il n'y en a pas ; un peu comme moi.

Quand elle revient, je lui propose du thé. Elle me répond par un sourire et déclare qu'elle a besoin de dormir. Elle sera plus en forme pour discuter demain, me promet-elle.

Je la regarde se déshabiller et enfiler son pyjama. Elle se blottit contre moi à la manière d'un enfant. Je la prends dans mes bras. Elle enfouit son visage au creux de mon épaule avant de se glisser sous la couette. Je la borde tendrement et dépose un baiser sur son front. Elle me tourne le dos, couchée en chien de fusil, et s'endort tranquillement.

Je me sens plus père qu'amant.

Chez moi, mon répondeur clignote. J'écoute le message. La voix de Jacinta, inquiète. Ma gorge se serre.

« Tom, j'essaye de te joindre depuis tout à l'heure, tu n'es jamais là... J'ai une mauvaise nouvelle. On est montés au phare avec Nana et elle a fait un malaise. On voulait l'emmener à l'hôpital, mais elle refuse catégoriquement. On l'a ramenée au chalet et maintenant ça va un peu mieux. Malheureusement, on ne peut pas rester cette nuit à cause d'un rendez-vous à Hobart. Nana nous assure que tout ira bien, mais ça me fait mal au cœur de la laisser seule. Comme je n'arrive pas à te parler, je vais téléphoner à Leon pour voir s'il ne peut pas veiller sur elle le temps que tu arrives. J'espère que tu auras ce message et que tu pourras attraper le dernier ferry. Je t'appelle du parking au bout de la plage. C'est le seul endroit où on a du réseau. Sinon il faut monter dans les collines ou rouler pendant des heures. Rappelle-moi dès que possible, je peux compter sur toi ? On sera sans doute déjà sur le chemin du retour. »

Je jette un coup d'œil à l'horloge. 16 heures. J'appelle Jacinta.

— Tom, enfin !

— Alors ?

— On est sur le ferry.

— Et maman ?

— Leon est avec elle. Il dit qu'il peut rester cette nuit, ce qui n'est pas plus mal, parce qu'il y a eu un avertissement de tempête et le trafic des ferries va sans doute être interrompu.

— Il faut que j'y aille.

— Tom, vraiment, je crois que ça va aller. On a eu la trouille quand elle a fait son malaise, mais une fois au chalet, elle a repris du poil de la bête. Quand nous sommes partis, elle était dans son lit et buvait du thé. Elle sera mieux après un peu de repos.

— Mais il faut bien que je fasse quelque chose.

— Tu pourrais passer quelques appels.

— Gary et Judy sont à Melbourne pour un congrès sur l'hébergement touristique. Dois-je leur laisser un message sur leur portable ? Ou ce n'est pas la peine de les affoler ?

— Gary ne s'affolera pas. Laisse-lui un message. Il faut qu'il soit au courant.

— Tu veux que je me charge de prévenir Jan ?

— Tu peux ? Je n'ai pas le courage.

Elle me donne le numéro de portable de Leon. Je raccroche et j'appelle tout de suite Gary. Comme je tombe sur son répondeur, j'explique brièvement la situation. Après quoi, j'appelle Jan qui décroche tout de suite. À croire qu'elle a son téléphone à la main.

— Allô ?

— Jan, c'est Tom.

— Tu as des nouvelles ? J'attends un coup de fil de Jacinta depuis ce matin. Alex et elle ont passé la journée avec maman.

— Jan, je viens de parler à Jacinta. Maman a fait un malaise au phare, mais tout va bien maintenant.

— Comment ça, « tout va bien » ? Je leur avais pourtant bien dit de ne pas l'emmener là-haut, mais personne ne m'écoute.

— Elle a dit qu'elle allait mieux.

— Ils sont encore là-bas ?

— Non, ils devaient rentrer.

— Qui est auprès d'elle, alors ?

— Leon. Le garde forestier.

— Et toi ? Pourquoi tu n'y es pas ?

— Je suis sur le point de partir, mais je ne suis pas sûr de pouvoir traverser le canal. D'après Jacinta, le ferry va suspendre son service à cause d'un avertissement de tempête.

— Bon, alors si tu ne peux pas faire la traversée, viens au moins ici.

Jan n'a pas envie d'être seule. Elle se fait du souci pour maman et voudrait que je lui change les idées. Ma présence apaisera sa mauvaise conscience. Je cherche une excuse pour me défiler mais je ne suis pas assez rapide.

— Je te fais à manger, me dit-elle.

À Kettering, un vent furieux soulève des vagues gigantesques. Le trafic des ferries est en effet interrompu jusqu'à nouvel ordre. Debout sur la jetée, Jess planquée derrière mes jambes, je regarde les rouleaux et leur panache blanc. Si seulement il y avait un autre moyen de traverser cette mer démontée. Je devrais être avec maman en ce moment et me voilà, idiot que je suis, coincé ici par la météo. Le ferry ne reprendra pas son service ce soir, c'est certain, pas tant qu'il y aura des vagues pareilles.

Lorsque le froid a raison de moi, je rentre rappeler Jan. J'essaye de trouver un prétexte pour ne pas aller à ce dîner dans sa maison solitaire mais elle s'accroche à moi comme à une bouée de sauvetage. Elle fait appel à ma sympathie et finalement, je cède. Je m'extirpe des tentacules de ses remords et appelle Leon. Je lui laisse un message. Avant de raccrocher, je lui donne le numéro de fixe de Jan afin d'être sûr qu'il puisse me joindre. Puis je vais prendre ma voiture, avec Jess.

En me voyant, Jan fond en larmes et pleure sur mon épaule. Je la console comme si j'avais affaire à une enfant. Je lui promets qu'elle pourra aller à Cloudy Bay dès demain, mais elle continue à sangloter. Ses pleurs finissent par m'agacer. Assis à la cuisine, nous buvons tous les deux du thé mais elle seule décharge sa conscience. J'aimerais avoir pitié d'elle, pourtant Jan doit assumer les conséquences de ses actes. Au cours des dernières semaines, je lui ai proposé plusieurs fois de l'emmener voir maman, mais elle était toujours débordée. Ensuite, elle téléphone à Jacinta et Gary en pleurnichant et en faisant des reproches à tout le monde. Il y a de quoi user les nerfs les plus solides.

Nous avons presque terminé la soupe au potiron quand son téléphone sonne. Elle se dépêche de décrocher puis me passe le combiné.

La voix de Leon a beau être presque inaudible à cause du bruit du vent, j'y perçois aussitôt une tension. J'emporte le téléphone dans la chambre, préférant parler tranquillement hors de la présence de Jan.

— Je suis en bas au parking de la plage, dit Leon. Je l'ai laissée quelques minutes mais je pensais que c'était mieux de vous appeler. Elle ne va pas bien, Tom. Elle a tenu le coup devant Jacinta et Alex, mais depuis leur départ, son état s'est aggravé. Je ne sais pas quoi faire.

— Je ne peux pas venir, lui dis-je. Le ferry ne traverse plus.

— Ça va, je reste avec elle, pas de problème, mais je suis inquiet. Elle ne parle plus.

Quoi ? Je tombe des nues. L'instant d'après, je panique.

— Elle sait que vous êtes là ?

— Je crois que oui, dit-il d'un ton hésitant.

Était-ce possible que l'état de maman ait empiré aussi vite ? Jacinta affirmait tout à l'heure qu'elle allait bien.

— Comment allait-elle à votre arrivée ?

— Elle se reposait. Mais elle respire très mal tout à coup, Tom. Ça m'inquiète. On dirait qu'elle n'y arrive pas.

— Écoutez. Je viendrai demain matin à la première heure, même si je dois traverser le canal à la nage.

Je raccroche et retourne à la cuisine. Subitement, Jan est sur mes talons, les joues inondées de larmes.

— Elle va mourir, hein ?

— J'en sais rien, dis-je en la précédant dans la cuisine.

— Oh, non... c'est trop pour moi.

Je la regarde sangloter sans m'émouvoir. Elle veut mon soutien mais je ne peux rien pour elle. J'ai mes propres peurs à dompter.

— Je rentre, lui dis-je.

Elle me suit jusqu'à la porte.

— Demain, je viens avec toi.

— Dans ce cas, il faut que tu passes chez moi de bonne heure. Je prendrai le premier ferry. Tu peux aussi y aller avec Jacinta et Alex.

Au moment de monter dans ma voiture, saisi d'un brusque remords, je me tourne vers ma sœur qui me regarde partir d'un air accablé.

— Attends le deuxième ferry, dit-elle. Ça ne fera aucune différence. Je tiens à prendre ma douche avant.

Je hoche la tête, consterné, et me mets au volant. Notre mère est en train de mourir et Jan ne pense qu'à sa douche.

Il fait nuit noire tandis que je file vers le sud sur l'autoroute. La plus horrible des angoisses pèse sur mon cœur. À Kingston, je bifurque vers l'est et roule jusqu'à la plage. Je me promène. Cela ne sert à rien de rentrer chez moi pour m'enfermer avec des pensées aussi tristes. Un édredon de nuages noirs cache les étoiles. La seule lumière provient des immeubles du front de mer. Ma vision finit par s'accommoder à l'obscurité. J'ôte mes chaussures et marche dans le sable. Jess trottine derrière moi – entre deux déferlements de vague, je l'entends haleter. De temps à autre, elle se met à renifler dans le sable je ne sais quel trésor invisible. Plus je marche, plus la paix à laquelle j'aspire se dérobe.

Je rentre à la maison un peu après 22 heures en regrettant de ne pas pouvoir prendre un avion ou un hélicoptère pour retrouver maman sur l'île. En reconnaissant la Commodore de Nick garée devant chez moi, mon premier réflexe est de continuer ma route. Cela dit, je suis trop fatigué, j'ai envie d'aller me coucher. Emma l'a-t-elle conduite jusqu'ici, ou est-elle venue avec Nick? Si ça se trouve, elle est endormie sur la banquette arrière. Je dépasse la Commodore et remonte l'allée jusqu'au perron, puis je sors dans la faible clarté dispensée par le réverbère.

Dans le silence, sans faire de bruit, Jess et moi montons les marches du perron. Avec un peu de chance, nous réussirons à passer inaperçus. Une forme noire est affalée sur mon paillasson. Trop petite pour être

Nick. Emma ! Jess la renifle et lui donne un coup de langue affectueux.

En me penchant, je respire une odeur de bière. Elle doit être sacrément soûle pour dormir ainsi, la joue contre la brosse rugueuse du paillasson. Je tourne la clé dans la porte. Elle ne bouge toujours pas. Rien ne me serait plus facile que de l'enjamber et de filer directement au lit. Mais il fait froid dehors ; si elle a vraiment beaucoup trop bu, la température de son corps va baisser et elle ne parviendra pas à se réchauffer. Il faut que je la transporte à l'intérieur et l'installe quelque part. J'aime beaucoup cette femme, mais ce soir, je ne veux pas d'elle dans mon lit.

J'allume une lampe dans le séjour, je sors une couverture du placard du vestibule et dégote une bassine dans la buanderie, au cas où elle serait nauséeuse. Je remplis un grand verre d'eau et le place sur le parquet à côté du canapé. Je retourne auprès d'Emma que je secoue avec douceur, dans l'espoir de la réveiller au moins un peu. Elle gémit et se retourne. Ses lèvres sont rouges et gonflées, ses yeux fermés. Je m'agenouille sur le paillasson et noue mes bras derrière son dos. Je la hisse sur ses pieds non sans mal. Je la soutiens, titubante, jusqu'au canapé.

— Tu veux aller aux toilettes ?

— Tom, dit-elle d'une voix pâteuse. C'est toi ?

— Oui, tu es malade.

Elle s'effondre à moitié contre moi.

— Où es-tu ? J'ai forcé Nick à m'amener ici, je voulais te voir, mais tu n'étais pas là.

— J'étais chez ma sœur.

— Pourquoi tu n'étais pas là ? Nick refusait de partir, il voulait t'attendre au pub.

— Et toi, tu as trop bu.

— Oui. Tu m'emmènes au lit avec toi ?

— Tu peux dormir sur le canapé. Mais, d'abord, on va faire un petit tour à la salle de bains.

Je la porte à moitié. Elle ferme les yeux, éblouie par la lumière. Dans la salle de bains, je l'appuie contre le mur.

— Tu tiens debout toute seule ?

— Je sais pas.

Puis, sur un autre ton, elle ajoute :

— Il vaut mieux que je m'allonge.

Je l'emmène dans le séjour, elle s'écroule sur le canapé, sa tête roule sur les coussins.

— Tom, marmonne-t-elle alors que j'éteins la lampe. Et Nick ?

— Quoi, Nick ?

— Il est dans la voiture. Tu peux lui dire d'entrer ? Il va geler dehors.

— Et alors ? Ce soir, je me fiche de Nick. Ma mère est mourante.

— On s'est disputés. Je voulais qu'il parte, il a refusé. Et tu n'étais pas là, répète-t-elle comme si tout était de ma faute.

— Je vais le faire entrer, dis-je. Ensuite, j'irai me coucher.

Heureusement, Nick est capable de marcher tout seul. Une fois qu'ils sont tous les deux effondrés dans deux canapés différents, j'éteins la lumière et je me réfugie dans ma chambre. Je me déplace avec l'impression que l'obscurité est une matière épaisse. Je m'allonge sur mon lit tout habillé, les yeux au plafond. Au téléphone tout à l'heure, Leon disait que maman avait du mal à respirer. J'imagine son visage, pâle et les traits tirés, ses lèvres bleutées. J'entends le bruit sifflant de sa respiration, son essoufflement rauque.

Un vide effrayant s'ouvre en moi. Je vois maman gisant sur ce lit solitaire de Cloudy Bay. Elle est peut-être en train de mourir à cet instant même. J'ai vraiment peur maintenant. Pas pour maman – elle ne craint pas la mort. Non, j'ai peur pour moi. Ces dernières semaines, mes sentiments pour Emma ont pris le pas sur tout le reste ; je pensais que la mort de maman serait ma libération et qu'Emma incarnait mon avenir. Et voilà qu'Emma n'est pas celle que je croyais. Nick est un élément inattendu que je ne peux pas éliminer. D'ailleurs, maintenant, il est sous mon toit.

Jess saute sur le lit et se roule en boule à côté de moi. Je pose ma main sur sa tête ; ses oreilles sont soyeuses sous mes doigts. Le sommeil s'ingénie à me fuir. Je n'aspire qu'à dormir, mais dès que je me sens au bord de l'assoupissement, je me réveille en sursaut, les jambes en proie à des fourmillements. Il faut que je me résigne à passer une nuit blanche.

Je sors promener Jess beaucoup plus tôt que d'habitude. En général, j'attaque ma journée dans la contemplation des volutes qui montent de ma tasse de thé brûlant, mais ce matin, il y a des intrus qui ronflent sur mes canapés.

Il fait froid et sec dehors. Une lueur se lève à l'orient. En descendant la côte, Jess et moi passons devant chez Laura. Les rideaux sont tirés, la maison est plongée dans le noir, elle doit toujours être en train de dormir. Sur la plage, je m'accroupis sur le sable gris et mon regard se porte de l'autre côté du détroit. Des vaguelettes silencieuses lèchent le rivage. L'aube se répand lentement dans le ciel. Deux mouettes se rapprochent en se dandinant, elles se disputent un crabe abandonné par la marée. Jess n'a guère plus d'allant que moi, sans doute la tristesse est-elle contagieuse.

Hier soir, à la demande de Jan, j'ai accepté de prendre le ferry de 9 heures. En attendant, j'aimerais déjà être à Cloudy Bay, roulant sur le sable au soleil levant, bondissant sous l'auvent du chalet vers le chevet de maman. Je lui tiendrais la main. Mais je suis là à arpenter cette plage en espérant entendre démarrer la Commodore de Nick. Laura descend le sentier du bush. Pourvu qu'elle me fiche la paix, me dis-je en longeant le bord de l'eau. Elle s'avance, un petit sourire timide aux lèvres.

— Ça va ? me lance-t-elle.

— Oui.

— Vous avez l'air nerveux à marcher de long en large. Je vous ai vu de la rue. Vous êtes sûr que ça va ?

— Oui, ça va très bien.

Si seulement elle pouvait me laisser tranquille. Mais comment le lui faire comprendre sans la vexer ?

— Ce n'est pas vrai, n'est-ce pas ? Il y a quelque chose qui ne va pas. Je le sens.

Sa gentillesse a fait céder en moi une porte que je tenais soigneusement fermée. Je m'entends lui répondre :

— Ma mère est très malade. Du cœur. Elle est mourante. Elle est sur l'île Bruny dans un chalet. Et moi je suis coincé ici à attendre ma sœur alors que je voudrais déjà être là-bas. J'aimerais être auprès d'elle même si elle ne sait pas que je suis là.

Laura m'écoute avec attention, le regard débordant de compassion. Je suis étonné qu'elle manifeste autant d'empathie à mon égard, mais peut-être ai-je tort de l'être. Avec son frère, elle en a bavé. Soudain, sa présence ne me pèse plus. Au contraire.

— Vous devriez partir tout de suite, me dit-elle. Ne traînez pas. Allez-y.

— Et ma sœur ?

Elle hoche la tête.

— Elle n'aura qu'à se débrouiller. Ne l'attendez pas. Vous devez y aller sans plus tarder.

Elle a raison. Il faut que j'y aille. Une petite voix n'a cessé de me le répéter toute la nuit. Sur le point de courir vers la maison, je me rappelle qu'elle a elle-même de graves ennuis.

— Comment va Mouse ?

— Pas maintenant, je vous raconterai plus tard. Allez-y vite !

Je me dépêche de remonter jusqu'à chez moi. Elle vient de m'offrir quelque chose de précieux : l'autorisation de me faire passer en premier, pour une fois. Avant de disparaître dans le bush, je me retourne pour lui dire au revoir de la main. Je la remercierai plus tard. J'ai le sentiment qu'elle comprend.

À la maison, Nick et Emma ont investi la cuisine. Nick s'est rempli un bol de céréales. Il est en train de se verser du café. En voilà un qui sait faire comme chez lui, me dis-je. Emma est affalée devant le comptoir, un mug et un bout de toast posés devant elle. Elle se tient la tête des deux mains. Il y a sûrement de quoi. Tous les deux puent encore la bière.

Elle se tourne lentement vers moi.

— Tom. T'étais où ?

Je cherche des yeux la clé de ma voiture. Je ne la vois nulle part.

— Je suis sorti marcher un peu.

— Tu as reçu un appel. Un homme. Quelque chose à propos de ta mère.

— Leon ?

— Je ne sais pas. Je n'ai pas bien compris son nom.

Je ne lui cache pas mon impatience.

— Désolée, marmonne-t-elle. Je ne suis pas au mieux de ma forme ce matin.

Je ramasse le téléphone. L'instant d'après, je suspens mon geste et les regarde. Qu'est-ce qu'ils font là, chez moi, à m'observer ? Il faut qu'ils partent. J'emporte le combiné dans ma chambre et je ferme la porte pour ne plus entendre leurs voix. J'ai les mains qui tremblent en composant le numéro de Leon.

Je n'entends pas même une sonnerie et tombe directement sur sa boîte vocale : « Ici Leon Walker, Parcs nationaux de Tasmanie. Merci de me laisser un message, je vous rappellerai dès que possible. »

Il ne doit pas avoir de réseau. Je laisse un message. Ce n'est peut-être pas lui qui a appelé. Gary essayerait-il de me contacter ? Maman se sent peut-être mieux. J'appelle sur le portable de Gary qui décroche en poussant un grognement.

— Gary, c'est Tom.

— Qu'est-ce qu'il y a ? dit-il d'une voix aussi paresseuse qu'un chat qui s'étire.

— Tu m'as téléphoné ?

— Non. Je prends mon p'tit déj'. Tu me connais. Pas de question avant ma première tasse de café.

— Tu n'as pas appelé ?

— Non. Je suis toujours à Melbourne. On essaye de changer nos billets pour avancer notre vol.

Qui peut bien m'avoir téléphoné ? Alex ? Je raccroche et l'appelle mais ce n'était pas lui non plus. Il se prépare à partir avec Jacinta. Je lui demande de passer prendre Jan pour m'éviter de l'attendre.

Je retourne à la cuisine prendre la clé de la voiture. J'évite de croiser le regard d'Emma.

— Tout va bien ? dit-elle.

— Il faut que j'y aille. Tu fermeras à clé en partant.

Emma m'attrape par la main.

— Qu'est-ce qu'il y a, Tom ?

Je la regarde comme si elle était transparente ; comme si je parlais à du vide.

— Ma mère est en train de mourir.

Je retire ma main d'un coup sec. Jess sur mes talons, je sors en vitesse. J'ouvre la portière de la voiture. Soudain, Emma est devant moi, le visage ruisselant de larmes.

— Tom.

Je n'éprouve aucune émotion.

— Je suis désolée, dit-elle. Je ne savais pas. Tu ne m'avais pas dit.

Si, je le lui avais dit, la nuit où elle s'était soûlée au whisky. De toute façon, ça n'a plus d'importance.

— Il faut que j'y aille. Je n'ai pas le temps.

Elle agrippe la porte de la voiture. La clé est dans le contact, je suis prêt à démarrer. Elle paraît horrifiée.

— Je suis tellement désolée. Si j'avais su, tout aurait été différent, je te le jure. Et je te demande pardon d'avoir amené Nick. C'était vraiment pas le truc à faire. Tu m'appelleras quand tu seras rentré ?

— Il faut que j'y aille.

Elle lâche la portière.

— Dis-moi que tu m'appelleras. Je me sens tellement mal.

Je ne peux pas la rassurer. La seule chose qui me préoccupe, c'est la route que je dois parcourir jusqu'à

Kettering, puis sur l'île jusqu'à Cloudy Bay. Rien d'autre n'a plus de sens pour moi.

C'est alors que Nick surgit sous la véranda en agitant le téléphone sans fil.

— Tom ! crie-t-il. C'est pour toi. Un certain Leon.

Je me précipite et monte les marches quatre à quatre en soufflant bruyamment.

30

C'était l'après-midi. Une douce clarté passait à travers la toile des rideaux tirés. Mary était lovée dans un fauteuil, dans la maison de ses parents. Jack était au phare, seul. Rose était partie. C'est ce qu'il lui disait. Elle quittait l'île. Mary en éprouvait un plaisir amer. Après ce qui s'était passé, les Mason refusaient de reprendre Rose à la ferme. Ils avaient toléré sa présence pendant des années, mais là, même pour eux, il y avait des limites à ne pas dépasser.

La lettre de Jack était sur la table basse devant Mary. Il la suppliait de revenir. Elle l'avait lue sans émotion, à croire qu'elle était immunisée contre les sentiments.

Fragile, traumatisée, elle était perdue dans ses rêves. De temps à autre, le craquement du feu de bois lui rappelait vaguement où elle se trouvait. Mais son chagrin de femme trahie et rejetée la replongeait aussitôt dans un douloureux engourdissement. Elle ne savait pas comment s'en sortir.

Un coup frappé à la porte la fit sursauter au point qu'elle renversa sa tasse de thé posée sur le bras de son fauteuil. Elle regarda la tache sépia s'élargir sur la moquette. Un nouveau coup. Elle n'avait pas la force de se lever. Elle était paralysée, les yeux fixés sur l'âtre et la flamme qui sautillait le long de la bûche rougeoyante dans un mouvement de va-et-vient hypnotisant. L'horloge tintait sur le manteau de la cheminée. Le feu crépitait et lançait des lueurs intermittentes dans la pièce. La maison était silencieuse sans les enfants que ses parents avaient emmenés au cirque.

Elle entendit un bruit de poignée que l'on tourne. Un courant d'air la frôla. Des pas résonnèrent dans l'entrée. Puis plus rien. Sans doute le vent et ses sortilèges... Ses paupières étaient lourdes, tellement lourdes.

Dans son rêve, une main tendre touchait ses cheveux, des doigts se glissaient entre ses boucles brunes. Les mêmes doigts chauds et tendres lui massaient le crâne. Tendres, oui, comme personne ne l'avait été avec elle depuis longtemps. Elle avait froid, mais ces caresses la ramenaient peu à peu à la vie. Ces doigts appartenaient à un être bien vivant, au sang chaud.

Tout doucement, les doigts tracèrent des cercles sur ses tempes et des lignes sur son front. Elle sentait sur le dessus de sa tête le souffle délicat d'une haleine, elle entendait le bruit régulier d'une respiration. Les doigts passèrent sur l'arête de son nez, sous ses yeux, autour de ses pommettes, autour de son menton. Ils s'attardèrent sur ses lèvres, les redessinèrent. Son cœur s'affola un peu, elle inspira plus profondément. Elle avait peur d'ouvrir les yeux.

Un bruissement. Une ombre mouvante. Un corps s'interposant entre elle et la lumière chaude du feu, s'agenouillant. Ses mains soudain saisies par des mains puissantes, des paumes brûlantes. Des mains d'homme. Il guida ses doigts sur son visage à lui, les fit suivre le contour de ses joues, de ses yeux, de ses sourcils, les rides de son front. Elle toucha des cheveux – ondulés, longs –, y accrocha ses doigts, en palpa la texture. La poitrine gonflée d'air, sa respiration était légère.

Sa main dans la sienne posée sur des lèvres chaudes, puis ces mêmes lèvres déposant des baisers sur le bout de ses doigts, l'un après l'autre, avec une voluptueuse lenteur.

Elle se réveilla tout à fait, ouvrit les yeux et vit son sourire. Sa bouche comme dans son souvenir. Ses yeux qui la captivaient.

— Comment m'as-tu trouvée ?

— La saison des pommes. Je te cherche chaque année. J'ai guetté dehors et j'ai vu les autres partir.

Il sourit, ses yeux recelant un secret.

— Ta fille te ressemble, en plus ombrageuse, en moins prometteuse. Je te retrouve aussi chez ton fils.

Il leva la main gauche de Mary et l'examina puis il attira sa paume vers lui et y traça des cercles. Les bras de Mary se couvrirent de chair de poule. Face à elle, ce sourire déterminé. Il posa sa bouche sensuelle au creux de sa main. Elle l'attrapa par les cheveux, pour le repousser, mais ses doigts au contact de ces fils de soie faiblirent, descendirent maladroitement vers l'oreille, la joue.

— Qu'as-tu fait ? chuchota-t-elle.

— En venant ici ? En te touchant ?

Elle recula sa main pour la poser sur son cœur qui menaçait d'exploser. Il se pencha en arrière, le sourire aux lèvres.

— Ça fait combien de temps ? dit-il d'une voix de velours. Quel âge a la petite ?

— Elle s'appelle Jan.

— Peu m'importent leurs prénoms.

En effet. Pourquoi aurait-il besoin de les connaître ? Mais cela rappelait à Mary qu'elle avait une vie en dehors de ce qui se passait ici et maintenant, au-delà de la profondeur liquide de ses yeux, au-delà de la chaleur magnétique de sa main sur son genou.

— Jan a treize ans. Gary, onze.

— Ils devraient être mes enfants.

Ses yeux jetèrent des éclairs. Mary eut froid dans le dos. Elle savait, au fond, si peu de chose sur cet homme. Il y avait de la colère en lui. Mais son doux sourire reparut aussitôt.

— Cela fait quatorze ans que je t'ai vue pour la dernière fois. Au parc.

Il pencha la tête et posa un doigt sur son alliance.

— Avec ça, tu m'as torturé, reprit-il. Tu m'as trompé. Tu lui as donné ce qui était à moi.

Les larmes aux yeux, il serra sa main dans la sienne, et elle fut traversée d'un désir brûlant.

— Je suis toujours mariée.

Toujours mariée. Quelle piètre excuse était-ce là ? Heureusement, il ne savait pas tout. Mariée, oui, mais de quelle manière ? Son mari était dans son phare, fantasmant sur une autre femme. Et elle, effondrée dans son fauteuil, avait perdu le goût de vivre.

— Alors, il est où ?

Cette expression triomphante. Il savait. Il se pencha de nouveau, enfonça ses pouces dans sa paume, embrassa le bout de ses doigts. Elle voulut protester, mais il remonta sa manche et caressa l'intérieur de son bras. Comme en transe, elle le regarda faire.

Il la guida vers le canapé. Elle ne lui opposa aucune résistance. Docile, sa volonté étant anesthésiée. Elle avait eu froid et il l'avait réchauffée. Au bord d'un territoire inexploré, elle avait soif de découvertes.

Il commença par tracer des cercles sur sa cuisse avec son pouce. Liquéfiée par le désir, elle était aussi brûlante que le feu et légère que la fumée. La caresse de ses lèvres dans son cou accomplissait la promesse de tous ses rêves d'amour.

Son chagrin fondait sous ses baisers, sa souffrance disparaissait à la façon du sable à travers de la paille. Elle voulait ses mains sur elle. Sous ses vêtements. Qu'il prenne ce qui n'avait jamais été qu'à Jack jusqu'à présent mais qu'elle était en droit de donner à un autre, surtout que Jack n'en voulait plus depuis des années. Il ne la voyait même plus. Avec cet homme, elle se sentait de nouveau vivante. Désirée. Comment cela pourrait-il être une faute ?

Dans sa chambre, elle connut la petite mort qui la fit renaître à la vie. Après, il resta étendu auprès d'elle, apaisé, sa peau collante de sueur contre la sienne. Au lieu de se sentir coupable, elle ne ressentait que de l'allégresse. Ce qu'elle avait fait était bien. Elle n'avait rien à se reprocher, au contraire. Si c'était à refaire, elle le referait, sans un regret.

Un sourire de contentement aux lèvres, il continua à explorer son corps, langoureusement. Peu à peu, ses caresses se firent plus insistantes, plus érotiques, plus profondes. Elle lui appartint encore une fois, se noyant dans un bonheur tout neuf, lâchant enfin la bride à un désir contenu depuis des années.

Plus tard, la joue sur l'oreiller à côté d'elle, il lui parla les yeux dans les yeux :

— Tu ne peux pas savoir comment tu étais à seize ans.

— C'était il y a longtemps.

— Tu étais belle. Belle et innocente... C'est comme ça que tu me parais toujours. Jeune et innocente. La femme de mes désirs, la seule.

— Rien n'est immuable. Personne ne peut avoir seize ans toute la vie.

La tendresse dans ses yeux s'adressait à la jeune fille qu'elle avait été.

— Tu n'as pas à retourner là-bas, dit-il.

Une hésitation, puis elle fit non de la tête. Cet avenir-là était inconcevable, sauf dans ses rêves. Dans la vraie vie, le couple qu'elle formait avec Jack était indestructible.

— Il est le père de mes enfants.

Un air de tristesse obscurcit son visage.

— C'est ton dernier mot ?

Elle lui fit signe que oui.

Il eut un sourire résigné.

— Alors, c'est fini.

Il se leva et essuya le coin de ses yeux avant d'ajouter :

— Je me suis juré que ce serait la dernière fois. Jusqu'à présent, j'ai mis ma vie sur pause : je cueille des fruits, je vais de ville en ville. C'est fou ce que le temps file vite. En un clin d'œil, tu as perdu ta jeunesse et que te reste-t-il ? Rien. J'ai toujours espéré que tu serais un jour à moi. Je me faisais des illusions, pas vrai ? Tu me servais d'excuse pour ne pas m'engager avec une autre. Mais toi, tu n'as jamais cherché à me retrouver. Il faut que j'arrête ces conneries. J'ai encore l'âge de me marier et d'avoir des enfants.

Elle pleurait à chaudes larmes, pour elle, mais surtout pour lui. Elle lui ouvrit les bras. Il lui fit l'amour, se rhabilla et s'en alla sans un mot.

Elle était couchée sur le dos avec la sensation que ses jambes pesaient des tonnes. Il y avait de la lumière et très loin, un murmure de voix, une conversation. La lumière s'éteignit. Se ralluma. Une lumière aveuglante.

Elle rêva d'une voix vaguement familière. « C'est le soleil, Mary. Regarde, il est sorti du nuage. »

Le soleil ?

Il faisait de nouveau noir. Et froid. Elle aurait bien voulu dire quelque chose mais tout chez elle était d'une lenteur... d'une telle pesanteur. Elle aurait voulu ouvrir les yeux, mais c'était au-dessus de ses forces.

Lumière, obscurité, sons, respiration. Tout était lourd.

Une voix qui parlait, un souffle rauque. « Nous sommes dehors, Mary... Tiens, tu vas t'asseoir. Je vais poser mes mains sur tes yeux... Revoilà le soleil, éblouissant. »

Elle percevait vaguement des mouvements ; quelqu'un déplaçait ses bras et ses jambes, redressait son buste. Elle s'appliqua à ouvrir les yeux. Une image floue flotta devant elle. Bleue et grise, ombre et brouillard.

« Tu es sur la plage, Mary, dit la voix. Je t'ai amenée ici pour que tu voies le ciel. Je voulais que tu sentes le vent. »

La lumière s'éteignit, laissant la place à la grisaille. Elle crut entendre un bruit rocailleux. Ou était-ce juste une sensation ? Un gargouillement. Un grondement sourd.

Elle était tétanisée. Son corps lui résistait, elle était en train de se dissoudre dans la terre. Le froid l'envahissait lentement. Un froid terrible. Sa chair ne lui appartenait plus.

Elle parvint à rouvrir les yeux et distingua ce qui ressemblait au contour d'un visage dans un bain de vapeur cerné de cheveux roux. Ses paupières se refermèrent, et l'obscurité reprit ses droits.

« Mary. C'est moi. Je suis ici pour m'occuper de toi. »

Jack était auprès d'elle. Il la tenait dans ses bras. Il était fort. Il lui pardonnait tout. Même ce qu'il ignorait. Il fallait qu'il lui pardonne. Elle avait besoin de son pardon.

« Tu sens le vent sur tes joues, Mary ? »

Le vent. Oui, le vent. Ils avaient, ensemble, habité le vent. Mais à présent, elle ne le sentait pas. Elle ne sentait rien. Juste une lourdeur. Un énorme poids. La sensation de glisser. Le jour baissant. Des éclairs lumineux éclatant.

494

« Je t'avais promis de t'emmener ici, n'est-ce pas ? »

Le souffle de Jack sur son visage. La tête de Jack à côté de la sienne sur l'oreiller. Elle avait toujours aimé sa présence à côté d'elle. Ce réconfort sans pareil.

Un défilé d'ombres. Puis la voix reprenant, à la manière d'un écho. « Les nuages font la course, Mary. Un vent violent s'est levé. Ce sont des cirrus. Un grain est à l'approche. »

Elle força ses paupières à se soulever. Au-dessus d'elle, le ciel du cap Bruny. Ce gris qu'elle connaissait si bien et qu'elle aimait. La couleur de sa maison du Sud : le miroitement sans fin d'une lumière d'argent.

Avec l'impression d'avoir la tête légère, elle attendit le retour des ombres sautillantes.

« C'est un gros nuage cette fois. Il nous faudra attendre que le soleil veuille bien ressortir... Tu as assez chaud ? »

Avec ses bras autour d'elle, comment aurait-elle pu ne pas avoir chaud ?

Les éclairs de lumière et d'obscurité. Le froid du vent. Légèreté. Lévitation.

« Mary. Le soleil est ressorti. Tu le vois ? »

Une chaleur étrange se propagea en elle. Jack lui tendant les bras. Les caresses d'Adam.

Le chaud fut remplacé petit à petit par le froid. Mais elle n'avait pas peur. Elle n'avait rien à craindre. L'air autour d'elle luisait.

Un son, une sorte de fredonnement. Sans doute Jack. Non, pas Jack. C'était tout autre chose. C'était le rythme de la vie. Il chantait en elle. Le vibrato

du monde. Le bonheur de savoir que Jack l'attendait. Et Adam. Le soulagement du lâcher-prise final.
Sachant que chacun est heureux à sa manière. Comme
elle l'avait été.

Le fredonnement.

La lumière.

Oui. Elle voyait. La lumière du soleil. Immense.
Belle.

Oui, Jack, j'arrive.

QUATRIÈME PARTIE

La résurrection

— Un certain Leon. Il dit qu'il appelle de Cloudy Bay.

Nick me tend le téléphone alors que je me rue sous la véranda.

— Merci, ajoute-t-il. On se casse. J'espère qu'il n'y a pas de problème.

Dès l'instant où mes doigts serrent le combiné, j'oublie jusqu'à l'existence de Nick. C'est avec la plus complète indifférence que je le vois faire monter Emma dans sa voiture.

— Allô ? dis-je en retenant mon souffle.

— Tom.

— Oui ?

— Je suis désolé... elle est partie.

Il a la voix d'un homme épuisé, vidé, perdu.

— Partie ?

— Oui. Tout à l'heure. Sur la plage.

— Sur la plage ?

J'ai l'impression que ma voix me revient à la manière d'un écho, lointaine, comme dans un coquillage vide.

— Comment vous l'avez sortie ?

— Je l'ai portée. Je le lui avais promis. C'est elle qui me l'avait demandé. Elle disait qu'elle ne voulait pas être prise au piège sous un toit. Elle voulait être en plein air sous la voûte du ciel.

— Elle vous a dit ça ?

— Il y a une semaine. Au cours d'une conversation.

Je me laisse couler sur le plancher de la véranda. Jess s'appuie contre mon bras, sa chaleur me donne du courage.

— Où est-elle maintenant ?

— Dans son lit. Je l'ai couchée sous les couvertures... pour qu'elle n'ait pas froid. Je sais que c'est bizarre, mais j'avais peur qu'elle prenne froid...

Sa voix s'éteint et un long silence s'ensuit. Je n'arrive pas à comprendre. Ma mère est morte. J'étais sur le point de partir pour la voir. J'allais m'asseoir à son chevet et lui tenir la main. Il est trop tard.

— Qu'est-ce qu'on fait ? finit par demander Leon. Qui faut-il appeler ?

— Je ne sais pas. Je vais me renseigner. Et j'arrive. Je serai là dès que possible.

— Je reste avec elle en attendant.

Il raccroche. Je téléphone d'abord à Jan, puis à Gary. Jan est effondrée, en pleurs, hystérique. Elle s'y est prise trop tard, se reproche-t-elle. Gary réagit de manière plus rationnelle. Il dit qu'il s'attendait à quelque chose de ce genre ; maman avait tellement mauvaise mine l'autre jour. Je le prie de se renseigner sur ce qu'on doit faire du corps. Je trébuche sur

500

les mots. Le corps. Le vocabulaire de la séparation. Le corps déconnecté de la vie, séparé de toute forme de communication et d'amour. J'ai la nausée.

J'appelle Jacinta. Alex et elle sont en route pour aller chercher Jan. Jacinta garde le silence. Elle est sous le choc. Je bégaye quelques paroles qui ne veulent rien dire et je raccroche.

Reprenant conscience de ce qui m'entoure, je trouve à cette belle journée ensoleillée et à ces ombres mouvantes quelque chose d'absurde et de grotesque. Je jette un coup d'œil à la rue – la Commodore a disparu depuis longtemps. Cela me paraît invraisemblable qu'Emma et Nick aient été chez moi. Tout est si étrange : la mort de ma mère, Emma ivre sur mon perron hier soir, Nick endormi sur mon canapé. Je pose mon menton sur mes genoux et j'entoure mes jambes de mes bras en serrant très fort. Le fait que tout semble si normal me bouleverse. Les arbres, les feuilles frissonnantes, le ciel, les nuages joufflus. Comment est-ce possible ? Comment la vie peut-elle continuer comme avant alors que ma mère n'est plus ?

Je me lève et descends lentement la colline avec Jess sur mes talons. On monte dans la voiture.

À bord du ferry, je laisse Jess dans la voiture et monte sur le pont avant. Je me penche par-dessus les barres d'appui glacées du garde-fou. Sous mes pieds, le navire tressaute et vibre. La lumière scintille sur l'eau. Je respire au rythme des moteurs, m'efforçant

501

de faire le vide dans mon esprit, de ne faire qu'un avec l'univers, de ne pas avoir d'existence. Des rafales balayent la proue alors que le ferry vire au sud de Kettering pour amorcer la traversée du canal d'Entrecasteaux.

Plus près de Bruny, le vent forcit encore, la mer est mauvaise, je suis éclaboussé par les embruns. Par un temps pareil, je devrais avoir froid mais je suis seulement engourdi. J'empoigne la rambarde en essayant de laisser venir l'émotion, de ressentir de la douleur, du chagrin, de la tristesse. Quelque chose.

Quand je lâche enfin la rampe métallique et retourne à ma voiture, mon corps est comme rigidifié. Un grand frisson glacé me traverse et je me mets à grelotter sans pouvoir m'arrêter. Mes mains tremblent tellement que je n'arrive pas à enfoncer la clé.

Jess lève vers moi un regard triste. En général, elle saute sur le siège passager pour réclamer une caresse, mais aujourd'hui elle reste prostrée sur le plancher. Elle renifle la main que je tends vers elle et me lèche prudemment les doigts. Sa langue est douce et chaude sur mes doigts glacés. Je les fourre sous mes aisselles et regarde droit devant moi. Mon haleine est en train de recouvrir le pare-brise de buée.

North Bruny a défilé comme un songe et je ne me rappelle même pas avoir débarqué du ferry. En traversant le Neck, je remarque que le ciel est chargé ; il ne laisse percer aucun rayon de soleil. Un ciel de circonstance.

Je suis les virages de la route de South Bruny qui alterne des sections gravillonnées et des sections goudronnées. Alonnah – l'école, l'aire de jeux, la poste. Ensuite je roule jusqu'à Lunawanna à travers les grands bancs de vase où sont rassemblés des troupeaux de mouettes. Je bifurque vers l'est et Cloudy Bay, je passe devant le magasin puis longe des cottages. Les cheminées fument. Les gens mettent à sécher leur linge sous les auvents. À Cloudy Bay, je me gare sur le parking de Whalebone Point. Le bout de plage entre ma voiture et le chalet où repose le corps de ma mère me paraît soudain infranchissable.

À l'extrémité du parking, je tourne la tête vers le Grand Sud. L'horizon s'étire entre les deux promontoires rocheux qui enlacent la baie comme deux longs bras. Rien ne fera taire l'appel de la mer. Au bord du sable, les déferlantes sont teintées de rouge. Nulle part ailleurs qu'ici je n'ai assisté à ce phénomène : la couleur du sang injectée dans les vagues jaillit avec l'écume au moment où elles se gonflent avant de se briser. Aujourd'hui, j'y vois la vie de ma mère qui s'échappe. D'un pas chancelant, je gagne le sentier et marche vers l'ouest jusqu'à un banc humide sur lequel je m'assieds. La tête dans les mains, je presse mes paumes contre mes yeux et je chute sans fin dans des spirales de couleurs.

Le temps se ratatine. L'océan gronde, mon cœur bat – deux rythmes différents. Finalement, les larmes viennent ; encore un autre rythme, celui-ci prenant sa source dans les profondeurs de ma poitrine, dans l'apnée de mes sanglots, dans le néant logé au creux de mon estomac. Je me vautre dans les pleurs comme d'autres dans la boue, toute pensée a disparu.

Soudain, je sens une truffe mouillée contre mes mains. Une langue me lèche, un coup rapide sur mes doigts. Je soulève les mains.

Jess me dévisage sans fléchir. Mon chagrin ne l'effraie pas. Je pose ma main sur sa tête et caresse la soie de ses oreilles, puisant du réconfort au contact de sa chaleur.

Lentement, nous retournons à la voiture.

Le chalet se trouve tout au bout de la plage.

Le 4 × 4 de Leon est garé sur l'herbe, je me range à côté de lui. Jess galope autour de la pelouse, le ventre lesté de sable après sa course sur la plage à côté de la voiture. Je sors une vieille serviette du fouillis sur le siège arrière pour l'essuyer.

Elle bondit sous la véranda où Leon se tient appuyé à la balustrade, le teint livide. Je lui tends la main qu'il serre fort dans la sienne. Il opine de la tête en voyant mes yeux rougis.

— Vous avez réussi à venir, dit-il en lâchant ma main.

— La traversée a été plutôt mouvementée.

— La nuit aussi, réplique-t-il d'une voix rabotée par l'émotion.

— J'aurais dû être là. J'aurais dû me mettre en congé il y a une semaine pour m'occuper d'elle.

Leon hausse les épaules : il ne veut pas m'offenser.

— Elle a évoqué cette possibilité, dit-il, mais en fait elle ne voulait personne auprès d'elle. Elle a été tout à fait ferme sur ce point.

— Vous ne pensez pas qu'elle souffrait de sa solitude ?

— Non.

— Nous aurions peut-être dû appeler un médecin, dis-je, soudain en proie à un sentiment de culpabilité.

— Elle ne voulait pas prolonger les choses.

Je sais que c'était ce qu'elle voulait, mais j'ai besoin de me l'entendre dire. Il avait été trop difficile de discuter de cela avec elle. À présent, j'ai l'impression de ne servir à rien. Leon a réussi à être plus proche d'elle que moi. Il pousse un gros soupir. Il a les larmes aux yeux.

— Elle était mon amie.

Je lui tapote l'épaule – je ne vois pas ce que je peux faire d'autre.

Jess gémit doucement et je jette un coup d'œil à la porte d'entrée.

— Je devrais entrer.

J'hésite mais j'entre quand même. Leon me suit.

Il fait chaud dans le séjour, l'air est étouffant. Le feu rougeoie dans le poêle à bois. Le calorifère au gaz marche à fond. J'enlève quelques couches de vêtements.

— Il fait chaud ici.

Leon tourne vers moi un visage hagard.

— Elle avait froid.

— Oui, mais là, elle va fondre.

Ses lèvres tremblent.

— Je n'ai pas pensé à ça.

Pendant que j'ouvre les fenêtres, il ferme l'arrivée d'air du poêle et coupe carrément le calorifère. Jess est assise devant la porte de la chambre et continue à gémir.

— Elle sait, dit Leon. Les chiens savent tout.

Je passe la tête dans la chambre et retiens mon souffle. Jess lève les yeux. Nous nous coulons tous les deux dans la pièce.

Il fait noir. Maman est couchée sur le lit qui se trouve près de la fenêtre. Dans la clarté vacillante d'une bougie posée sur la table de chevet, elle semble appartenir à un autre monde. Son visage est cireux, gris, ses yeux regardent le vide. Une curieuse odeur imprègne l'air, un peu rance. Leon lui a remonté les couvertures jusqu'au menton. Je caresse sa joue avec le dos de ma main. Jess pousse un gémissement. La peau de maman est aussi froide et élastique que du plastique. Ma poitrine se serre. Je m'assieds au bord du lit et passe la main sur les couvertures. Maman est tellement plate là-dessous. Décharnée. Absente. Le silence qui plane dans la pièce est oppressant ; l'absence de mouvement, de respiration. Je ploie le cou et je pleure. Jess tourne en rond nerveusement. Maman n'avait pas le droit de mourir sans moi. Je voulais être là auprès d'elle. C'est la promesse que je m'étais faite. Je l'ai laissée tomber.

Tout à coup, j'ai besoin de parler. Je voulais déjà lui dire tout ça pendant qu'elle était encore de ce monde.

La remercier pour tout – mon enfance, son amour, sa patience à mon égard.

— Maman, dis-je doucement. Je suis là... C'est moi, Tom.

Je soulève un peu la couverture pour toucher son bras. Il est froid, dur, lourd. Je ferme ma main sur la sienne et la soulève. Je voudrais nouer mes doigts aux siens et les réchauffer. Je voudrais lui rendre cette énergie qui l'a habitée pendant soixante-dix-sept ans. L'émotion me prend à la gorge. Je ne peux plus parler. Il faut que je me ressaisisse.

— Maman, tu es venue ici pour te préparer, n'est-ce pas ? Tu as envoyé des messages à papa. Tu l'as peut-être trouvé, maintenant. Je ne saurai sans doute jamais. S'il est quelque part, il est avec toi.

« Tu as été une mère formidable, tu sais. Personne n'aurait pu faire mieux. Quand je suis rentré d'Antarctique, alors que tu avais assez de choses sur le dos, après le décès de papa, c'est toi qui m'as soutenu. Je n'aurais pas pu m'en sortir sans toi... Tu n'as jamais attendu des explications de ma part. C'est rare. Tu m'as toujours accepté tel que je suis...

J'essaye de réchauffer ses doigts glacés.

— C'était merveilleux de grandir au phare, maman. Tu sais combien je l'aimais ? Exactement comme toi. Je te remercie de nous avoir accordé cette chance. Tu as été le roc de la famille. Je ne sais pas ce que je vais devenir sans toi.

« Mais surtout ne t'inquiète pas, maman. Ça va aller pour moi. Je m'en sors mieux depuis quelque temps.

Ça n'a pas marché avec Emma, mais je vais de l'avant. Je ne passe plus mon temps à m'esquiver. Ça va aller. Pour Jan aussi, ça va aller. Elle a Jacinta. Et Gary est un brave garçon. Le plus robuste d'entre nous.

Je laisse échapper un petit rire étouffé.

— Mon seul regret, c'est de ne pas t'avoir assez interrogée sur papa.

Je baisse la tête. Une larme roule sur sa main. Pendant tant d'années, je me suis tu, et maintenant qu'elle est morte, je trouve tous ces mots. Je murmure :

— J'aurais aimé en savoir plus sur lui. Je crois qu'il m'aimait. J'en suis sûr. Mais il a été dur, maman. Pas facile à aimer, pas comme toi. Ce n'est sans doute pas évident d'être un enfant. Un enfant n'a pas assez confiance en lui pour prendre des initiatives. Si j'avais été plus cool, j'aurais pu passer avec lui autant de temps que Gary.

Ma voix s'éteint. Je regarde les doigts de maman.

Mon meilleur souvenir de papa : j'avais huit ans ; il m'avait enseigné comment fonctionnait un moteur. En quelques après-midi, il m'avait montré comment démonter et remonter un générateur. On ne parlait pas beaucoup, mais ça ne me gênait pas, au moins je faisais quelque chose avec lui. Je suppose que c'était sa manière à lui de me donner des leçons de vie. C'est lui qui m'a initié à la réparation des machines.

C'était un curieux bonhomme, mon père. Il prenait au sérieux des choses incongrues. Je me rappelle que les jours où le vent était vraiment trop froid, il jouait avec moi au Monopoly. Il adorait gagner :

avec quel air triomphant il plaçait des hôtels sur ses terrains. À part dans ces moments-là, je ne l'ai jamais vu content. Ah, si, quand on allait pêcher dans la crique. Il attrapait des poissons alors que moi, rien. Un jour, on pêchait à la ligne. Ma ligne n'arrêtait pas de s'emmêler et de casser. Il devait tout le temps remonter l'hameçon, et au bout du compte, nous sommes rentrés bredouilles. Il était de si mauvaise humeur qu'il n'a pas desserré les dents de toute la soirée et est allé se coucher immédiatement après le dîner.

Mes larmes tombent sur les draps. Je suis au chevet de ma défunte mère, et à quoi est-ce que je pense ? À mon père.

— Maman, j'ai passé tant de bons moments avec toi. Tu te souviens de nos promenades dans la lande quand on observait les oiseaux ? Les méliphages à calotte fauve, c'étaient mes préférés. Et quand on s'asseyait en haut de la falaise pour regarder les dauphins chasser en groupe en fonçant dans les bancs de poissons. Le vent soulevait ta chevelure. Tu avais l'air si sereine, comme si ton cœur lui-même chantait.

« Tu as eu une belle vie, maman. Pas toujours une vie heureuse, sans doute. Aucune ne peut l'être totalement. Et ce sont les épreuves qui vous forgent le caractère. Ces épreuves que j'esquive depuis trop longtemps maintenant, n'est-ce pas ? Mais c'est fini. Je vais me remettre à vivre, maman. Comme tu voulais que je le fasse. Je t'aime...

Ma voix se brise et je me tais. Je reste là, à tenir la main de maman, à contempler sa bouche entrouverte, le masque immobile et inexpressif de son visage.

Les rideaux se gonflent sous l'effet du vent qui s'insinue dans l'encadrement de la fenêtre et la lumière du jour inonde la pièce. La flamme de la bougie vacille et se tord dans le courant d'air.

Maman n'est plus là et je ne peux rien y faire.

Je finis par sortir de la chambre. La porte d'entrée est ouverte. Leon est affalé sur le banc de la table de pique-nique de la véranda. Je me plante devant l'océan, les mains sur la balustrade.

— Ça va ? me demande Leon.

Je réponds par un haussement d'épaules.

— C'est moche de dire au revoir aux gens qu'on aime, dit-il en passant sa main dans ses cheveux. Elle m'a beaucoup aidé, votre maman. Elle m'a écouté. C'est une chose rare. En général, les autres sont trop préoccupés par eux-mêmes pour vous prêter une oreille attentive... Votre maman était quelqu'un d'exceptionnel.

— Oui, c'est vrai, elle avait du cœur.

— Et du courage. Il en fallait pour venir seule ici dans son état.

— Elle savait ce qu'elle faisait.

— Et vous avez dû avoir du mal à l'accepter, sachant à quoi elle s'exposait.

Je me rappelle Jan me faisant des reproches lors d'une de nos conversations téléphoniques.

— Sa décision a engendré quelques conflits chez nous, c'est certain... Je suppose qu'elle vous a aussi parlé de mon père...

— Oui, et de sa vie au phare. Elle adorait cet endroit. Il paraît bien solitaire maintenant sans elle.

— Elle avait confiance en vous. Vous avez été là pour elle.

Leon lève des yeux embués de larmes.

— Quand j'ai vu qu'elle était au plus mal, j'ai fait de mon mieux pour être plus présent. Je ne la connaissais que depuis quelques semaines. Pourtant, elle savait mieux que ma propre mère qui j'étais.

Ma poitrine se contracte d'émotion. Je me détourne pour ne pas pleurer. Le silence s'installe et se prolonge. Finalement, je le pousse à aller se dégourdir les jambes sur la plage. Il a veillé ma mère toute la nuit. Cela suffit. En descendant les marches du perron, il se retourne brièvement et je vois la souffrance de ces dernières dix-huit heures imprimée sur son visage. Je lui adresse un signe de tête pour lui exprimer ma gratitude. Il s'éloigne dans les dunes. À cet instant, un 4 × 4 se matérialise sur la plage. Il fonce vers le chalet dans une gerbe de sable. Jacinta et Alex. Ils amènent Jan avec eux. Jan et son tonneau de remords et de chagrin. Ils arrivent au bon moment : Leon en a assez bavé comme ça.

33

La semaine qui suit la mort de maman s'écoule dans la frénésie des préparatifs pour les funérailles. On pourrait croire que la perte d'un parent rapproche les enfants. Chez nous, ce n'est pas le cas. Maman était l'élément fédérateur de la famille. Sans elle, les liens entre nous se distendent. En dépit de la tristesse qui ronge chacun d'entre nous, la vie nous sépare comme des plumes au vent. Jan se morfond dans la culpabilité. Gary se replie sur son égoïsme. Et moi, je fais ce que je fais toujours en cas de crise – je me retire dans le silence et me tourne vers la nature pour y puiser des forces – le vol d'un oiseau, les jeux de la lumière sur l'eau, le son du vent dans les feuilles.

Nous subissons quelques réunions pénibles afin de prendre toutes sortes de décision, du choix d'un célébrant aux vêtements mortuaires en passant par la musique et les arrangements floraux.

Laura se présente, toute timide, sur mon perron avec un bouquet de lys et repart tout de suite. Je ne suis pas encore capable de supporter la compagnie des autres. Je suis soulagé de voir qu'elle respecte mon besoin de solitude. Le matin, elle nous observe, Jess et moi, de sa fenêtre, quand nous descendons par le sentier de la plage. Elle nous fait de grands signes et je lui réponds par un signe de tête. Ce n'est pas déplaisant de savoir qu'une personne remarque mon existence. Je me sens moins seul. Souvent, lorsque je suis à la maison et que je regarde le détroit par la fenêtre, je la vois partir en voiture. Peut-être va-t-elle rendre visite à Mouse.

Avant les funérailles, je vais voir maman dans son cercueil dans la salle sombre du crématorium. Le silence est tel que j'entends seulement le bruit de mes pas sur les dalles d'ardoise et le souffle morne de ma respiration. Le couvercle de la bière est ouvert. Il n'y a rien à craindre, pourtant, mon cœur bat la chamade et mes paumes sont moites.

Ils l'ont vêtue d'une jolie robe – sélectionnée par Jan dans l'armoire de maman. Ses joues ont été gonflées artificiellement et ses lèvres étirées en ce qui ressemble à un sourire. Elle a été soigneusement maquillée – poudre et rouge à lèvres. Ses yeux ont été fermés. Ce n'est pas le visage de ma mère. Il n'y a devant moi qu'une absence, rien de ce que j'ai connu d'elle pendant sa vie n'est là.

La vue de maman fait ressurgir la douleur de mon retour d'Antarctique. Cela me rappelle les deuils éprouvés à l'époque. Mon père. Mon départ du pôle Sud. Mon mariage.

Debbie n'avait accepté de me revoir que trois mois après mon débarquement à Hobart. Quand je lui téléphonais, elle m'éconduisait à chaque fois sous toutes sortes de prétextes. J'étais toujours traumatisé par la brutalité de cette séparation que je vivais comme une implosion. Debbie le percevait dans le ton de ma voix, bien sûr, mais je ne m'en rendais pas compte, tant je voulais reprendre pied dans la société telle qu'elle existait hors de l'Antarctique. Je n'avais pas pris la mesure de ma détresse. Je ne savais pas à quel point j'étais inadapté.

Debbie avait finalement accepté un rendez-vous dans un bistrot à proximité de Constitution Wharf. Hobart s'enfonçait déjà dans l'hiver. C'était une de ces journées grises – je m'en souviens comme si c'était hier. Assise en face de moi, elle buvait un café au lait à petites gorgées. Son regard était fuyant.

Il fallait bien avouer qu'elle avait bonne mine. Les joues roses, les lèvres pleines, rouges. Elle avait l'air gêné, mais était souriante – elle avait toujours eu le sourire facile. Elle était manifestement heureuse avec celui qui m'avait remplacé, elle se sentait aimée. Avec moi, je ne crois pas qu'elle avait jamais été aussi épanouie.

— Comment ça va ? me demanda-t-elle.

En fait, elle n'avait pas envie de le savoir. Je lui répondis donc par un mensonge :

— Je vais bien.

— Je suis désolée pour ton père. C'était un type bien. Tu es comme lui, tu gardes tout pour toi.

514

Cela me déplaisait de l'entendre me comparer à mon père. Je ne voulais pas parler de lui.

— Je t'aime, Debbie. Donne-nous une seconde chance. C'est trop bête, cette histoire d'Antarctique. Cela ne devait pas se terminer comme ça. Nous étions bien tous les deux avant mon départ. On avait fait des projets. Des choses qu'on voulait tous les deux. Je peux être l'homme de ta vie. Je suis prêt à changer.

— Tu n'as pas beaucoup donné du tien quand tu étais là-bas. Ce que tu m'écrivais dans tes e-mails... C'était magnifique. Mais ça n'arrangeait rien. La séparation n'en était que plus flagrante. Je me sentais tellement seule. Qui eût cru qu'on pouvait autant souffrir de la solitude au milieu d'une ville pleine de gens ? J'avais l'impression que tu vivais sur une autre planète. Tu cherchais à partager avec moi ce qui t'arrivait là-bas, mais ce n'était pas possible. Seuls ceux qui y sont allés comprennent. Comme seuls ceux ou celles qui sont restés à la maison savent combien on souffre d'avoir été abandonnés.

Je voulus lui prendre la main, mais elle se dépêcha de mettre ses deux mains sous la table.

— Regarde-toi. L'Antarctique a toujours une emprise sur toi. Quelque part, tu es toujours là-bas. Je le vois à la drôle de lueur dans ton regard, quelque chose de sauvage. Ça me fait peur.

Si une lueur sauvage brillait dans mes yeux, ce n'était sûrement pas à cause de l'Antarctique.

— Je voudrais que l'on revive ensemble. Je n'ai jamais cessé de t'aimer. Tu ne le vois pas ?

Elle porta la tasse à ses lèvres, but une gorgée puis la reposa sur la soucoupe, toujours en évitant de croiser mon regard. Désespéré, j'embrayai sur des reproches :

— Pourquoi as-tu laissé notre relation s'effilocher ? Tu aurais pu m'avertir que tu t'éloignais de moi. Je ne pouvais pas deviner. Si j'avais su, j'aurais réagi.

Avec un sourire triste, elle hocha la tête.

— Qu'est-ce que tu aurais fait ? Tu étais loin.

— Je serais rentré. J'aurais pris le premier bateau et je serais revenu auprès de toi.

Elle ne sembla pas comprendre.

— Et ton boulot ?

— Au diable, le boulot. Nous avions notre mariage à sauver.

L'espace d'un instant, elle eut l'air choquée, à croire que cette possibilité ne lui avait jamais traversé l'esprit. Puis elle se renfrogna. Tout à coup, je me dis que ce rendez-vous était une erreur. Je n'étais pas encore remis et elle était en train de m'achever. Pourtant, je devinais dans ses yeux l'ombre d'un secret.

— Qu'est-ce qu'il y a ? Tu me caches quelque chose, n'est-ce pas ? Quelque chose que je devrais savoir. Dis-moi, je t'en prie. Cela m'aidera peut-être à comprendre.

Elle baissa la tête et contempla ses genoux.

— J'aurais préféré ne pas en parler. Je ne veux pas te blesser. Ça ne changera rien pour nous.

Elle détourna le visage, les yeux fixés à travers la vitre sur les vieux bateaux de pêche amarrés à la jetée.

J'attendis. Son visage perdit son éclat, ses yeux se remplirent de larmes. Elle finit par me regarder.

— J'étais enceinte, Tom. Je m'en suis aperçue deux mois après ton départ. Je me sentais tellement mal, si seule. Et tu étais loin. Je ne comprends pas ce qui se passe dans un couple quand l'un des deux se trouve là-bas, en Antarctique. C'est comme si l'autre avait un deuxième amour. La glace l'ensorcelle. Je le percevais dans tes e-mails, dans tes superbes descriptions de ce lieu magique. Tu baignais là-dedans avec tous ces gens que je ne connaissais pas. Des gens qui ne comptaient pas pour moi. Mais tu ne pouvais rien partager avec moi... cet attachement pour un endroit qui m'était étranger... Et puis il y avait cette chose qui grandissait en moi. Un enfant qui n'avait pas été programmé... Alors qu'entre nous deux il y avait cette distance. Ces silences. Tous ces jours vides. C'était trop pour moi. Je ne pouvais pas traverser seule cette épreuve.

Elle était livide à présent, les traits crispés.

— Je me suis fait avorter, Tom. C'était ce qu'il y avait de mieux pour nous deux. Je ne pouvais pas te demander de rentrer. Je ne savais même pas vraiment si je tenais à te revoir. J'avais l'impression de ne plus te connaître. Pour moi, tu étais perdu. Oui, perdu.

Ses paroles m'avaient pétrifié. Je les entends encore aujourd'hui. La mort de ma mère. La mort de mon père. Debbie m'apprenant qu'elle s'est fait avorter de notre futur enfant.

La mort, encore et toujours.

34

Le jour des obsèques, il fait gris et le ciel est chargé.
Au début, nous ne sommes qu'une poignée, silencieux et tendus, agglutinés devant le crématorium.
Des voitures arrivent et se garent en épi sur le parking. Des gens vêtus de sombre en descendent et
traversent à pas lents la pelouse dans notre direction.
Certains visages sont familiers, d'autres non.

Jan, Gary et moi nous tenons debout l'un à côté de
l'autre comme si quelqu'un nous avait placés ainsi,
à la manière de nains de jardin. J'ai la sensation que
je porte un masque, un masque aussi froid que celui
de maman. La foule grossit autour de moi. Certains
pleurent. Des vieilles dames que je n'ai jamais vues
me serrent dans leurs bras. De quelque côté que je
me tourne, quelqu'un m'exprime toute sa sympathie.
Je suis pareil à un roc dans la tempête, centré sur mon
calme intérieur pendant que les vagues s'écrasent tout
autour de moi.

Jacinta, qui est celle d'entre nous à avoir été le plus
proche de maman ces dernières années, reste pendue

au bras d'Alex. Elle est pâle et défaite. Judy est prudemment collée à Gary. Elle reste à distance de Jan. À voir ma sœur, on pourrait croire qu'elle est la seule à porter le deuil. Une véritable fontaine. Alex éloigne Jacinta doucement de Jan. L'assemblée au complet est accablée de tristesse. Il y a tant de personnes ici qui connaissaient et admiraient ma mère. Elles ont fait partie d'une vie dont j'ignore tout. Au fond, on comprend mal ses parents. On les sous-estime.

J'ai connu votre maman au magasin caritatif. C'était une femme formidable. Elle donnait beaucoup d'elle-même.

Votre maman et moi nous sommes occupés de livrer des repas aux déshérités, il y a des années de cela. On ne se voyait pas souvent, mais on ne se perdait pas de vue. Elle était très fière de tous ses enfants.

Mary me manque horriblement. C'était une bonne amie.

On a joué aux boules jusqu'à ce que son arthrite l'en empêche. Mais elle participait quand même. Elle nous faisait du thé et nous servait des gâteaux. C'est comme ça qu'elle était. Serviable.

C'était un pilier de la communauté... Une personnalité... Elle aidait tout le monde... Pas égoïste pour un sou.

J'appartiens au club de bridge. Votre mère était une championne. Elle me battait chaque fois à plate couture. Je ne sais pas comment elle faisait.

Je suis étonné par le nombre d'amis et de fans que maman avait. En dépit de ses années d'isolement au cap, elle avait perpétué un esprit civique. Sans doute s'était-elle engagée dans toutes ces choses à son retour à Hobart avec papa. Ce n'était pas son genre de rester dans son coin à se tourner les pouces. Fichue arthrite qui avait mis un terme à toute cette activité !

J'aperçois Leon à l'écart de la foule. Il attend son tour pour me parler. Lorsque nos regards se croisent, il m'adresse un petit sourire amical. Il a une mine effroyable. Nous échangeons une poignée de main et il me serre brièvement le bras. Le souvenir de la journée où nous nous sommes vus la dernière fois plane entre nous ; maman gisant dans le chalet. À présent, nous sommes tous les deux à court de paroles et les yeux de Leon se remplissent de larmes. Je hoquette un « merci d'être venu », puis le célébrant nous fait signe d'entrer.

Gary prononce un excellent éloge funèbre qui résume bien la vie de maman, en particulier ses liens avec l'île Bruny. Ses remarques sur nos parents sont judicieuses. Je me rends compte qu'il les comprenait mieux que moi, même s'il s'était éloigné de maman – une épouse dominatrice coupe souvent son mari de ses proches. Aujourd'hui, la conduite de Judy est irréprochable. Elle se tient au côté de Gary afin qu'il puisse jouer son rôle de fils aîné. Ce n'est pas la première fois que je me félicite d'être le benjamin. Rien, ou si peu, n'est exigé de moi. En tout cas, je serais bien incapable de parler comme le fait Gary, avec autant de fougue et de fermeté.

Jacinta nous lit courageusement un passage du livre de Khalil Gibran, *Le Prophète*. Debout sur le podium, frissonnante, la voix tremblante d'émotion, elle est impressionnante.

Le chagrin a parfois la puissance dévastatrice d'un tsunami – ça enfle, gonfle, se dresse à une hauteur phénoménale pour vous submerger en emportant tout sur son passage. Vous avez beau vous débattre, cette force impitoyable vous maintient sous la surface. Je n'arrive plus à regarder Jacinta. Elle descend du podium. Heureusement qu'Alex est là pour lui dispenser amour et soutien, parce que je suis paralysé.

Le célébrant se déplace avec une lenteur calculée et indique la marche à suivre avec une compassion toute professionnelle. Gary a préparé une projection de diapos retraçant la vie de maman sur des morceaux de musique choisis par Jan. Une fois que le célébrant a conclu par quelques paroles témoignant de sa sympathie, la projection commence.

Le visage de maman toute jeune et fraîche couronné d'une toison de boucles brunes.

Ses photos de mariage. Papa très grand, très droit, très sérieux. Maman radieuse.

Au phare. Maman enlaçant Jan et Gary qui plissent les yeux dans l'intensité de la lumière. Maman a la tête au soleil, mais cela n'a pas l'air de la gêner, elle sourit. Le phare se dresse au-dessus d'eux au sommet de la colline.

Maman accroupie sur l'herbe avec un bébé nu : moi. Des moineaux picorent à côté de nous. À l'arrière, on voit le bas du linge qui se tortille dans le vent sur la corde.

Maman à côté du phare avec papa. Ils ont l'un comme l'autre une expression fermée impénétrable.

Jacinta, bébé, dans les bras de maman, toutes les deux rayonnantes de bonheur.

Les images s'enchaînent, toutes plus belles et plus bouleversantes les unes que les autres. Je suis anéanti.

Nous nous retrouvons chez Jan pour prendre le thé et prolonger la cérémonie de façon informelle. La pluie nous oblige à nous entasser dans la salle de séjour. Après un moment de silence gêné, le brouhaha devient assourdissant tandis qu'on échange des souvenirs. C'est maintenant que l'on rend vraiment hommage à maman.

J'aperçois de temps à autre Leon conversant avec les amies de maman. Avant de partir, il se glisse discrètement à mon côté.

— Merci pour cette invitation, dit-il avec un sourire. J'allais rentrer tout de suite après la cérémonie, mais je suis content d'être là.

Je lui serre le bras amicalement.

— Et moi je suis content que vous soyez venu. Elle aurait été très touchée.

— Depuis qu'elle n'est plus là, Bruny n'est plus pareil. Elle a laissé un énorme vide derrière elle. Chaque fois que je passe devant le chalet...

Il étouffe un sanglot. Je hoche la tête.

— J'ai eu une idée, reprend-il. Je voudrais organiser une marche en sa mémoire à East Cloudy Head. Je n'ai pas pu l'y emmener, je le regrette. Mais j'aimerais que vous veniez. Ce serait quelque chose que nous partagerions.

Je parviens tant bien que mal à ne pas laisser surgir l'émotion qui menace de me submerger.

— C'est une excellente idée.

Nous choisissons une date.

Je vois sa tête flamboyante disparaître dans la foule des visages gris.

35

Après les funérailles, je retourne au garage et tente de faire comme si la vie continuait. Une semaine de congé pour deuil, quelques tapes amicales dans le dos, et on s'attend à ce que vous soyez remis en selle. Il paraît que s'activer aide à surmonter son deuil. Pourtant, combien de fois je me retrouve allongé, un outil à la main, à regarder sans le voir le châssis d'un camion. Un chant d'oiseau, et j'ai l'esprit ailleurs. Parfois, Jess s'approche de moi et lèche sur mon visage des larmes dont je n'ai même pas conscience.

Emma me téléphone deux fois. Dans son premier message – sa voix résonne dans le séjour comme dans une caverne –, elle me demande comment se porte ma mère, si ça va et si je peux la rappeler. Je suis agréablement surpris de ne ressentir aucune émotion. Je ne la rappelle pas.

Lors de son second appel, je décroche en pensant que c'est peut-être Jan ou Jacinta.

— Tom, tu es là !

Bien sûr que je suis là.

— Comment va ta maman ?

— Elle est morte.

— Je suis désolée.

— Elle avait une maladie cardiaque.

— Je peux faire quelque chose ?

Je songe sans ironie à tout ce qu'elle aurait pu faire, en effet, mais à présent, il est trop tard. Elle aurait pu être plus franche, pour commencer. Ou elle aurait pu envoyer Nick au diable.

— Non, merci. Les funérailles ont eu lieu la semaine dernière.

Le silence ouvre un gouffre entre nous. De son coussin, Jess m'observe. Ses yeux brillent dans la pénombre. Dehors, un cacatoès en vol lance son cri rauque.

— Je suis vraiment désolée, c'est vrai, à propos de ce qui s'est passé avec Nick l'autre soir. On était trop soûls. En plus, c'est tombé au pire moment. J'ai honte. Je ne savais pas que ta mère était malade. Sinon, ce ne serait pas arrivé. Je regrette.

— Ça n'a plus aucune importance maintenant.

— Si, si. Je voudrais te voir, Tom. On peut prendre un verre bientôt ?

Je me tais. Le silence pèse des tonnes.

— Écoute, je ne voudrais pas te harceler si tu n'as pas le moral. Mais j'ai envie de te voir. Tu m'appelleras quand tu te sentiras mieux, promis ?

— D'accord.

Je ne crois pas que je suis près de me sentir mieux.

Une semaine plus tard, je reçois encore un coup de fil.

— Tom, j'ai une grande nouvelle. Fredricksen va te proposer le poste. Tu vas pouvoir venir en Antarctique avec moi. Qu'est-ce que tu en penses ?

Je reste pantois. C'était mon rêve de retourner là-bas et à présent cela me paraît inenvisageable.

— Ça va ? dit Emma.

— Il faut que je réfléchisse. C'est trop précipité...

Après une pause, elle soupire :

— Pardonne-moi. J'étais tellement folle de joie que j'étais impatiente de t'annoncer la nouvelle. Mais c'était maladroit de ma part de t'en parler comme ça. Ça va ?

Je mens :

— Ça va.

— Bon, Tom, il faut que j'y aille. Prends soin de toi et on se reparle bientôt.

Le lendemain, Bazza me téléphone.

— J'ai entendu dire que Fredricksen te proposait un boulot.

— Je n'ai encore rien décidé.

— Parfait. Parce que j'en ai un à t'offrir... mieux payé que celui de Fredricksen. On n'arrive pas à trouver de bons diésélistes pour l'été. Tu peux hiverner si tu veux et tu peux avoir la base Mawson si c'est ce que tu souhaites. Comme ça tu pourras aller rendre visite à tes fameux manchots Empereur.

— Je ne suis pas sûr de vouloir aller à Mawson.

— Pourtant, c'est là que t'enverrait Fredricksen...

Bazza se tait. J'espère qu'il va laisser tomber, mais je me fais des illusions.

— C'est parce qu'elle y va, hein ? Emma.

— Possible.

— Je croyais que tu voulais partir avec elle... ? Bon, dans ce cas, il faut que je te dise un autre truc. Ça te convaincra peut-être d'accepter mon offre sur une autre base. Nick Thompson sera lui aussi à Mawson.

— Super.

— C'est un con. Emma n'est pas sa première conquête en Antarctique. Viens me voir, on pourra discuter de tout ça. Que dirais-tu d'un travail sur le terrain ? Une traversée ? Ça te plairait ?

— Je ne sais pas.

— Penses-y. Ces occasions-là ne se présentent pas souvent.

— Pourquoi tu fais ça ?

— J'ai besoin d'un bon diéséliste. Et puis tu es mon pote. T'as besoin de te secouer. T'inquiète pas au sujet de ce Nick Thompson. Emma le plaquera avant que le navire appareille, crois-moi. Il sort avec d'autres nanas. C'est un tombeur.

— Tu ne les as pas vus ensemble.

— Mais si, bien sûr. Je travaille à l'antdiv, tu te rappelles ? Il drague tout ce qui bouge.

— Je préfère que tu ne me parles pas de lui.

— OK. Viens me voir demain à l'heure du déjeuner. Je te paye un sandwich.

Je retrouve Bazza à la cafétéria de l'antdiv. À une table du fond, nous mangeons des sandwichs plâtreux arrosés de mauvais café. D'après Bazza, ils ont engagé des nouveaux à la cuisine, mais plus ça change... Il me demande ce que je pense de sa proposition. Je lui réponds que c'est encore trop tôt pour prendre une décision. Je suis toujours sous le coup de la mort de maman. Je ne suis tranquille nulle part, même pas chez moi. Jan n'arrête pas de me laisser des messages pour m'inviter à dîner. Elle a des remords et voudrait que je lui accorde l'absolution. Mais ce n'est pas en mon pouvoir ni en celui de Jacinta. Notre chagrin est déjà assez lourd à supporter. Pourtant, Jan s'ingénie à trouver des moyens de soutirer notre aide. Elle prétend qu'elle a besoin de nous pour trier les affaires de maman. Mais moi, je ne peux pas fouiller dans l'armoire de ma mère – tous ces vêtements qu'elle ne portera plus. Cela ne ferait que la rendre encore plus absente. Au cours des derniers jours, chaque fois que le téléphone a sonné, Jess et moi sommes sortis nous promener. Chaque fois que j'entends la voix de Jan, je ressens la nécessité de prendre un bol d'air et de vent.

Bazza me dévisage attentivement.

— C'est difficile pour toi. C'est difficile de perdre sa mère. La mienne est morte il y a dix ans.

— Combien de temps ça t'a pris ?

— Pour me remettre ?

J'acquiesce.

— Je ne suis toujours pas remis. Mais avec le temps, on s'y fait.

— C'est ce que je pensais.

Nous mastiquons nos sandwichs en silence. Je bois un peu de café en essayant de ne pas faire la grimace. Il est horriblement amer. Bazza me désigne d'un mouvement du menton Nick en train de commander son déjeuner. Il se tient penché au-dessus du comptoir et discute avec une serveuse. J'espère qu'il n'a pas rendez-vous avec Emma.

— Tu vois ce mec, toujours en train de draguer, dit Bazza. Un vrai connard. Je vois pas ce qu'Emma lui trouve.

Nick prend son plateau des mains de la serveuse avec un sourire enjôleur. Une minute plus tard, elle va s'asseoir à sa table.

— Tu vois ce que je veux dire ? reprend Bazza. C'est sa conquête de la journée, il va sortir avec elle ce soir. Tu devrais oublier cette histoire et venir en Antarctique. Tu as réfléchi à ma proposition ?

— Je n'ai pas eu le temps d'y penser.

— Tu n'as pas *envie* d'y penser, corrige Bazza.

Il a raison. J'évite de réfléchir. Je préfère n'importe quelle activité plutôt que de peser le pour et le contre des offres respectives de Bazza et de Fredricksen. Je me promène avec Jess. Je parle au téléphone avec Jacinta. J'ai même appelé Gary hier soir.

— Écoute, dit Bazza. Laisse-moi te décrire cette campagne. Quand tu connaîtras les détails, tu ne pourras plus refuser.

Il m'expose le programme : une traversée motorisée du plateau antarctique entre la base Mawson et le mont Prince-Charles. C'est un voyage exceptionnel. Je serais fou de refuser. Pendant que Bazza continue à me parler, Nick se lève et sort. Je le suis des yeux en n'écoutant que d'une oreille ce que me raconte mon ami.

— Je vais réfléchir, dis-je quand il a terminé. Quand as-tu besoin d'une réponse ?

— Dans quatre semaines, dit Bazza en me tendant la main. Tu mérites qu'une bonne chose t'arrive, tu sais. Une aubaine pareille, ça ne se présentera pas deux fois.

Emma laisse un message sur mon répondeur ce vendredi après-midi. Elle me donne rendez-vous dans un pub de Salamanca. Ils sont une bande de copains à se retrouver là-bas pour boire un verre. Comme je viens de rentrer du garage, je n'ai pas tellement envie de reprendre la route. Et puis je ne me sens pas d'attaque pour passer une soirée à remuer mes souvenirs de l'Antarctique. D'un autre côté, une petite sortie me ferait du bien. Je suis seul la plupart du temps. Après une douche rapide, je donne à manger à Jess et je file.

Ce n'est pas commode de se garer à proximité des jetées. Je finis par trouver une place derrière *Princes Wharf*. La silhouette orange de l'*Aurora* se dresse derrière les ateliers, le profil de sa coque redessiné par un collier de spots. Un projecteur éclaire le pont arrière et son treuil. Je m'arrête en me demandant ce que l'avenir me réserve. Est-ce que je me vois remontant à bord du brise-glace ? Est-ce que je m'imagine en route pour l'Antarctique ? J'attends qu'une petite voix me souffle ce que je dois faire, mais je n'entends rien.

Les mains dans les poches, je me faufile entre les voitures pour traverser la rue devant le Knopwoods. La porte est grande ouverte et la clientèle déborde sur le trottoir. Des petits nuages de fumée de cigarette flottent dans l'air qui résonne de rires et de tintements de verre. Je joue des coudes entre les grappes de gens pour entrer.

À l'intérieur du pub, c'est une effroyable cohue. Épaule contre épaule, des gens en tenue décontractée se mêlent à des hommes en costume à la cravate desserrée. Des bouffées d'after-shave et d'eau de toilette se mélangent à la puanteur de la bière renversée. Je parviens à atteindre le bar. Après quelques minutes d'attente, je commande une bière et me replonge dans la foule.

C'est alors que je les vois : ils sont huit, attablés dans le fond de la salle. Ils rigolent, parlent avec les mains, trinquent, se lancent des vannes. Des gens comme les autres. Je constate qu'Emma est assise à côté de Nick qui a le bras passé autour de ses épaules. Emma lui a-t-elle dit que je venais ? Qu'est-ce que je fiche ici de toute façon ?

Je me fraye un chemin jusqu'à un endroit d'où je vois le profil d'Emma au milieu de la masse humaine mouvante. En revanche, elle ne peut pas me voir. Nick non plus. Je me rends compte qu'elle ne s'attendait pas à ce que je vienne. Elle m'a laissé ce message pour la forme, pour me remonter le moral. Qui voudrait s'enfermer dans un pub bruyant alors qu'il vient de perdre un être cher ? Ici, le chagrin n'a pas cours.

Sans la quitter des yeux, je bois ma bière qui me procure une agréable sensation de chaleur au creux de l'estomac. Emma est animée, souriante ; elle s'amuse. Elle retournera en Antarctique et repoussera encore d'un an le retour à une vie normale. Elle participera à la campagne d'été, avec tout ce que cela représente d'excitation, d'isolement, de ragots et de scandales. Si je choisis de ne pas y aller, elle m'oubliera... si ce n'est pas déjà fait. Elle restera captivée par Nick. Il continuera à jouer avec elle à ses petits jeux de séduction. Il ne la laissera pas lui échapper.

J'étudie le visage de Nick entre les autres. Le bras toujours autour des épaules d'Emma, il tourne la tête pour prendre une gorgée de bière. Si à cet instant il levait les yeux, nos regards se croiseraient. Mais je sais qu'il ne me verra pas, tout simplement parce que je ne suis pas une femme. Il a beau maintenir Emma étroitement enlacée, ses yeux se promènent dans la salle en quête d'appas féminins. J'observe son manège. Rien ne lui échappe, ni les jambes, ni les jolis minois, ni les seins. Pauvre Emma. Quelle pitié. Elle se fait rouler. Pour le moment, elle lui convient, mais cela ne saurait durer. Un homme aussi sensible aux charmes des jolies femmes finit un jour ou l'autre par sortir le grand jeu ailleurs. Il la trompera. Au début, discrètement, mais elle finira par le découvrir. En Antarctique, aucun secret ne reste longtemps enfoui. Nick ne tiendra pas une campagne entière. Si seulement elle pouvait s'en rendre compte.

Un regret me pince le cœur. Il faut lâcher prise. Emma est une fille formidable, mais elle n'est pas pour moi.

Je vide mon verre de bière et je m'en vais.

36

Le lendemain matin, je suis dans la cuisine occupé à couper une courgette pour la soupe, quand on frappe à la porte. Laura se tient sur le seuil, timide, les bras croisés sur la poitrine, le regard se posant sur moi puis sur Jess.

— Je me suis dit que j'allais passer voir comment vous alliez, déclara-t-elle.

Je hausse les épaules.

— C'est gentil. Ça va.

Elle me gratifie d'un petit sourire.

— C'est un moment très difficile mais vous verrez, ça va aller mieux. J'ai perdu mes deux parents il y a quelques années.

Elle expose des faits, ne cherche pas à m'apitoyer. Il y a de la bonté dans ses yeux. La mort de ses parents explique sans doute pourquoi elle a la charge de Mouse : il n'y a personne d'autre.

— Mouse rentre à la maison pour l'après-midi, continue-t-elle. C'est son anniversaire aujourd'hui, alors ils le laissent sortir. J'espérais que vous pourriez venir avec Jess. Ce serait génial. Mouse adore les chiens.

Je me demande comment me défiler sans lui faire de la peine. Je ne me sens pas du tout sociable. Rien qu'à la perspective d'avoir à soutenir une conversation je suis accablé. Et puis Jess sera terrifiée par Mouse après l'autre nuit, le trajet vers l'hôpital et le reste. Je baisse les yeux vers elle qui me regarde en haletant.

— Je ne sais pas. Je ne suis pas certain que Jess se laissera caresser.

Laura jette un coup d'œil à la chienne.

— Mouse n'est plus le même, dit-elle. Il prend ses médicaments. Il est beaucoup plus calme. Je ne crois pas qu'il lui fera peur.

J'hésite. Laura ne connaît manifestement pas les chiens et la façon dont leur mémoire fonctionne.

— Bon, on verra bien comment elle réagit... Si elle a peur, je la ramènerai à la maison.

Laura se fend d'un sourire ravi.

— Magnifique ! Ça va être le plus beau cadeau de Mouse. Vous pouvez venir à 16 heures ? Ça lui laissera le temps de reprendre ses marques.

Je m'efforce de ne pas surveiller l'heure, mais les aiguilles de l'horloge vont de l'avant et il est déjà 16 heures. Nous descendons doucement la côte et traversons la rue devant chez Laura. Elle ouvre grande sa porte avec une exubérance effrayante. J'ai une boule dans la gorge. Elle tient tellement à ce que cette rencontre soit un succès. Jess et moi entrons prudemment et parcourons le couloir en direction du séjour.

Mouse est assis sur le canapé, le visage dans la pénombre. Il paraît morne, apathique. Son corps massif est comme affalé sur lui-même.

— Mouse ! Nos invités sont là.

L'enthousiasme de Laura sonne faux. Mouse tourne vers nous un regard indifférent.

— C'est Tom, notre voisin, dit Laura d'une voix haut perchée. Et voici Jess.

Mouse me considère sans manifester la moindre curiosité, mais quand ses yeux se posent sur Jess qui est assise presque contre mes jambes, une lueur traverse son visage et je remarque qu'il remue les doigts de la main qu'il tient retournée sur le canapé.

Jess s'appuie contre mes jambes en continuant à observer attentivement Mouse. Elle n'est pas tranquille, mais elle n'est pas non plus effrayée.

— Joyeux anniversaire, Mouse, dis-je.

Mouse fait comme s'il n'avait pas entendu. Il fredonne quelque chose et ses lèvres bougent, mais aucune parole n'en sort. Ses doigts continuent à s'agiter. Je me sens bête à les contempler comme s'ils m'hypnotisaient. Je ne sais ni quoi faire ni quoi dire. Soudain, Jess traverse le tapis pour aller renifler les doigts de Mouse, puis elle pose son menton sur sa main ouverte. Tous les deux laissent échapper un soupir en même temps, le chien et cet homme étrange. Laura l'entend, elle aussi. Clouée sur place, elle regarde la bouche de Mouse qui marmonne quelque chose d'incompréhensible à Jess, l'étincelle dans ses yeux, ses doigts caressant tout doucement Jess sous le menton.

La chienne se tient sans bouger, ses yeux jaunes sur le visage de Mouse. Elle remue à peine la queue et n'a pas dégagé sa tête.

— Cela fait des semaines qu'il n'a pas prononcé un mot, chuchote Laura.

Mouse ne fait que grommeler, mais pour Laura, ces borborygmes semblent un progrès notable.

— Ils lui ont collé de fortes doses, dit-elle d'un air triste. Ils commencent seulement à les diminuer. Je me disais bien que la visite de Jess le sortirait de sa léthargie. Merci d'être venu.

Elle tourne vers moi des yeux embués de larmes. Je suis désolé pour elle. Pour elle et pour lui. Le chagrin que j'éprouve en ce moment est terrible, mais il est temporaire, je le sais. Un deuil est horriblement douloureux mais il est possible de le surmonter. Ce malheureux est tellement perdu et hors de la réalité qu'il ne verra jamais le monde comme la majorité d'entre nous. Pourtant, il est aimé par une sœur qui lui est entièrement dévouée ; Laura continuera à l'aimer même s'il n'en a pas conscience. Oui, en un sens, il a de la chance.

La stupéfaction se peint brièvement sur les traits de Laura qui m'observe. Se ressaisissant, elle se tourne vers Mouse qui continue à chuchoter des choses à Jess et sourit.

— Je vais apporter les gâteaux, dit Laura.

Pendant qu'elle est à la cuisine, je regarde par la fenêtre ma maison un peu plus haut sur la côte. Cela me fait bizarre. Je m'attends presque à me voir accoudé à la balustrade de la véranda, ou passant comme une ombre derrière les vitres. Cela me fait un choc de voir combien je suis visible d'ici. Il suffit à Laura de s'asseoir devant la fenêtre pour m'apercevoir dans ma cuisine ou m'observer avec Jess sous la véranda en train de donner à manger aux opossums. Qu'a-t-elle pu deviner de mon désarroi ? Qu'a-t-elle pu déduire en étant le témoin des allées et venues d'un homme solitaire avec son chien ?

Je me dis qu'au fond, c'est peut-être pour cette raison que je suis ici, chez elle, pour l'anniversaire de Mouse. Laura tente de m'aider en me montrant qu'elle n'est pas indifférente. Elle ne peut rien pour moi, sauf m'offrir sa compagnie. Elle comprend ma solitude.

Laura revient avec une assiette où sont disposés quatre cupcakes, une bougie plantée dans chacun d'eux.

— Une bougie par décennie, dit-elle en regardant Mouse avec un grand sourire affectueux.

Mouse fixe les bougies, les flammes se reflètent dans ses yeux. Laura pose l'assiette sur la table basse devant lui et nous chantons, faux bien sûr, la chanson rituelle. Laura souffle les bougies et tend un cupcake à Mouse.

— Il a un glaçage rose, tu vois, celui que tu préfères.

Mouse prend le gâteau et, oubliant un instant Jess, le mange. Des copeaux de glaçage restent collés à ses lèvres. Laura les essuie doucement. Puis elle me passe un cupcake et en glisse un autre sur une assiette qu'elle pose par terre pour Jess qui lève les yeux vers moi pour voir si je l'autorise à le manger. Elle engloutit le gâteau. Elle est très contente de cette visite. Pour elle comme pour moi, elle a pris un tour inattendu. Jess me regarde en haletant gaiement. Je suis sûr qu'elle espère que nous reviendrons.

Au moment du départ, Laura me retient sur le seuil.

— On peut aller se promener demain matin ? Je ne suis pas descendue depuis longtemps... je pensais que vous aviez besoin d'être seul. Mais avec mon nouveau travail, je suis enfermée dans un bureau toute la journée. J'aimerais bien prendre un peu l'air.

Je réponds avec un temps de retard :

— Quelle heure vous arrange ?

Elle sourit.

— 7 heures ?

37

Nous avons rendez-vous au camping de Cloudy Corner. Le 4 × 4 de Leon est déjà là. Je le trouve assis à proximité des vestiges noircis d'un feu de camp.

— Elle a parlé à des scouts ici, me dit-il quand je m'assieds à côté de lui dans l'ombre mouvante. Elle vous avait raconté ? Elle a eu un franc succès.

— Elle ne m'a rien dit.

Il prend un air penaud.

— Peut-être ne vous en a-t-elle pas parlé parce que ça s'est plutôt mal terminé.

— Qu'est-ce qui s'est passé ?

— Elle a eu un malaise. Elle a perdu connaissance, je crois, répond-il en rougissant. Elle voulait que personne ne le sache. Elle avait peur que votre sœur la ramène de force à Hobart.

— Maman avait une sainte horreur des maisons de retraite.

Leon hoche la tête, toujours rougissant.

— Ce sont des endroits affreux. Je suis content qu'elle n'ait pas terminé comme ça... Elle est partie très vite. Elle n'a pas eu besoin de prise en charge médicalisée...

Un silence. Ni l'un ni l'autre ne sait quoi ajouter. Seules les circonstances nous réunissent. Maman est notre seul dénominateur commun.

Leon fait un geste en direction d'East Cloudy Head.

— Nous devrions monter avant le grain.

Nous sortons de nos véhicules des sacs et des imperméables. Au départ du sentier, nous signons le cahier. Une fois engagés sur le chemin, les langues se délient naturellement. C'est plus facile de se parler quand nos regards ne risquent pas de se croiser.

— Au début, je n'avais trop guère de sympathie pour votre mère, m'avoue Leon comme à regret. Elle n'était pas très aimable, et passer la voir était une vraie corvée. Mon patron m'avait forcé la main. Je n'avais vraiment pas besoin de ce surplus de travail. J'avais assez à faire comme ça chez moi. Votre mère n'était pas commode. Elle n'avait pas l'air de comprendre que j'étais occupé. Elle cherchait à me manipuler pour que je l'emmène en excursion. Elle voulait aller ici et là. Elle me posait des questions indiscrètes et s'attendait à ce que je prenne le thé avec elle.

— En excursion ? dis-je, stupéfait. Elle ne m'a pas parlé de ça. Elle ne m'a jamais rien demandé de tel.

— Elle semblait avoir préparé tout un programme. Une liste d'endroits à visiter. Elle me tannait à tout bout de champ pour que je l'y conduise. Une fois

sur place, il ne se passait rien. Elle restait plantée
là à regarder dans le vide. Peut-être qu'elle revivait
le passé.

— Où l'avez-vous emmenée ?

Leon haussa les épaules.

— À des endroits dans le coin. Le terrain de camping. La ferme. Le mont Mangana. Clennett's Mill.
Elle voulait même grimper au sommet d'East Cloudy
Head, vous vous rendez compte ! En plus, c'était
juste après son évanouissement. J'ai dit qu'il n'en
était pas question. Je l'ai ramenée au chalet et je l'ai
mise dans son lit.

— Elle vous a montré la ferme ?

— De la route seulement. Elle n'était pas bavarde.
Elle m'a juste dit qu'elle habitait là autrefois avec sa
famille, que c'était là qu'elle avait rencontré Jack,
votre papa. Une chose est sûre, elle adorait l'île.
Combien de fois je l'ai trouvée le visage tourné vers la
fenêtre avec une expression d'extase, à croire qu'elle
était déjà au ciel... Mais elle ne s'entendait pas avec
votre sœur, je me trompe ?

— Maman et Jan se sont toujours entendues
comme chien et chat. Gary et moi, on s'arrangeait.
On n'aimait pas les conflits.

Leon éclate d'un rire agréable.

— Votre mère était une enquiquineuse. Moi, ce
que je voulais, c'était dire « bonjour, bonsoir » et puis
c'est tout. Mais elle me harcelait de questions pour
me faire sortir de ma coquille. Je regrette de ne pas
l'avoir connue plus longtemps. Je veillais à ce qu'elle

prenne bien ses médicaments. Au fond, elle aurait peut-être dû être hospitalisée sur la fin. Je lui en ai parlé, elle m'a rétorqué de me mêler de mes oignons. Elle ne mâchait pas ses mots, n'est-ce pas ?

Il marque une halte pour admirer Cloudy Bay. La lumière matinale dessine des lignes d'ombre sur les falaises.

— Elle était comment, dis-je, à la fin... ?

Son regard balaye le paysage. Quand il reprend la parole, c'est d'un ton étrangement serein.

— Je ne savais pas si elle était encore consciente. Sa respiration était d'une lenteur affreuse, à peine perceptible. Je l'ai portée sur la plage et je lui ai parlé. Elle est partie en étant paisible, c'était magnifique. Je crois qu'elle savait qu'elle était chez elle.

Nous reprenons notre ascension. Leon respecte mon silence. Au bout d'un moment, il dit :

— C'est incroyable que nous soyons devenus si proches en si peu de temps. C'est peut-être parce que nous ne nous connaissions pas du tout avant. Nous savions tous les deux que le temps imparti serait court. Elle allait mourir et je le savais. Nous n'avions aucune raison de ne pas être francs l'un avec l'autre. Non qu'elle m'ait avoué un secret, non, rien qui ressemble à ça. Mais on discutait de tout. Elle m'écoutait, ce qui n'est le cas de personne dans mon entourage.

Après un petit rire, il continue :

— La première fois que j'ai vu votre mère, elle a cherché à me piéger. J'étais furieux. Je l'ai quittée précipitamment sous prétexte que je devais inspecter le camping. À mon retour, je l'ai trouvée en train de marcher sur la plage. Je ne sais pas comment elle est descendue jusque-là, mais elle m'a regardé d'un air de défi. La tête renversée en arrière, les narines frémissantes...

Nous rions tous les deux et nous accordons un moment de repos avant la dernière étape. Très loin en contrebas, nous apercevons Cloudy Corner et, de l'autre côté de la baie, les autres falaises. Après avoir escaladé en silence le dernier tronçon du sentier, nous arrivons au sommet dans le souffle glacé et assourdissant du vent. À nos pieds, l'océan déroule à l'infini sa houle aux reflets gris acier. Nous sortons de nos sacs manteaux et bonnets, et choisissons pour nous asseoir des rochers protégés autant que possible du vent du large. J'extirpe de mon barda une boîte en plastique pleine d'amandes et de raisins secs que je propose de partager avec Leon. Mais ce dernier m'a pris de vitesse et brandit une Thermos de café brûlant. Il remplit deux mugs isothermes et ajoute un nuage de lait qu'il verse d'une petite bouteille en plastique. Puis il y fait fondre du chocolat noir.

— À votre mère, dit-il en me tendant un gobelet. Une femme remarquable.

Nous trinquons et restons captivés par l'immensité du ciel et de la mer.

— C'est ici chez elle, dis-je. Elle est toujours là.

Après un silence, Leon ajoute :

— Elle serait contente de moi, je crois, après ce que j'ai fait. Elle aurait approuvé ma décision. J'ai présenté ma candidature à un poste dans le parc national des Hartz Mountains. Il paraît que j'ai des bonnes chances de l'obtenir. Ça fait longtemps que je suis ici. Je restais à Bruny pour mes parents mais dernièrement, la santé de mon vieux a décliné. Il est grabataire maintenant. Son foie est en train de baisser les bras. Il a trop bu d'alcool. Maman s'occupe de lui.

Il se tourne vers moi comme s'il quêtait mon approbation. Je hoche la tête.

— Vous aimerez les Hartz. Ce sont des montagnes splendides.

— Bruny va me manquer. Mais je reviendrai rendre visite à ma mère.

Il se tait. Nous fixons au loin l'endroit où le phare est visible par temps clair. Aujourd'hui, il y a trop de brume.

— Heureusement que vous étiez avec elle, dis-je. Je tiens à vous remercier. Vous avez été pour elle plus qu'une simple compagnie ; un véritable ami. J'aimerais trouver un moyen de vous témoigner ma gratitude.

Il me jette un coup d'œil.

— Venez me voir dans les Hartz. Moi aussi, j'aimerais garder contact avec quelqu'un de votre famille, dit-il en souriant. Et je ne crois pas avoir beaucoup de choses en commun avec vos frère et sœur.

Nous rions. Entre nous s'est installée une complicité, presque comme entre deux frères.

Nous gardons le silence. Dans nos cœurs, nous rendons hommage à la mémoire de maman. Lorsque nous sommes frigorifiés, nous remettons nos sacs à dos et redescendons par le sentier.

38

Jan a proposé que nous répandions les cendres de maman au cap Bruny. C'est inattendu, étant donné le dégoût qu'elle a toujours eu pour cet endroit. Avoir perdu maman aura peut-être adouci son caractère, qui sait ? Sa rancune aura été rabotée par le chagrin. Gary et moi nous sommes empressés d'acquiescer. Pour nous tous, ce sera une sorte de point final.

J'aimerais inviter Leon à se joindre à nous. Après tout, il était présent au moment où maman a poussé son dernier soupir. Jan rétorque qu'elle est contre : Leon est un inconnu. J'insiste car il était l'ami de maman. Jan n'en démord pas et Gary est de son côté.

Nous faisons le voyage au cap Bruny dans la nouvelle voiture de Gary, avec spoiler et jantes rutilantes en magnésium. Il n'est pas très enthousiaste à la perspective de faire rouler ce bijou sur les routes gravillonnées de Bruny, mais Jan refuse de monter dans ma vieille caisse, alors on n'a pas le choix. Je laisse Jess à la maison, la pauvre, elle me regarde partir en gémissant derrière la barrière. Mon frère et ma sœur m'attendent dans la voiture. Que nous soyons différents, passe encore, mais que nous ne soyons jamais sur la même longueur d'onde, c'est extraordinaire.

Le trajet me paraît long. Personne ne parle. Jan se tient toute droite sur le siège passager. À l'arrière, je prends mes aises et me félicite du silence qui règne dans l'habitacle. Même Gary n'a pas l'air tenté de le briser. Il craint sans doute de déclencher les reproches de Jan à propos des derniers jours de maman : ce ne se serait pas passé comme ça si on l'avait écoutée, etc.

Gary se gare dans le parking du phare et coupe le moteur. C'est une journée d'hiver typique, ciel couvert et vent. Je ne suis pas dépaysé. Nous montons la colline en file indienne. Jan en tête, moi respectueusement sur ses talons et Gary traînant la patte loin en arrière – je parie qu'il n'a pas fourni un tel effort depuis des années. Il a la démarche d'un vieil ours grognon. Je me demande s'il se rappelle les bonds de cabri qu'il faisait sur ces pentes quand il était petit.

Quand nous arrivons au phare, il lui reste encore une bonne cinquantaine de mètres à parcourir. Jan et moi l'attendons en prenant soin de nous placer du côté de la tour où on est le plus à l'abri du vent.

Il y a tellement longtemps que je ne suis pas monté ici – dix ans, peut-être douze –, si longtemps que je n'ai pas senti le vent ratisser la lande. Le phare est inchangé, même si la peinture s'écaille un peu, tachée en outre çà et là par les embruns. La serrure commence à rouiller. Dans mon enfance, mes parents étaient sans cesse en train de blanchir les murs à la chaux, de laver les vitres, d'astiquer les cuivres à l'intérieur.

Gary nous rattrape enfin.

— Sacrée pente ! halète-t-il. Je devrais m'inscrire à un club de gym.

— Ce serait pas idiot, riposte Jan. Comme ça, tu vivrais plus longtemps.

Le visage de Gary est empourpré. Sa poitrine se soulève spasmodiquement.

— Alors, qu'est-ce que vous en pensez ? Où on lâche les cendres ?

— Là-bas, près du nouveau phare ? suggère Jan.

Gary fait non de la tête.

— Ça ne plairait pas du tout à maman. Elle disait toujours que papa détestait ces systèmes de feu automatique.

— Tu as raison, soupire Jan. Elle nous en voudrait. Ce serait manquer de respect à papa.

C'est bien la première fois que j'entends Jan admettre qu'elle a tort. Elle enchaîne :

— Mais je n'ai pas envie de répandre ses cendres ici. L'idée que des gens pourraient marcher dessus...

Elle laisse sa phrase en suspens, la voix vibrante d'émotion.

— On n'a qu'à descendre la colline du côté de la falaise. Tiens, par le chemin là-bas, dis-je en montrant un serpent d'herbe tondue. Comme ça, on sera loin du phare et des touristes. Je parie que les gens, une fois qu'ils ont grimpé jusqu'ici, ne sont pas prêts à s'aventurer plus loin. Ils préfèrent redescendre directement.

Jan donne son accord. Nous marchons tous les trois plongés dans nos souvenirs. Quand je m'arrête à mi-pente, Jan vient se mettre à côté de moi. Une expression tendre adoucit ses traits. Elle attend que Gary nous ait rejoints pour me confier la petite urne en porcelaine.

— Tiens, me dit-elle. Tu es celui de nous trois qui aime le plus cet endroit.

— Fais gaffe à la direction du vent, me conseille Gary. J'ai entendu des histoires... les gens se retrouvent couverts de cendres.

Il a un petit rire triste.

— C'est un vent du Sud-Ouest, dis-je. En cette saison, il souffle toujours de ce côté.

Je soulève le couvercle de l'urne. Des petits méliphages pirouettent au-dessus de la lande. Je lève la main pour faire signe à Gary et à Jan de se placer derrière moi, puis je lève l'urne aussi haut que possible. Les cendres de maman se dispersent dans la brise. Poussière grise qui s'en va en tourbillonnant. Je renverse l'urne pour la vider entièrement, puis je recule à vive allure pour regarder les panaches gris disparaître parmi les buissons.

Nous restons là un long moment à respirer sans bruit.

— Bon, alors, c'est fait, soupire finalement Gary.

Nous montons la pente pour retrouver le sentier. Jan décide sur un coup de tête de descendre au cottage parler à la femme du gardien. Gary veut s'asseoir sur le banc et contempler l'océan. Après lui avoir prêté mon imperméable en guise de coupe-vent, je m'engage sur le sentier qui descend vers l'île Courts.

Cela fait des années que je ne suis pas passé par là. Enfant, tous les jours après les devoirs, je montais au phare en courant et dévalais ce sentier pour voir si la marée était assez basse pour me permettre de gagner l'île en traversant le cordon littoral. Avant ma naissance, le courrier arrivait parfois dans cette anse protégée entre l'île et le cap. Le gardien descendait du phare jusqu'à la petite plage de galets et recevait les provisions qu'on lui jetait d'une chaloupe détachée du navire.

Aujourd'hui, je marque un temps d'arrêt là où le sentier devient très escarpé. Au large du littoral déchiqueté, j'aperçois des points de couleur soulevés par la houle : les bouées des casiers à homards. Je descends un peu plus bas et soudain apparaît le cordon littoral. Des vagues s'y précipitent de part et d'autre pour se rejoindre au milieu, mais les rochers émergent encore à fleur d'eau. On doit pouvoir traverser. Le sentier devenant de plus en plus accidenté, je fais attention aux endroits où je mets les pieds.

La bande de terre a changé de forme depuis mon enfance, sans doute usée par trop de passages. Jadis, les gens venaient en foule ici à la saison des puffins fuligineux. Ils garaient leurs voitures au bord de la route derrière les cottages et faisaient la course jusqu'ici pour attendre l'ouverture officielle de la chasse. Que la marée soit haute ou basse, ils envahissaient l'île pour extraire les poussins de leurs terriers.

Le puffin rôti était, disait-on, un mets de choix, mais d'après maman, sa chair était horriblement grasse. Je n'en ai jamais mangé. Quand je suis né, ce carnage avait été interdit. L'île Courts était pour moi un sanctuaire, un lieu où, au début de la saison de la ponte, j'observais les oiseaux creuser leurs terriers avec leurs pattes en faisant gicler la terre. Un peu plus tard, les aigles s'en mêlaient. Perchés sur des rochers ou des buissons, ils attendaient l'occasion d'emporter un poussin bien dodu.

Je dérape à moitié sur la dernière section du sentier et j'atterris sur les galets d'une plage jonchée de varech et autres algues puantes. De rocher en rocher, je franchis le cordon sans trop me faire mouiller les pieds par les vaguelettes. Une fois sur l'île, je grimpe la pente escarpée entre les coussins de succulentes aux fleurs mauves et de tétragones cornues. L'odeur rance des oiseaux me colle aux narines. Je retrouve le réseau entrelacé des étroites pistes tracées par des pattes palmées dont on voit les empreintes dans la terre. Des trous ronds au bord tapissé de plumes marquent l'entrée des galeries qui s'enfoncent sous la végétation. Tandis que je foule le sol spongieux, un grand aigle de Tasmanie à la crinière blonde décolle à quelques pas de moi d'un rocher couvert de guano. Je m'arrête pour le regarder s'élever lentement à coups d'ailes énergiques puis tournoyer en planant dans les courants chauds ascendants, gagnant sans effort de l'altitude pour survoler le dôme verdoyant de l'île.

Un jour, je suis venu ici à la tombée de la nuit pour assister au retour des puffins vers leurs nids. Ayant traversé le cordon rocheux de bonne heure à marée basse, j'ai attendu. Dans la lumière crépusculaire, j'ai vu d'immenses plaques se rapprocher en flottant sur les vagues : des centaines, des milliers d'oiseaux se laissaient porter par le courant jusqu'à la côte. Sitôt projeté sur la berge par la déferlante, le puffin se ruait vers son terrier ; qu'elles étaient bruyantes, les retrouvailles avec son poussin ! D'autres oiseaux arrivant par la voie des airs plongeaient du haut du ciel de plus en plus ténébreux. Bientôt il y en avait partout – une pluie de projectiles à plumes s'écrasant sur le sol et se dandinant sur les sentiers. Certains s'empalaient sur des branches à l'atterrissage. C'était sanglant, l'air résonnait de cris de douleur.

L'un de ces cris a jailli de ma poitrine au moment où un oiseau a percuté mon dos. Ses griffes se sont enfoncées dans ma chair. J'ai essuyé un bombardement de boules de plumes armées de becs aussi tranchants que des poignards. Lorsque, enfin, plus aucun oiseau n'est tombé des cieux, après avoir descendu la pente en sanglotant, j'ai regagné le cap avec de l'eau jusqu'à mi-cuisses, au risque de glisser dans un trou profond, et je suis remonté à la maison en clopinant. Depuis, mes cauchemars sont hantés par des créatures noires qui se jettent sur moi dans la nuit.

Alors que, assis parmi les succulentes, je laisse monter en moi la vague des souvenirs, l'aigle décrit des cercles de plus en plus élevés puis disparaît au sud de l'île. Je l'ai dérangé. Je devrais me retirer afin qu'il puisse retrouver son perchoir solitaire sur les rochers. Je rebrousse chemin sans me presser en me dirigeant vers l'est.

Dans un creux, je m'accroupis et regarde les lames sombres lécher la paroi de la falaise et se briser sur les écueils en contrebas. Le varech tournoie et danse avec le ressac. Peu à peu le mouvement de la mer devient rythme et musique, et je me sens porté par ce roulement régulier qui me réconforte et me ressource. La magie de l'océan qui rugit opère sur moi.

Le calme revient dans mon cœur. Ma mère n'est plus, c'est vrai, mais elle habite toujours cet endroit. Ici, elle avait trouvé le bonheur et la paix. Son histoire s'est écrite en ce lieu où la vie l'a modelée, pliée, tordue, à l'instar de ces énormes rochers – elle y a entrepris un voyage de transformation, comme la terre et le ciel, la mer et les vagues. La nature se répétant continuellement.

39

Le temps passe, peut-être deux semaines ; Jacinta vient à Coningham se promener avec moi. Elle débarque par une froide journée grise. Nous nous emmitouflons dans nos manteaux avant de descendre par le sentier de la plage sous un ciel chargé. Jess trottine en tournant autour de nous, attirée par des petits bruissements dans le bush. Nous passons devant chez Laura qui nous salue de la main par sa fenêtre. Laura et moi avons marché plusieurs fois tous les deux le matin de bonne heure. Nous prenons l'un comme l'autre plaisir à observer les oiseaux.

— C'est qui ? me demande Jacinta.

— Ma nouvelle voisine.

— Elle a l'air sympa, dit Jacinta en me lançant un regard. Comment va Emma ?

— Je ne sais pas trop.

— Comment cela ? Tu ne sors plus avec elle ?

— Pas depuis le décès de maman.

— Tu ne peux pas arrêter de vivre.

Je fourre les mains dans mes poches et hausse les épaules.

— Et tu en es où pour l'Antarctique ? Ils t'ont proposé ce boulot ?

— Oui.

Bazza et Emma m'ont téléphoné à ce sujet à deux reprises chacun cette semaine.

— Je ne suis pas sûr de vouloir y aller.

Jacinta me jette un coup d'œil étonné.

— Je croyais que tu avais très envie d'y retourner, au contraire.

— Une fois que l'on obtient ce que l'on veut, on est souvent insatisfait.

— Si c'est Jess qui t'inquiète, je serais ravie de m'en occuper.

— Ce n'est pas Jess le problème.

Le sentier débouche sur le sable. Il ne fait pas chaud sur la plage. Une brise glacée ride la surface de l'eau. Le sable reflète la grisaille. Nous nous asseyons au-dessus de la ligne de haute laisse pendant que Jess trottine en reniflant, entre autres trésors, des étoiles de mer japonaises.

— La fille de tout à l'heure, dit Jacinta. Celle qui nous a salués. Elle s'appelle comment ?

— Laura.

— Tu devrais l'inviter à dîner.

Je hausse de nouveau les épaules. En fait, je suis gêné. Jacinta sait-elle lire dans mes pensées ? Je caresse depuis quelque temps le projet d'inviter Laura. Elle est de bonne compagnie pendant nos promenades, et petit à petit, nous apprenons à mieux nous connaître.

Le bourdonnement d'un moteur nous parvient malgré le bruit du vent : un bateau remonte le canal d'Entrecasteaux à une centaine de mètres de nous.

— On a trié les affaires de Nana avec maman, reprend Jacinta.

Je les imagine passant en revue la garde-robe de ma mère, sortant de l'armoire les robes qui se balancent sur leurs cintres. Je vois des vêtements étalés sur le lit. Je respire une odeur de renfermé.

— Comment va Jan ?

— Mieux qu'on aurait pu s'y attendre, répond Jacinta avec un bref sourire. On a tout donné à l'Armée du Salut. Maman pense que Nana aurait préféré que des gens en profitent plutôt que de les jeter.

Je ramasse un coquillage et le lance dans les vagues. Très loin, le bateau continue à bourdonner.

— Tom, j'ai quelque chose à te donner.

Jacinta se penche en avant pour extraire une enveloppe de la poche arrière de son jean.

— Je l'ai trouvée dans la valise de Nana. Celle qu'elle avait à Cloudy Bay. Il y a ton nom dessus.

Elle me la tend.

— Je ne connais pas cette écriture, dis-je, agacé.

— Tu devrais la lire, c'est peut-être important.

J'examine de plus près les pattes de mouche sur le papier. Je ne vois pas de quoi il peut s'agir. Nous avons déjà ouvert le testament. Je tourne et retourne plusieurs fois l'enveloppe avant de l'ouvrir. À l'intérieur, une feuille de papier. Je la déplie en l'aplatissant contre ma cuisse. Je parcours les lignes hachées qui noircissent la page.

Cher Tom,

Si tu lis cette lettre, c'est sans doute que ta mère n'est plus de ce monde. Mary était une grande dame, mais aussi une forte tête. Je pense qu'elle n'a pu se résoudre à te la donner de son vivant. Je lui pardonne, même si cela signifie qu'il me restera moins de temps.

Mary, vois-tu, avait un secret qui avait de l'importance non seulement pour elle mais aussi pour moi. J'ai rencontré ta mère dans un parc de Hobart quand elle avait seize ans. En dix jours, nous sommes devenus des amis intimes. Dix jours, cela paraît peu pour tomber amoureuse, mais ta mère était une âme passionnée, comme tu le sais probablement. Pendant cette brève période, nos vies ont été liées d'une manière que nous ne pouvions prévoir ni l'un ni l'autre.

Lorsque les parents de ta mère ont découvert mon existence, ils l'ont envoyée sur l'île Bruny. Là-bas, elle a rencontré Jack et je ne l'ai plus revue pendant des années. Mais certains liens défient le temps.

Je l'ai retrouvée un jour, à l'époque où elle logeait chez ses parents à Hobart. Nous étions seuls. Ses parents étaient sortis avec les deux enfants. Jack était sur l'île Bruny. Et toi, tu n'étais pas né. J'ai su par des habitants de Hobart que Mary était restée six semaines de plus avant de retourner auprès de Jack. Ta date de naissance

*est la preuve que tu as bien été conçu au cours de cette
période où Mary était loin de Bruny. C'est pour cela que
je sais que tu es mon fils.*

*Je ne sais pas ce qu'un homme doit dire à un fils qu'il
n'a jamais vu, mais essayons : si tu veux bien, une fois
que tu auras digéré cette révélation, j'aimerais te rencontrer. Je ne me sentirai pas offensé si tu préfères ne pas
prendre contact avec moi. Cependant, sache qu'il n'y a
pas un jour qui passe sans que j'espère un appel de toi.*

Bien affectueusement,
Adam Singer

Je m'aperçois que je tremble de tous mes membres.
Qui est cet Adam Singer ? Je regarde sans le voir
le numéro de téléphone inscrit au bas de la page.
Je replie la lettre et la range, puis je la ressors et la
relis avant de la tendre à Jacinta.

— Tu n'as qu'à la lire, lui dis-je, le visage tourné
vers la mer, en me demandant si le tonnerre que j'entends gronde dans ma tête ou dans mon cœur.

Jacinta m'agrippe le bras.

— C'est peut-être un mensonge, dit-elle.

Je la regarde. Elle est pâle, sidérée.

— Ou une farce, ajoute-t-elle à défaut de trouver
mieux.

Elle a une expression follement inquiète. J'ai l'impression de flotter, je suis devenu un être éthéré, privé
de forme humaine.

— Je ne sais pas qui je suis.

— Mais si, dit-elle en serrant mon bras plus fort. Tu es Tom Mason. Rien ne peut changer ça. Tu es celui que tu as toujours été.

Je la dévisage.

— Mais où sont mes racines, alors ? Voilà ce que je suis : un arbre sans racines. À la moindre bourrasque, je tombe.

— C'est peut-être une bonne chose, au fond.

— Que veux-tu dire ?

— En perdant ses racines, on se libère.

Je continue à la dévisager d'un air dubitatif.

— Comment cet homme peut-il être mon père ?

— Il n'est peut-être pas ton père, réplique Jacinta en fronçant les sourcils.

Je secoue la tête.

— Pourtant, maman devait savoir ce qu'il y avait dans cette lettre.

— Peut-être que non, elle ne l'a pas ouverte.

Je me tourne vers le détroit.

— Si, elle savait. Mais voulait-elle que je le sache, moi ?

— Qu'est-ce que ça peut faire ?

— Si maman avait voulu que je le sache, elle me l'aurait donnée. Ou elle me l'aurait dit elle-même.

— La lettre explique qu'elle n'a pas pu le faire.

— Pourquoi pas ?

Perplexe, j'interroge Jacinta du regard.

— Elle aurait eu l'impression de trahir encore une fois grand-papa. Si elle l'avait... bon, si elle l'avait fait une fois... elle ne voulait peut-être pas recommencer.

Je la dévisage sans comprendre.

— Mais, dans ce cas, pourquoi ne pas l'avoir détruite ?

— Elle n'a sûrement pas pu. Elle pensait peut-être que ce type... cet Adam... avait le droit de te connaître, dit Jacinta en tapotant avec tendresse mon bras. Tu n'as pas à te décider tout de suite. Prends le temps de réfléchir. Tu dois faire ce qu'il y a de mieux pour toi.

Ce qu'il y aurait de mieux pour moi serait de faire reculer de dix minutes les aiguilles de ma montre. Je secoue mon bras pour faire lâcher prise à Jacinta et je flanque un coup de pied dans le sable.

— Ça va aller, Tom. Tu ne vas pas t'autodétruire, même si tu as ce sentiment pour l'instant.

— J'ai besoin de courir !

Je me débarrasse de mon manteau que je lui lance en criant presque :

— Tu t'occupes de Jess ?

— Oui. Fais attention, Tom.

Je lui tourne le dos et je prends mon élan. Le sable meuble et collant ne facilite pas ma foulée. Je cours vers le bout de la plage. L'adrénaline coule à flots dans mes veines, mes jambes me portent avec aisance, mon cerveau est sur le point d'exploser. Je fonce. Un huîtrier à long bec décolle de l'eau. Des vanneaux soldats déjà en vol battent bruyamment des ailes en guise de protestation.

Arrivé au bout de la plage, je remonte sur la route par le sentier à travers le bush. Je m'arrête au bord du trottoir, le cœur battant à tout rompre. Je regarde

ma maison. Non, je ne peux pas. Les murs se resser-
reraient autour de moi comme un étau. Il faut que
je continue.

Je cours dans la rue en pente en ralentissant aux
endroits où elle devient plate. Je suis essoufflé, mais
ça ne fait rien. Je cours pour oublier. Je cours pour
chasser la peur et le choc. À quoi pensait maman ?
Pourquoi ne pas m'avoir donné cette lettre ? Elle en a
eu l'occasion plusieurs fois au chalet. Pourquoi ne pas
en avoir profité ? Cela aurait été mille fois préférable
à ce sentiment déchirant qui fait de moi la proie du
désarroi et de la plus complète confusion. Qui est cet
homme qui prétend être mon père ?

La rue me mène au bord de l'eau. Une voiture me
dépasse et comme la chaussée est étroite, je manque
de glisser dans le fossé. Mes pieds continuent à courir.
Je me retrouve bientôt sur l'autoroute. Je remonte la
côte sans me soucier de la circulation.

La pluie arrive mais il en faudrait plus pour me
décourager. Elle ruisselle sur mon visage, imbibe
mes vêtements, dégouline dans mon dos et dans mes
chaussures. Moi qui croyais connaître ma mère... Et
mon père aussi, même si je ne l'ai jamais compris.
Maintenant, je ne sais plus où j'en suis. Est-ce nécessaire de rencontrer cet homme ? Faut-il que je lui
téléphone ? Il n'a jamais rien eu à voir avec moi. Il se
dit mon père, mais mon père, c'est Jack. Le gardien
de phare. Le mari de ma mère.

Je passe devant le magasin de fruits et légumes
d'Oyster Cove. Des voitures sont garées ; derrière

la vitre des gens rangent dans des sacs les produits qu'ils viennent d'acheter. Je poursuis ma course folle en leur reprochant de mener une vie normale. Il n'y a pas si longtemps, ma vie l'était aussi. J'étais Tom Mason, le fils de Jack Mason, qui pleurait la perte de sa mère. Mais mon père n'est plus mon père et un autre homme a fait son apparition. Un quidam qui sort d'on ne sait où. Il ne m'a pas vu grandir. Il n'a pas mouché mon nez, essuyé mes larmes, soigné mon genou égratigné. Je ne suis pas obligé de l'inviter à entrer dans ma vie. Je ne lui dois rien. Jack est mon père.

Quand je suis près du sommet de la colline, il cesse de pleuvoir. Je continue, passe devant la charpente d'une maison en construction et devant des paddocks où chevaux et gallinules de Tasmanie broutent et picorent en harmonie. Le ciel gris se mire dans les lacs d'irrigation. Alors que j'amorce la descente, la pluie revient. Elle se mêle à mes larmes. L'asphalte fait un bruit mat sous mes semelles. Les collines se succèdent les unes aux autres.

Surgit la bretelle de Kettering avec les panneaux des ferries. Je n'ai pas cessé un instant de courir. La route se rétrécit en longeant la marina hérissée de centaines de mâts. À bout de souffle, je sanglote. Après avoir traversé le parking d'embarquement, j'arrive au terminal.

Le ferry est encore tout près. Il se dirige vers l'île Bruny dans un sillage d'écume. J'entends le son rythmé de ses moteurs. J'ai l'impression que c'est mon passé qui me quitte. Mon passé m'abandonne et ne reviendra jamais.

Suis-je capable de trouver en moi le courage d'affronter l'avenir ? Ça n'a jamais été mon fort.

Je m'agenouille sur le macadam pour reprendre mon souffle. Le ferry vire au coin de l'île. Il sera bientôt hors de vue. Quand je me lèverai et sortirai de ce parking, je serai bien obligé d'accepter que tout est changé. Il va falloir que je repense toute ma vie !

Cette nuit-là, j'espère trouver le sommeil, en vain. Je suis obsédé, poursuivi par l'incertitude. Je n'arrête pas de penser à maman. À Adam Singer. À mon père.

Tombe le rideau noir.

Le murmure de la mer enfle autour de moi. J'entends au loin le fracas du ressac battant les hautes falaises. Je me tiens accroupi sur le sol, tous les sens en éveil, en attente. Soudain, je déploie mes grandes ailes et m'élève dans un ciel d'ouate grise. Le détroit roule ses flots en contrebas. Je vole en rase-mottes au-dessus de vagues en pâte de verre, très bas et très vite, à la manière d'un albatros.

Dès que je vois la côte approcher, je me laisse porter par les courants ascendants et vole au-dessus des collines et des forêts. La lumière dégouline entre les masses sombres des nuages. Je plane au-dessus des falaises, comme un aigle à présent, et l'océan est très loin tout en bas. Je me laisse tomber et vole à travers les embruns qui giclent de la crête des vagues. À l'ouest je distingue la silhouette noire du cap Bruny.

Le fanal du phare clignote et balaye d'une lumière blanche la terre et la mer. Je bats des ailes pour aller plus vite et m'élève au-dessus du littoral, très haut au-dessus des cottages des gardiens.

En contrebas, un homme marche vers le phare. Un homme de haute taille. Mon père, Jack, le gardien de phare, plié en deux, luttant contre les rafales de vent chargé de pluie. Il s'arrête devant l'épaisse porte noire, y introduit sa clé, pousse le lourd battant. Je le suis et me pose en bas de l'escalier. Il est en train de monter. J'entends résonner le bruit de ses souliers sur les marches comme dans une caverne. Il faut que je me dépêche. Je dois le rattraper avant qu'il allume.

Je m'envole et tournoie avec la spirale de l'escalier en montant vers la lumière. Me voilà dans la lanterne, encerclé par les vitres de la verrière. La lentille tourne encore, cassant les rayons lumineux épars pour les concentrer en un seul faisceau qui transperce l'aube grisâtre et s'estompe au loin sur l'océan houleux. Tout est calme.

Je tends l'oreille pour entendre la voix de mon père, sa toux dans le silence, le frottement discret de ses pas sur le plancher. Un choc. Un coup de vent ébranle les fenêtres. La porte du balcon s'ouvre à la volée et une ombre passe à la vitesse de l'éclair. Mon père s'est échappé.

Je sors à sa suite dans la tourmente et l'immensité spatiale. Le soleil levant enflamme l'horizon, l'espace autour de moi s'anime de tourbillons luminescents.

Il n'y a rien. Seulement la hauteur vertigineuse du phare. Les bourrasques de pluie. L'étrange sensation de léviter entre terre et ciel. La possibilité d'une respiration.

Mon père s'est volatilisé, mais ce lever du jour me libère. Je suis l'œil de la tornade.

À mon réveil, la maison est comme d'habitude. J'ai dormi dans mon lit. Le bas des rideaux laisse filtrer un rayon de jour qui éclaire le sol. De son panier, le menton posé sur ses pattes, Jess m'observe. Nos regards se croisent, et le bout touffu de sa queue bat la mesure, trois fois, quatre fois. Elle se demande quand je vais me décider à me lever. La journée est déjà bien entamée. On a des choses à faire. Se promener, manger...

Je me retourne dans mon lit pour me mettre dos à la lumière. Mon rêve me poursuit et je cherche à lui donner un sens. Au bout de quelques minutes, je rabats les couvertures. D'un bond, Jess est à mon côté. Elle trottine jusqu'à la porte d'entrée et lève vers moi un regard plein d'espoir. Je lui ouvre. Une bouffée d'air pur me caresse le visage. Après mon petit déjeuner, moi aussi, je sortirai. Je me sens ragaillardi. Cette nuit, une page s'est tournée. Peut-être est-ce dû à mon rêve.

Dans la cuisine, je prépare du café et réfléchis aux différentes possibilités qui s'offrent à moi. Je suis toujours ébranlé, mais je sais que je peux trouver ce qui me convient le mieux et aller de l'avant. Je ne ferai plus du surplace et ne me morfondrai plus. Je suis capable de prendre des décisions. J'ai à portée de main de nombreuses solutions, des solutions positives. Par exemple, je peux soit aller au garage et me remettre au boulot tout de suite, soit prendre ma journée et aller voir si Laura est chez elle. Que dirait-elle d'une petite virée au mont Wellington, rien que pour sentir le vent ?

En me tournant vers le plan de travail, je vois le téléphone. Ma main reste un moment hésitante au-dessus du combiné, puis je le soulève, conscient de son poids au creux de ma paume. Je ramasse un morceau de papier sur le comptoir, consulte le numéro et j'appuie sur les touches.

— Allô ?

— Salut, Bazza.

— Tom ! J'espère que tu as une bonne nouvelle à m'annoncer.

— Désolé, mon vieux. Mais je ne peux pas.

— Ne me dis pas que tu acceptes le job de Fredricksen.

— Non, mais je voulais que tu sois le premier à le savoir ; je ne vais pas en Antarctique.

— Eh bien, ça, c'est bien dommage. Peut-être l'année prochaine.

— Peut-être. Peut-être pas. Mais merci de me l'avoir proposé.

— T'inquiète, mon vieux. On se tient au courant.

Je raccroche et pose le combiné sur le comptoir avant de le reprendre. Je devrais aussi prévenir Fredricksen. Mais il y a quelqu'un que je dois appeler avant. Je trouve le numéro.

Une sonnerie. Deux. Trois. Quatre.

Toutes les fibres de mon corps sont tendues vers le déclic tant attendu. S'il te plaît, réponds !

— Allô ?

J'ai la main moite. Je retourne le morceau de papier et passe le bout du doigt sur les pattes de mouche. J'ai le cœur dans la gorge.

— Adam Singer ?

— Oui, c'est moi.

Une voix rocailleuse, une voix qui m'est étrangère.

— Bonjour... c'est Tom.

REMERCIEMENTS

En écrivant *La Mémoire des embruns*, j'ai fait un beau voyage semé d'épreuves et de gratifications. Pour son soutien, ses encouragements, sa persévérance et sa bonne foi, je remercie mon éditrice, Jane Palfreyman, chez Allen & Unwin. Elle m'a poussée à creuser davantage et à produire plus, ce dont je lui suis reconnaissante. Je tiens aussi à exprimer ma gratitude à Siobhán Cantrill, Catherine Milne et Clara Finlay pour leur savoir-faire et leur patience. Ainsi qu'à Emily O'Neill, la directrice artistique de A&U, à qui le roman doit sa splendide couverture. Un grand merci à tous.

Sans le soutien et l'attitude positive de mon agent, Fiona Inglis chez Curtis Brown, ce livre n'aurait pas vu le jour. Je la remercie de m'avoir guidée dans les grains inattendus que j'ai essuyés en chemin. Je remercie mon merveilleux mari, David Lindenmayer, pour sa confiance inébranlable en moi et pour avoir lu mon manuscrit un nombre de fois déraisonnable ; ma sœur, Fiona Andersen, pour ses précieux commentaires à propos des premières versions de ce récit ; Marjorie Lindenmayer pour avoir été indispensable et pour avoir méticuleusement relu les épreuves.

Pour m'avoir permis de connaître l'Antarctique et la fascination qu'elle exerce sur nous, je remercie l'Australian Antarctic Division. Je suis allée « au froid » deux fois en mission de volontariat pour le club ANARE afin d'étudier les phoques de Weddell et les phoques crabiers (étés 1995-1996 et 1996-1997). Ma gratitude va aussi aux gardiens de la station du phare du cap Bruny, Andy et Beth Gregory, grâce à qui j'ai fait un séjour aussi agréable que confortable dans le cottage de leur assistant. Et je remercie en particulier Andy d'avoir répondu à mes nombreuses questions. J'ai par ailleurs beaucoup appris en consultant les ouvrages de la salle des archives à Alonnah sur l'île Bruny.

Dans toute la mesure du possible, j'ai été fidèle à l'histoire du phare, de la région et de l'époque, même si je me suis permis quelques écarts dans l'intérêt du récit. J'ai glané toutes sortes de renseignements sur les phares et la vie des gardiens dans de multiples ouvrages, dont : *Guiding Lights: Tasmania's Lighthouses and Lighthousemen* (K.M. Stanley) ; *From Dusk Till Dawn: A History of Australian Lighthouses* (Gordon Reid) ; *Romance of Australian Lighthouses* (V. Philips) ; *Beacons of Hope: An Early History of Cape Otway and King Island Lighthouses* (D. Walker) ; *Following their Footsteps: Exploring Adventure Bay* (ed. C.J. Turnbull) ; *Stargazing: Memoirs of a Young Lighthouse Keeper* (Peter Hill) ; *The Lighthouse Stevensons* (Bella Bathurst) ; *Lighthouses of Australia* (John Ibbotson) ; j'ai par ailleurs puisé dans les newsletters et le site web de Lighthouses of Australia Inc., une association à but non lucratif qui milite en faveur d'une reconnaissance des phares australiens, aussi bien en Australie qu'outre-mer, afin que l'on protège et mette en valeur ces lieux de mémoire. J'ai visité un grand nombre de phares à la fois en Australie et sur la côte est du Canada. J'ai fait des séjours merveilleux au phare du cap Bruny en Tasmanie, à ceux de Green Cape et Point Perpendicular sur la côte sud-est de New South Wales, et au phare de Gabo Island de l'État de Victoria.

Les quelques connaissances que j'ai de l'Antarctique ont été acquises au cours de mes étés sur la base Davis dans le Territoire antarctique australien, à la lecture des notes de mon amie Raina Plowright, et de plusieurs ouvrages, parmi lesquels : *The Home of the Blizzard* (Sir Douglas Mawson) ; *Just Tell Them I Survived* (Dr Robin Burns) ; *Slicing the Silence : Voyaging to Antarctica* (Tom Griffiths) ; et *The Silence Calling : Australians in Antarctica* 1947-1997 (Tim Bowden). De même, je remercie du fond du cœur mon adorable amie Mandy McKendrick pour m'avoir hébergée à Coningham, et mon ami Bryan Reis pour m'avoir éclairée sur le rôle du mécanicien diéséliste en Antarctique.

Ce livre est dédié à ma grand-mère, Vera Viggers, qui n'est pas la Mary Mason de mon histoire. Toutefois, elle fut comme elle une femme modeste, avenante et généreuse, et elle a été pour moi une grande source d'inspiration. Je regrette qu'elle n'ait pas pu tenir la version définitive de ce roman, mais au moins, avant de mourir, elle a eu le plaisir d'en lire une ébauche.

PAPIER À BASE DE
FIBRES CERTIFIÉES

Le Livre de Poche s'engage pour
l'environnement en réduisant
l'empreinte carbone de ses livres.
Celle de cet exemplaire est de :
500 g éq. CO$_2$
Rendez-vous sur
www.livredepoche-durable.fr

Composition réalisée par INOVCOM

Imprimé en France par CPI
en août 2016
N° d'impression : 3019114
Dépôt légal 1re publication : avril 2016
Édition 07 - septembre 2016
LIBRAIRIE GÉNÉRALE FRANÇAISE
21, rue du Montparnasse - 75298 Paris Cedex 06